*María de Nazaret*

Marek Halter

# MARÍA DE NAZARET

**algaida
eco**

Título original: *Marie*
Editado en Francia por Éditions Robert Laffont, S. A.,
París, 2006

© 2006 Éditions Robert Laffont, S. A.
© traducción: Pablo Manzano, 2010
© de esta edición: Algaida Editores, 2012
Avda. San Francisco Javier 22
41018 Sevilla
Teléfono 95 465 23 11. Telefax 95 465 62 54
e-mail: algaida@algaida.es
Composición: REGA
ISBN: 978-84-9877-762-8
Depósito legal: Se. 1908-2012
Impresión: Huertas, A. G.
Impreso en España-Printed in Spain

# ÍNDICE

Jesús es la figura más luminosa de la historia. Aunque nadie ignora hoy día que era judío, nadie sabe, en cambio, que su madre, María, también lo era.

DAVID BEN GURIÓN (*Sdei Boker,* 1965),
en el transcurso de una conversación con el autor.

# NOTA

En la actualidad, los historiadores creen que el posible nacimiento de Jesús habría tenido lugar en el año 4 a.C., es decir, cuatro años antes de que empezara el calendario oficial de la era cristiana. El error se ha atribuido a un monje del siglo XI.

# PRÓLOGO

ERA DE NOCHE. LOS PORTONES Y POSTIGOS DE LA aldea estaban cerrados, la oscuridad había absorbido los ruidos del día.

Sentado en su taburete con el asiento relleno con un poco de lana, Joaquín, el carpintero, pulía, con unas ramas de zarza envueltas en trapos, unas piezas de madera de delicadas nervaduras que, una vez acabadas, depositaba con cuidado en un cesto.

Sus gestos eran los habituales, más lentos ahora por el cansancio y el sueño. A veces se quedaba parado. Los párpados se le cerraban y se le caía la cabeza.

Al otro lado del hogar, Hannah, su esposa, con el rostro enrojecido por las brasas ya débiles, le dirigió una tierna mirada. Su sonrisa fruncía sus mejillas. Guiñó el ojo a su hija Miriam, que le sostenía una madeja de lana. La niña respondió a su madre con una mueca cómplice. Después, los ágiles dedos de Hannah volvieron a tirar de las hebras de lana, cruzándolas y retorciéndolas de forma tan regular que formaban un único hilo.

Unos gritos los sobresaltaron.

Venían de fuera, muy cerca.

Joaquín se levantó; tenía tensa la nuca; los hombros, rígidos, y estaba completamente despejado.

Oyeron más gritos, reconocieron las voces, más agudas que ruidos metálicos, más fuertes que el ruido del metal, y las carcajadas que surgían de repente, incongruentes. Se oyó el gemido de una mujer, que acabó en sollozos.

Miriam escrutaba el rostro de su madre. Hannah, con los dedos encogidos sobre la lana, se volvió a Joaquín. Madre e hija le vieron depositar en el cesto la pieza en la que todavía estaba trabajando. Un gesto preciso, cuidadoso. Por encima, tiró el puñado de zarzas envueltas en trapos.

En el exterior, los gritos aumentaban, más violentos. Toda la callejuela de la aldea estaba agitada. Estallaban insultos, claramente comprensibles, que atravesaban puertas y paredes.

Hannah dejó la labor en el paño extendido sobre sus rodillas y ordenó en voz baja a Miriam.

—Sube.

Sin esperar, retiró la madeja de los brazos extendidos de la niña. Con voz más dura, repitió:

—Sube. ¡Date prisa!

Miriam se apartó de la chimenea y retrocedió hasta la cortina que ocultaba el hueco de la escalera sumida en la sombra. Corrió la cortina, se detuvo, incapaz de apartar los ojos de su padre.

Joaquín estaba de pie, acercándose a la puerta. Él también se detuvo. La tranca estaba atravesada sobre el portón y el único postigo. Él mismo la había colocado. La puerta estaba bien atrancada, lo sabía.

También sabía que era inútil. No los protegería de quienes se acercaban. Se reían de portones y postigos.

Ahora, los gritos resonaban más cerca, entre las paredes de desvanes y talleres.

—¡Abrid! ¡Abrid! ¡En nombre de Herodes, vuestro rey!

Unas palabras pronunciadas en mal latín y repetidas en mal hebreo. Unas voces, un acento, una forma de gritarlas que parecían de una lengua extranjera.

Así ocurría cada vez que los mercenarios de Herodes venían a sembrar el terror y la desgracia a la aldea. Llegaban preferentemente de noche, sin que nadie supiera por qué.

A veces, se eternizaban en Nazaret durante varios días. En verano, acampaban a las afueras de la aldea. En invierno, echaban a las familias de sus ruinosas casas y se instalaban en ellas a su capricho. No se marchaban hasta haber robado, quemado, destruido y matado. Se tomaban las cosas con calma, disfrutando con la contemplación de los efectos del mal y del sufrimiento que provocaban.

A veces, se llevaban presos con ellos. Hombres, mujeres, niños incluso. Raramente se los volvía a ver, pero tenía que pasar algún tiempo hasta que se los diese por muertos.

En ocasiones, los mercenarios dejaban en paz la aldea durante unos meses. Una estación entera. Los más pequeños, los más despreocupados casi se olvidaban de su existencia.

Ahora, los gritos rodeaban la casa. Miriam oía el roce de las suelas sobre el enlosado de piedra.

Joaquín sentía la mirada de su hija en la espalda. Se volvió y buscó su silueta en la sombra. No se enfadó al encontrarla aún allí, pero movió la mano con un gesto de urgencia.

—¡Sube deprisa, Miriam! Ten cuidado.

Le hizo un gesto. Quizá una sonrisa. Miriam vio a su madre que se llevaba las manos a la boca y la miraba atemorizada. Esta vez, se volvió y subió la escalera.

En la oscuridad, se pegaba a la pared para orientarse, sin tomarse la molestia de evitar los escalones que crujían. Los soldados gritaban tanto que no se arriesgaba a que la oyesen.

Los golpes que pegaban eran tan violentos que la pared temblaba bajo la mano de Miriam en el momento en que empujaba la puerta que conducía a la terraza.

Desde aquí, el tumulto de gritos, órdenes y gemidos se perdía en la noche. Abajo, en la sala común, la voz de Joaquín parecía asombrosamente tranquila mientras retiraba la tranca de la puerta y dejaba que girara sobre sus goznes.

* * *

Las antorchas de los soldados formaban una onda roja en la oscuridad. Con el corazón acelerado, Miriam resistió el deseo de acercarse al murete para contemplar el espectáculo. Lo adivinaba sin esfuerzo. Los gritos resonaban en la casa, bajo sus pies. Percibía las protestas de su padre, los gemidos de su madre, a quienes mandaban callar los berridos de los mercenarios.

Corrió hacia el otro extremo de la larga terraza, encima del taller, evitando el desorden que la obstruía. Cestos, sacos con madera vieja, serrín, ladrillos mal cocidos, tarros, maderos y pieles de borrego. Todo lo que su padre arrumbaba allí por falta de espacio en el desván.

En un rincón, unos tablones enormes apenas escuadrados estaban amontonados en un desorden tal que amenazaban con desplomarse. Sin embargo, todo ese batiburrillo solo era un engaño. El escondite preparado por Joaquín para su hija era, sin duda, la más bella e ingeniosa obra de carpintería que había construido en su vida.

Entre los tablones amontonados, tan pesados que hacían falta al menos dos hombres para levantarlos, estaban atravesadas por distintos sitios varias tablillas delgadas. Cualquiera creería que los troncos las habían bloqueado al deslizarse unos sobre otros a causa de su peso.

Sin embargo, en el extremo del montón, bastaba apretar una de estas tablillas de algarrobo para abrir una trampilla. Confundiéndose con el brillo natural de la madera, los golpes de gubia y el desgaste de la intemperie, este batiente resultaba perfectamente invisible.

Detrás, hábilmente excavada en el montón de tablones, cuidadosamente fijados y clavados, había un hoyo lo bastante grande para que un adulto pudiera tumbarse en él.

Solo Miriam, su madre y Joaquín conocían su existencia. Ni amigos ni vecinos. No podían correr ese riesgo. Los mercenarios de Herodes sabían cómo hacer confesar a hombres y mujeres lo que creían poder callar para siempre.

Con la mano en la tabla, Miriam iba a accionar el mecanismo, cuando se quedó inmóvil. A pesar del estrépito espantoso que aumentaba en la calle y en la casa, tuvo la sensación de una presencia muy cercana.

Volvió la cabeza rápidamente. Brilló por un instante el reflejo de un tejido. Después se desvaneció. Buscó con la vista el reflejo detrás de los barriles de salmuera en los que maceraban las aceitunas, a sabiendas de que no podría quedarse allí mucho tiempo.

—¿Quién está ahí? —susurró ella.

No hubo respuesta. Desde abajo llegaba la voz apagada de Joaquín que afirmaba, en respuesta a los gritos de un soldado, que no, que nunca había habido ningún niño en esta casa. Dios Todopoderoso no le había dado ninguno.

—¡No mientas! —gritó el mercenario, con un acento que hacía que las sílabas entrechocasen—. Los judíos siempre tienen niños.

Miriam tenía que apresurarse: iban a subir.

¿Había visto realmente algo o era su imaginación?

Conteniendo el aliento, avanzó. Y chocó con él. Él saltó como un gato al ataque.

Un chico, alto y delgado, por lo que podía adivinar a la débil luz de las antorchas de la calle. Ojos brillantes, rostro con la piel tensa sobre los huesos.

—¿Quién eres? —susurró ella, estupefacta.

Si él tenía miedo, no lo demostró. Agarró a Miriam por la manga de su túnica y, sin decir palabra, la arrastró en la espesura de la oscuridad. La túnica se rasgó. Miriam acabó por ponerse en cuclillas al lado del chico.

—¡Idiota! ¡Vas a hacer que me localicen!

Una voz seca, grave.

—Suéltame, me estás haciendo daño.

—¡Cretina! —gruñó aún.

Pero le soltó el brazo, acurrucándose contra el murete.

Miriam se incorporó a medias y se apartó. Si creía que podría escapar de los soldados escondiéndose allí, era tan estúpido como bruto.

—¿Te están buscando a ti? —preguntó ella.

Él no respondió; era inútil.

—Por tu causa, lo destruyen todo —dijo ella.

En esta ocasión, no era una pregunta. Sin embargo, él no abrió la boca. Miriam echó un vistazo por encima de los barriles. Iban a venir, lo encontrarían. Los mercenarios no atenderían a razones. Creerían que sus padres habían querido esconder a este idiota. Estarían perdidos. Ya veía a los soldados de Herodes pegando a su madre y a su padre.

—¡Si te imaginas que no te encontrarán, ahí detrás! ¡Vas a hacer que nos detengan a todos!

—¡Cállate!... ¡Lárgate, maldita sea!

No era momento de discutir.

—No seas tan bestia. ¡Rápido! ¡Tenemos el tiempo justo antes de que lleguen!

Esperaba que no fuese demasiado obstinado. Sin esperarle, corrió hacia el montón de tablones. Por supuesto, él no la siguió. Ella miró hacia la puerta de la terraza. Abajo, las protestas de su madre se mezclaban con el ruido de los objetos rotos.

—¡Date prisa, por favor!

Ella había empujado ya la tabla y abierto la trampilla. Al fin, había comprendido y estaba detrás de ella, todavía con ganas de discutir.

—¿Qué es esto?

—¿Qué crees? Entra, es suficientemente grande.

—Pero tú...

Sin responder, lo empujó con todas sus fuerzas al escondite. Con cierta satisfacción, oyó que se daba un golpe en la cabeza y soltaba una maldición; después, cerró la trampilla, procurando no hacer ruido. Giró la tabla, bloqueando así el mecanismo que permitía abrir desde el interior. «¡Así no correremos ningún riesgo por su causa!» Ella no le conocía; ni siquiera sabía su nombre. Pero no necesitaba saber nada más para adivinar que solo hacía lo que le daba la gana.

Se agachó detrás de los barriles en el instante en el que los mercenarios subían una antorcha a la terraza.

* * *

Iban empujando a Joaquín delante de ellos. Cuatro soldados, espada en mano, con el pecho cubierto de cuero. Las plumas de sus cascos se estremecían a cada uno de sus movimientos.

Agitaban sus antorchas para ver mejor en medio del desorden que reinaba en el lugar. Uno de ellos golpeó a Joaquín en la espalda con el pomo de la espada, obligándolo a inclinarse. Un gesto inútil, más humillante que doloroso. Pero a los mercenarios les gustaba mostrarse crueles.

Su jefe exclamó en un pésimo hebreo:

—¡Un buen sitio para esconderse! ¡Fácil!

Sorprendido, Joaquín no protestó y parecía desconcertado. El decurión escrutaba su reacción. Se echó a reír.

—¡Sí, seguro! ¡Aquí se esconde alguien!

Gritó unas órdenes. Sus esbirros empezaron a registrarlo todo, a derribarlo todo, mientras Joaquín, una vez más, les aseguraba que allí no se escondía nadie.

El oficial se reía y repetía:

—¡Sí, alguien ha entrado en tu casa! Mientes, pero, para ser judío, mientes mal.

Resonó un doble grito. El de sorpresa del soldado y el de dolor de Miriam a la que un puño agarraba por los cabellos.

Joaquín gritó a su vez; quería adelantarse para proteger a su hija. El oficial agarró su túnica y lo echó atrás.

—¡Es mi hija! —protestó Joaquín—. ¡Mi hija Miriam!

Las antorchas iluminaron a Miriam hasta el punto de deslumbrarla. La barbilla le temblaba de miedo. Todas las miradas estaban clavadas en ella, incluso la de su padre, furioso por que no estuviera en el escondite. Ella apretó las mandíbulas; apartó la mano que la agarraba por el pelo. Para sorpresa suya, el hombre soltó los dedos con cierta suavidad.

—Es mi hija —suplicó aún Joaquín.

—¡Cállate! —gritó el oficial.

Le preguntó a Miriam:

—¿Qué estabas haciendo ahí?

—Me escondía.

La voz de Miriam temblaba más de lo que hubiera deseado. Su miedo encantó al oficial.

—¿Por qué te escondes? —le preguntó.

La mirada de Miriam se dirigió brevemente hacia donde retenían a su padre.

—Mis padres me obligan a hacerlo. Os tienen miedo.

Los soldados se rieron sarcásticamente.

—¿Creías que no te encontraríamos detrás de esos barriles? —se mofó el oficial.

Miriam se encogió de hombros. Joaquín, con voz más firme, dijo:

—Es una niña, decurión. No ha hecho nada.

—Entonces, ¿por qué tienes miedo de que descubramos a tu hija en tu casa, si no ha hecho nada?

Se produjo un embarazoso silencio. Después, Miriam replicó:

—Mi padre tiene miedo porque se dice que los soldados del rey Herodes matan incluso a las mujeres y a los niños. También se dice que os los lleváis al palacio del rey y que no se los vuelve a ver.

El decurión se echo a reír, sobresaltando a Miriam, antes de que los mercenarios, a su alrededor, imitaran a su jefe. El hombre volvió a ponerse serio. Cogió a Miriam por el hombro; la miró intensamente.

—Quizá tengas razón, pequeña. Pero solo prendemos a quienes no obedecen a la voluntad del rey. ¿Estás segura de que no has hecho nada malo?

Miriam le sostuvo la mirada; sus facciones inmóviles; las cejas levantadas con estupor, como si el mercenario hubiese proferido una estupidez.

—¿Cómo podría hacer algo contra el rey? Solo soy una niña y ni siquiera sabe que existo.

De nuevo, los soldados se rieron. El oficial empujó a Miriam hacia su padre. Joaquín le echó los brazos y la abrazó tan fuerte que le cortó el aliento.

—Tu hija es lista, carpintero —dijo el oficial—. Deberías vigilarla mejor. Esconderla en la terraza no es una buena idea. Los chicos a los que estamos buscando son peligrosos. Cuando están asustados, matan incluso a vuestra gente.

\* \* \*

A su vuelta a la casa, Hannah, vigilada también por mercenarios, los esperaba al pie de la escalera. Abrazó a su hija, balbuciendo una oración al Todopoderoso.

El oficial los amenazó: unos jóvenes bandoleros habían tratado de asaltar la villa del recaudador de impuestos. Habían tratado, una vez más, de robar al rey. Serían capturados y castigados. Ya sabían cómo. Y quienes los ayudasen correrían la misma suerte. Sin la menor clemencia.

Cuando los soldados se fueron, Joaquín se apresuró a poner la tranca en la puerta. Un vivo chisporroteo atizaba las brasas del hogar. Los mercenarios no se habían contentado con volcar los asientos, dar la vuelta a camas y arcones; habían arrojado al fuego las piezas de madera delicadamente trabajadas por Joaquín. Ahora ardían con unas llamas brillantes que se sumaban a la tenue luz de las lámparas de aceite.

Miriam se precipitó, se agachó delante del hogar, quería retirar las piezas trabajadas con la ayuda de un atizador de hierro. Era demasiado tarde. La mano de su padre se posó en su hombro.

—No hay nada que se pueda salvar —dijo dulcemente—. No es nada. Lo que he sabido hacer, sabré rehacerlo.

Las lágrimas nublaban la mirada de Miriam.

—Al menos, no han tocado el taller. No sé qué los habrá detenido —suspiró Joaquín.

Mientras Miriam se levantaba, su madre le preguntó:

—¿Cómo se las arreglaron para encontrarte? Dios Todopoderoso, ¿han descubierto el escondite?

Joaquín respondió:

—No. Simplemente, se había escondido detrás de los barriles.

—¿Por qué?

Miriam contempló sus rostros todavía lívidos de miedo, sus ojos demasiado brillantes, sus facciones desencajadas ante la idea de lo que podía haber ocurrido. Ella pensaba en el chico escondido arriba, en su sitio. A su padre, podría haberle confiado este secreto, pero no a su madre.

Ella murmuró:

—Tenía miedo de que os hiciesen daño. Tenía miedo de quedarme allí sola mientras os hacían daño.

Era solo una mentira a medias. Hannah la estrechó contra su pecho, humedeciéndole las sienes con sus lágrimas y besos.

—¡Oh, mi pobre pequeña! Estás loca.

Joaquín levantó un taburete, esbozó una sonrisa.

—Se ha desenvuelto perfectamente con el oficial. Nuestra hija es valiente; eso está muy bien.

Miriam se apartó de su madre, un poco sonrojada por el cumplido. La mirada de Joaquín estaba llena de orgullo, era casi feliz.

—Ayúdanos a arreglar esto —dijo él— y vete a dormir. La noche será tranquila.

\* \* \*

En efecto, los gritos de los mercenarios cesaron. No habían encontrado lo que buscaban. Como de costumbre. Era lo más habitual, en realidad. Esta impotencia los volvía a menudo tan locos como bestias salvajes. Entonces, masacraban y destruían sin discernimiento ni piedad. Esa noche, sin embargo, se contentaron con alejarse de la aldea, agotados y soñolientos, para regresar al campamento de la legión, a dos millas[1] de Nazaret.

Cuando ocurrían estas cosas, cada familia se cerraba en sí misma. Cada cual vendaba sus heri-

---

[1]  La milla romana equivale a 1.480 m. Son unos 3 km. (*N. del T.*).

das, secaba sus lágrimas, calmaba sus temores. Al amanecer, aún estaría todo demasiado reciente para recordarlo, para que de vecino a vecino se contaran sus terrores.

Miriam tuvo que esperar un buen rato antes de poder levantarse de la cama en silencio. Hannah y Joaquín, temblando todavía de angustia, tardaron mucho en dormirse.

Cuando por fin oyó sus respiraciones regulares a través de la delgada mampara de madera que separaba su habitación de la suya, se levantó. Envuelta en un grueso chal, subió la escalera de la terraza, cuidando, en esta ocasión, de que no crujiera ningún escalón.

La luna creciente, velada por la neblina, cubría todo con una luz pálida. Miriam avanzó confiada. Podía moverse por allí en la oscuridad más completa.

Sus dedos encontraron con facilidad la tabla que mantenía cerrado el escondite. Apenas tuvo tiempo de apartarse para evitar que la trampilla de troncos, empujada violentamente desde el interior, la golpease. El chico ya estaba de pie.

—¡Soy yo! No tengas miedo —susurró ella.

Él no tenía miedo. Maldecía, sacudiéndose como una fiera para quitarse del pelo la paja y las mechas de lana que tapizaban el fondo del escondite.

—¡No hables tan alto! —protestó Miriam en un susurro—. Vas a despertar a mis padres...

—¿No pudiste venir antes? ¡Ahí se ahoga uno y no hay manera de abrir ese condenado cajón!

Miriam se rio.

—Tú me encerraste, ¡eh! —gruñó el chico—. ¡Lo hiciste a propósito!

—Tenía prisa.

El joven se contentó con resoplar. Para aplacarlo, Miriam le enseñó el mecanismo de apertura interior. Una pieza de madera que solo había que apretar con fuerza.

—No es complicado.

—Si sabes cómo funciona.

—No te quejes. Los soldados no te encontraron. Detrás de los barriles, no hubieras tenido esa suerte.

El chico iba tranquilizándose. En la penumbra, Miriam adivinó su brillante mirada. Quizá sonriera.

—¿Cómo te llamas? —preguntó él.

—Miriam. Mi padre es Joaquín, el carpintero.

—Para una niña de tu edad, eres valiente —admitió—. Te oí; te desenvolviste bien con los soldados.

De nuevo, se frotó enérgicamente las mejillas y la nuca, donde todavía tenía briznas de paja que le molestaban.

—Supongo que tengo que darte las gracias. Me llamo Barrabás.

Miriam no pudo contener la risa. A causa del nombre, que no era tal, porque solo significaba «hijo del padre». Y también a causa del tono tan serio del chico y del placer que le procuraba el cumplido.

Barrabás se sentó sobre los tablones.

—No veo dónde está la gracia —dijo refunfuñando.

—Es por tu nombre.

—Puede que seas valiente, pero sigues siendo tan tonta como una niña pequeña.

Más que hacerle daño, la pulla molestó a Miriam. Conocía la forma de pensar de los chicos. Este quería hacerse el interesante. Era una tontería. Lo era sin esfuerzo alguno. La fuerza y la delicadeza, la violencia y la justicia se entremezclaban en él en agradable alianza y sin que se diera mucha cuenta de ello. Por desgracia, los chicos de su especie creían siempre que las chicas eran unas crías, mientras que ellos ya eran hombres hechos y derechos.

Sin embargo, por interesante que fuese, no era menos cierto que había atraído a los soldados a su casa y a la aldea.

—¿Por qué te buscaban los romanos? —preguntó ella.

—¡No son romanos! Son bárbaros. ¡Nadie sabe siquiera dónde los compra Herodes! En la Galia o en Tracia. Quizá entre los godos. Herodes no es capaz de mantener auténticas legiones. Necesita esclavos y mercenarios.

Escupió, asqueado, por encima del murete. Miriam no dijo nada, esperando que respondiese de una vez a su pregunta.

Barrabás miró con cuidado la sombra densa de las casas de alrededor, como para asegurarse de que nadie pudiera verlos u oírlos. A la débil luz de la luna, su boca era hermosa, su perfil, elegante. Una barba rizada cubría sus mejillas y su mentón. Una barba de adolescente que, a plena luz del día, no le haría parecer mucho mayor.

Bruscamente, abrió la mano. En ella, el oro de un escudo brillaba a la luz de la luna. Su forma se reconocía con facilidad: un águila con las alas extendidas, la cabeza inclinada y un pico poderoso y amenazador. El águila de los romanos. El águila de oro que lucía en el asta de los estandartes que enarbolaban las legiones.

—La cogí de uno de sus almacenes. Incendiamos el resto antes de que estos estúpidos mercenarios se despertaran —murmuró Barrabás, con una sarcástica risotada de arrogancia—.También tuvimos tiempo de llevarnos dos o tres fanegas de grano. Solo es justicia.

Miriam contemplaba el escudo con curiosidad. Nunca había visto uno tan de cerca. Ni siquiera había visto nunca tanto oro.

Barrabás cerró la mano de nuevo y deslizó el escudo en el bolsillo interior de su túnica.

—Vale mucho dinero —susurró.

—¿Qué vas a hacer con eso?

—Conozco a uno que puede fundirlo y transformarlo en oro. Será útil —dijo él, misterioso.

Miriam se apartó. Se debatía entre sentimientos encontrados. Le gustaba este chico. Notaba en él una sencillez, una franqueza y una furia que la seducían. Valor también, porque hacía falta valor para enfrentarse a los mercenarios de Herodes. Pero no sabía si todo eso era justo. No sabía lo suficiente de las verdades del mundo, de la justicia y de la injusticia, para decidirse.

Sus emociones y su afecto la acercaban naturalmente al entusiasmo de Barrabás, a su ira contra los horrores y las humillaciones que sufrían a diario, en el reino de Herodes, incluso los niños pequeños. Pero también oía la voz sabia y paciente de su padre y su condena inquebrantable de la violencia.

De un modo algo provocativo, dijo ella:

—Eres un ladrón, pues.

Barrabás, ofendido, se levantó.

—¡Claro que no! La gente de Herodes dice que somos ladones. Pero todo lo que cogemos a los romanos, a los mercenarios y a quienes medran al amparo del rey, todo, lo redistribuimos entre los más pobres de nosotros, ¡se lo damos al pueblo!

La cólera amortiguaba su voz. Subrayando sus palabras con un gesto, añadió:

—No somos ladrones, somos rebeldes. Y no estoy solo, créeme. Yo soy un rebelde. Esta noche, los soldados no solo venían a por mí. Para el ataque contra estos almacenes, éramos, al menos, treinta o cuarenta.

Ella ya lo sabía antes incluso de que lo admitiese.

¡«Rebeldes»! Sí, así los llamaban. Y, lo más frecuente, para no decir nada bueno de ellos. Su padre y sus compañeros carpinteros de Nazaret los criticaban a menudo. Eran unos inconscientes peligrosos, a quienes sus padres deberían tener encerrados con doble cerrojo. ¿Qué ganaban provocando a los mercenarios de Herodes? Y algún día, serían la causa de la masacre de todas las aldeas de la región. ¡Una rebelión! ¡Una rebelión de débiles, de impotentes, que el rey y los romanos aplastarían en cuanto quisieran!

¡Bueno! ¡Claro que había motivos para rebelarse! El reino de Israel se ahogaba en sangre, lágrimas y vergüenza. Herodes era el más cruel, el más injusto de los reyes. Viejo, cerca de la muerte, unía la locura a la crueldad. Se mostraba a veces más perverso que los mismos romanos, paganos desalmados.

En cuanto a los fariseos y saduceos, que tenían a su cargo el templo de Jerusalén y sus riquezas, no eran mucho mejores. Se sometían vergonzosamente a todos los caprichos del rey. Solo pensaban en conservar la apariencia de poder y dictar leyes que les permitieran aumentar sus riquezas, en vez de promover la justicia.

Galilea, muy al norte de Jerusalén, estaba rota y arruinada por los impuestos que enriquecían a Herodes, a sus hijos y a todos los que compartían su desvergüenza.

Sí, Yahveh, como había hecho más de una vez desde que sellara su alianza con Abraham, había vuelto la espalda a su pueblo y su reino. Pero, ¿acaso había que añadir violencia a la violencia? ¿Era prudente, siendo débil, provocar al fuerte y arriesgarse a desencadenar una matanza?

—Mi padre dice que los rebeldes sois unos estúpidos. Vais a conseguir que nos maten a todos —dijo Miriam, procurando que su voz manifestara un rotundo reproche.

Barrabás se rio.

—Lo sé. Lo cree mucha gente. Se quejan y se lamentan como si fuésemos la causa de sus desgracias. Tienen miedo, nada más. Prefieren quedarse sentados. ¿A qué esperan? Quién sabe, ¿al Mesías, quizá?

Barrabás rechazó la palabra con un gesto de la mano, como para dispersar las sílabas en la noche.

—El reino está lleno de mesías que son igualmente locos e impotentes. No hace falta haber estudiado con los rabinos para comprender que no podemos esperar nada bueno de Herodes ni de los romanos. Tu padre se equivoca. Herodes no nos esperó para empezar a masacrar, violar y robar. Él y sus hijos solo viven para eso. ¡Son ricos y poderosos gracias a nuestra pobreza! Yo no soy de los que esperan. No me encontrarán en mi agujero.

Dejó de hablar, sin aliento, sofocado por la ira. Como Miriam no abriera la boca, añadió él con voz más dura:

—Si no nos rebelamos, ¿quién lo hará? Tu padre y todos los viejos como él están equivocados. Morirán, ocurra lo que ocurra. Y morirán como esclavos. Pero yo moriré como un judío, hijo del gran pueblo de Israel. Mi muerte será mejor que la suya.

—Mi padre no es un esclavo ni un cobarde. Tiene tanto coraje como tú...

—¿Para qué le sirve su coraje, para suplicar como un menesteroso cuando los mercenarios encontraron a su hija escondida en la terraza?

—¡Yo estaba allí porque había que salvarte! Ellos han destrozado todo en nuestra casa y en las de nuestros vecinos, las piezas de madera que mi padre ha fabricado y nuestros muebles. ¡Y todo para que vayas tú de listo por el mundo!

—¡Anda, cállate! Hablas como una cría, ya te lo he dicho. ¡Esto no son cosas de críos!

Habían procurado discutir en voz baja, pero ambos se habían dejado llevar por la disputa. Miriam ignoró el insulto. Se volvió hacia la escalera, aguzando el oído para asegurarse de que no llegaba ruido alguno del interior de la casa. Cuando su padre se levantaba, la cama emitía un crujido particular que ella reconocía siempre.

Tranquilizada, se volvió de nuevo hacia Barrabás. Él se había apartado de los tablones. Inclinado sobre el murete, buscaba un sitio para bajar de la terraza.

—¿Qué haces? —le preguntó ella.

—Me marcho. Supongo que no querrás que atraviese la preciosa casa de tu padre. Voy a irme por donde he venido.

—¡Barrabás, espera!

Los dos estaban equivocados y los dos tenían razón, Miriam lo sabía. Barrabás también. Eso era lo que lo sacaba de sus casillas.

Ella se acercó a él lo bastante para poner la mano sobre su brazo. Él se estremeció como si ella le hubiese pinchado.

—¿Dónde vives? —preguntó ella.

—Aquí no.

¡Qué irritante era esta manía de no responder nunca directamente a las preguntas que se le hacían! Costumbre de ladrón, claro.

—Ya sé que no vives aquí, si no te conocería.

—En Séforis...

Una ciudad importante, a hora y media andando hacia el norte. Para llegar, había que atravesar un denso bosque y, de noche, nadie se aventuraría por allí.

—No seas bestia. No puedes regresar ahora —dijo ella con dulzura.

Ella se quitó su chal de lana y se lo puso en las manos.

—Puedes dormir en el escondite... Deja abierta la trampilla. Así no te ahogarás. Con el chal, no tendrás demasiado frío.

Por respuesta, se encogió de hombros y evitó su mirada. Pero no rechazó el chal y dejó de buscar el medio de saltar por encima del murete de la terraza.

—Mañana —dijo Miriam con una sonrisa en su voz—, en cuanto pueda, te traeré un poco de leche y pan. Pero, cuando amanezca, es mejor que cierres la trampilla. A veces, mi padre sube aquí en cuanto se levanta.

* * *

Al alba, una lluvia fina y fría llenaba las casas de humedad. Miriam se las arregló para desviar de las reservas de su madre un pequeño tarro de leche y un pedazo de pan. Subió a la terraza sin que nadie se diera cuenta.

La trampilla del escondite estaba cerrada. La madera brillaba, mojada por la lluvia. Se aseguró de que nadie pudiera verla y presionó sobre la tabla. El panel se inclinó lo suficiente para mostrar que el escondite estaba vacío. Barrabás se había marchado.

No hacía mucho que se había ido, porque su calor todavía estaba en la lana. El chal también estaba allí. Cuidadosamente doblado. Tan cuidadosamente que Miriam sonrió. Como si aquello fuese un signo. Un «gracias», quizá.

A Miriam no le sorprendió que Barrabás hubiese desaparecido así, sin esperarla. Concordaba con la imagen que se había hecho de él. Incapaz de quedarse quieto, temerario, sin importarle la paz. Además, estaban la lluvia, el temor de que lo viese la gente de Nazaret. Si lo descubrieran en la aldea, todo el mundo lo relacionaría con los chicos a los que perseguían los mercenarios de Herodes. ¿Quién sabe si algunos hubieran querido vengarse por el miedo que habían pasado?

Sin embargo, al volver a cerrar la trampilla, Miriam sintió una especie de disgusto. Le hubiese gustado ver de nuevo a Barrabás. Hablar con él, ver su rostro a plena luz del día.

Era poco probable que sus caminos se cruzaran de nuevo. Sin duda, en el futuro, Barrabás evitaría cuidadosamente Nazaret.

Se dio la vuelta para volver a entrar en la casa y sintió un escalofrío. El frío, la lluvia, el miedo y la rabia cayeron sobre ella al mismo tiempo. Sus ojos, aunque acostumbrados a aquel horror, acababan de fijarse en las tres cruces de madera que se elevaban dominando la aldea.

Seis meses antes, los mercenarios de Herodes habían colgado a unos «ladrones» capturados en los alrededores. Ahora, los tres cadáveres de los ajusticiados no eran más que masas acartonadas, putrefactas, secas, medio devoradas por las aves.

Eso era lo que le esperaba a Barrabás, si lo cogían. Era también lo que justificaba su rebelión.

PRIMERA PARTE

# AÑO 6 ANTES DE CRISTO

# CAPÍTULO 1

LOS GRITOS DE LOS NIÑOS ROMPIERON LA SOMNO-
lencia de la primera hora de la mañana.

—¡Ya están aquí! ¡Ya están aquí!

En su taller, Joaquín ya estaba trabajando. Intercambió una mirada con su ayudante, Lisanias. Sin dejar que los gritos lo distrajesen, con un solo movimiento, levantaron la viga de cedro y la depositaron sobre el banco de trabajo.

Lisanias se masajeó los riñones, quejándose. Era demasiado viejo para hacer esos esfuerzos. Tan viejo que nadie, ni él mismo, recordaba qué día había nacido en una lejana aldea de Samaria. Pero Joaquín había trabajado con él desde siempre. No se le pasaba por la cabeza sustituirlo por un joven aprendiz desconocido. Lisanias le había enseñado, con su padre, el oficio de carpintero. Los dos juntos habían hecho más de cien tejados en las aldeas alrededor de Nazaret. Varias veces, habían solicitado sus servicios hasta en Séforis.

Oyeron unos pasos en el patio mientras los gritos de los niños resonaban aún en las paredes de la aldea. Hannah se detuvo en la puerta del taller.

Proyectada por el sol rasante de la mañana, su sombra llegaba hasta sus pies. Anunció:

—Han llegado.

Estas palabras no hacían falta, no lo ignoraba, pero tenía que decirlas a modo de queja de rabia y de inquietud.

—Ya los he oído —suspiró Joaquín.

No hacía falta decir más. En la aldea, todo el mundo sabía lo que pasaba: los recaudadores del Sanedrín entraban en Nazaret.

Desde hacía días, recorrían Galilea, yendo de aldea en aldea, precedidos por el anuncio de su llegada como el rumor de la peste. Y cada vez que dejaban una aldea, el rumor aumentaba. Se creía que devoraban todo a su paso, como las langostas lanzadas sobre el Egipto del faraón por la ira de Yahveh.

El viejo Lisanias se sentó sobre un bloque de madera, sacudiendo la cabeza.

—¡Hay que dejar de ceder ante estos buitres! Hay que dejar que decida Dios a quién castigar: a ellos o a nosotros.

Joaquín se pasó la mano por la barbilla, rascando su corta barba. La tarde anterior, los hombres de la aldea se habían reunido. Cada uno había dado rienda suelta a su furia. Como Lisanias, varios habían dicho que no se diera nada más a los recaudadores de tributos. Ni grano, ni dinero, ni objeto alguno. Que cada persona se les acercara con las manos vacías y dijera: «¡Fuera!» Pero

Joaquín sabía que eran solo palabras, los sueños desesperados de unos hombres encolerizados. Los sueños se desvanecerían y el coraje se desmoronaría en cuanto tuvieran que afrontar la realidad.

Los recaudadores no entraban a saquear las aldeas sin la ayuda de los mercenarios de Herodes. Si ante los primeros podían presentarse las manos vacías, ante las lanzas y las espadas, la cólera constituiría una debilidad añadida. Solo serviría para provocar una masacre. O para palpar un poco más su impotencia y su humillación.

Los niños del vecindario se pararon ante el taller, rodeando a Hannah, con los ojos brillantes de excitación.

—¡Están en casa de la vieja Hulda! —anunciaron.

Lisanias se levantó; la boca le temblaba.

—¿Y qué van a encontrar en casa de Hulda? ¡No tiene nada de nada!

En Nazaret, todos sabían que Hulda era la amante de Lisanias. Si no hubiese sido por la tradición, que prohibía que los de Samaria se casaran con las mujeres de Galilea e incluso que vivieran bajo el mismo techo que ellas, haría lustros que serían marido y mujer.

Joaquín se enderezó, ciñendo cuidadosamente los faldones de su túnica con el cinturón.

—Voy allá; quédate aquí con Hannah —le dijo a Lisanias.

Hannah y los niños se apartaron para dejarlo pasar. Apenas había salido cuando le sorprendió la voz clara de Miriam.

—Voy contigo, padre.

Hannah protestó de inmediato. No era un lugar para una niña pequeña. Joaquín no le dio la razón. El aspecto decidido de Miriam le disuadió. Su hija no era como las demás. Había en ella algo más fuerte y más maduro. Coraje y rebeldía también.

En realidad, su presencia le hacía siempre feliz y eso se notaba tanto que Hannah no dejaba de burlarse de él. ¿Era de esos padres devotos de su hija? Podía serlo. Y si lo era, ¿qué tenía de malo?

Sonrió a Miriam y le hizo un gesto para que fuese a su lado.

\* \* \*

La casa de Hulda era una de las primeras al entrar a Nazaret por el camino de Séforis. La mitad de los hombres del pueblo ya estaban allí congregados cuando llegaron Miriam y Joaquín.

Veinte mercenarios en túnica de cuero vigilaban las monturas de los recaudadores y las carretas tiradas por mulas, un poco más abajo, en el camino. Joaquín contó cuatro carretas. Los crápulas del Sanedrín se habían hecho demasiadas ilusiones si esperaban llenarlas.

Otro grupo de mercenarios, bajo la mirada de un oficial romano, formaban en fila ante la casa de la vieja Hulda. Con el puño cerrado sobre la lanza o sobre la empuñadura de una espada, todos mostraban la misma indiferencia.

Joaquín y Miriam no vieron a los recaudadores sobre el terreno. Estaban en el interior de la minúscula casa.

De repente, se oyó la voz de Hulda. Una queja ronca rasgó el aire. Se produjo un barullo en el umbral de la casita, y se les vio.

Eran tres. Con la boca dura, esa expresión altiva en los ojos que confiere el poder sobre las cosas y los seres. Sus túnicas negras barrían el suelo. Negro también era el velo de lino enrollado sobre sus bonetes y que, a los lados, solo dejaba ver unas barbas sombrías.

Joaquín apretó las mandíbulas hasta hacerse daño. Le bastaba con verlos para hervir de furor. De vergüenza y de deseos asesinos. ¡Que Dios perdone a todos! Auténticos buitres, parecidos a esos cuervos que se alimentaban de los ajusticiados.

Adivinando sus pensamientos. Miriam buscó su mano y la apretó con fuerza. Volcaba allí toda su ternura, pero compartía demasiado el dolor de su padre para poder apaciguarlo.

De nuevo, Hulda lanzó un grito. Suplicó; sus manos con los dedos desfigurados tendidas hacia delante. Su moño se deshizo. Unas mechas de cabellos blancos le cubrieron la mitad de su rostro. Ella trataba de aferrar la túnica de uno de los recaudadores balbuciendo:

—¡No podéis! ¡No podéis!

El hombre se soltó. La empujó haciendo muecas de asco. Los otros dos se acercaron en su ayuda. Agarraron a la vieja Hulda por los hombros, sin ningún miramiento a su edad y su debilidad.

Ni Miriam ni Joaquín habían comprendido aún la razón de los gritos de Hulda. Después, uno de los recaudadores se adelantó. Ambos vieron entonces, entre los faldones de su túnica de cuervo, el candelabro que apretaba contra su pecho.

Un candelabro de bronce, más viejo que la misma Hulda, adornado con flores de almendro. Era herencia de los abuelos de sus abuelos. Un candelabro de Jánuca, tan antiguo que contaba que lo habían tenido los hijos de Judas Macabeo y ellos habían sido los primeros que habían encendido las candelas que festejaban el milagro de la luz eterna. Era, ciertamente, la única cosa de cierto valor que todavía poseía. En la aldea, todos conocían los sacrificios que había hecho Hulda para no separarse de él. Más de una vez, había preferido la privación a las monedas de oro que hubiera podido obtener.

Al ver el candelabro en los brazos del recaudador, se elevó la protesta de quienes allí se encontraban. ¿No era acaso, en todos los hogares de Galilea y de Israel, el candelabro de Jánuca tan sagrado como el pensamiento de Yahveh? ¿Cómo podían atreverse los servidores del templo de Jerusalén a robar la luz de una casa?

A las primeras protestas, el oficial romano gritó una orden. Los mercenarios, bajando sus lanzas, cerraron filas.

Hulda todavía gritó algunas frases que no se le entendieron. Uno de los buitres se volvió, con el puño en alto. Sin la menor vacilación, la golpeó en el rostro. El golpe proyectó el cuerpo enclenque de la anciana contra la pared de la casa. Antes de hundirse en el polvo del suelo, rebotó como si no pesara más que una pluma.

Surgieron gritos de rabia. Los soldados dieron un paso atrás, pero las lanzas y las espadas dieron en los pechos de quienes estaban en las primeras filas.

Miriam había soltado el brazo de su padre. Muy cerca de él, ella gritó el nombre de Hulda. El hierro de una lanza apareció a menos de un dedo de la garganta de la niña. Joaquín vio los ojos asustados del mercenario que sostenía el asta.

Adivinó que aquel loco iba a herir a Miriam. Comprendió que él, a pesar de las exhortaciones a la sabiduría y a la paciencia que se hacía desde la víspera, ya no soportaba la humillación que los canallas del Sanedrín infligían a la anciana Hulda. Y, que Dios Todopoderoso le perdone, nunca aceptaría que un bárbaro a sueldo de Herodes matara a su hija. Se dio cuenta de que lo empujaba el coraje de la cólera, costara lo que costase.

El mercenario echó atrás el brazo para dar el golpe. Joaquín se lanzó hacia delante. Con el extremo de los dedos, desvió la lanza antes de que alcanzara el pecho de Miriam. La parte plana del hierro golpeó el hombro de un joven que estaba a su lado con fuerza suficiente para tirarlo al suelo. Pero Joaquín ya había arrebatado el arma de las manos del mercenario. Con su mano libre, tan dura como la madera que trabajaba a diario, golpeó al hombre en la garganta.

Algo se rompió en el cuello del mercenario, cortándole la respiración. Sus ojos se agrandaron de estupor.

Joaquín lo empujó; de reojo, vio a Miriam que levantaba al vecino, rodeada por la gente de la aldea que, sin darse cuenta de que uno de sus enemigos estaba muerto, insultaba a los mercenarios.

Sin dudarlo, lanza en mano, se abalanzó sobre los recaudadores. Mientras gritaban tras él, apuntó el hierro sobre el vientre del buitre que tenía el candelabro.

—¡Devuelve ese candelabro! —gritó.

El otro, estupefacto, no hizo un gesto. Quizá ni siquiera comprendiera las palabras de Joaquín. Retrocedió, pálido. Sin soltar el candelabro, pero babeando de pánico, se apretujó contra los otros recaudadores que estaban detrás de él, como para diluirse en su masa oscura.

A sus pies, la anciana Hulda no se movía. Un poco de sangre manaba de una de sus sienes, ennegreciendo sus mechas grises. En medio de los gritos y voces de la avalancha, Joaquín oyó la voz de Miriam que gritaba:

—¡Padre, cuidado!

Los mercenarios que, un instante antes, custodiaban las carretas, acudían en ayuda de los otros, blandiendo las espadas. Joaquín comprendió que cometía una locura y que su castigo sería terrible.

Pensó en Yahveh. Si Dios Todopoderoso era el Dios de la Justicia que le habían enseñado, Él le perdonaría.

Dio con la lanza un golpe seco. Le sorprendió sentir que el hierro entraba tan fácilmente en el hombro del recaudador grueso. Este chilló de dolor. Al fin, soltó el candelabro, que cayó al suelo con un ligero tintineo de campana.

Antes de que los mercenarios se lanzaran sobre él, Joaquín se deshizo de la lanza, agarró el candelabro y se arrodilló al lado de Hulda. Con alivio, se dio cuenta de que solo estaba desvanecida. Deslizó un brazo bajo los hombros de la anciana, puso el candelabro sobre su vientre y cerró los dedos deformados sobre el bronce.

Solo entonces se percató del silencio.

Ni un grito, ni un berrido, ni un insulto. Todo lo más, los gemidos del grueso recaudador herido.

Levantó la vista. Una decena de puntas de lanza y otras tantas espadas le apuntaban. La indiferencia había desaparecido del rostro de los mercenarios. En su lugar, un odio arrogante.

Abajo, a diez pasos en la carretera, toda la gente de Nazaret, así como Miriam, su hija, bajo la amenaza de las lanzas, no osaban moverse.

El silencio y el estupor se prolongaron el tiempo de un suspiro; después, se quebraron. Entonces llegó la confusión.

A Joaquín lo agarraron, lo tiraron al suelo y le golpearon. Miriam y los habitantes de la aldea se revolvieron. Los mercenarios los empujaron, hiriendo sin dudar los brazos, los muslos o los hombros de los más valientes. El oficial que mandaba la guardia dio la orden de repliegue.

Unos mercenarios llevaron al recaudador herido hasta su montura, mientras ataban con ligaduras de cuero las muñecas y lo tobillos de Joaquín. Lo echaron sin miramientos sobre las tablas de una carreta que maniobraba ya para alejarse de la aldea. A su lado, cargaron el cuerpo del soldado que había matado. Bajo los chasquidos de las fustas y los mugidos, las otras carretas la siguieron precipitadamente.

Cuando los caballos y los soldados desaparecieron en la sombra del bosque, el silencio cayó sobre Nazaret.

Un frío glacial se apoderó de Miriam. El pensamiento de su padre atado y a merced de los soldados del Templo le puso un nudo en la garganta. A pesar de la presencia de toda la aldea que se arremolinaba a su alrededor, sentía que la invadía un miedo inmenso. No pensaba más que en las palabras que iba a decirle a su madre.

\* \* \*

—Tendría que haber ido con él —murmuraba Lisanias, sin dejar de balancearse en su taburete—. Me quedé en el taller como una gallina asustada. No era Joaquín quien tenía que defender a Hulda. Era yo.

Los vecinos y vecinas que abarrotaban la estancia, hasta en el suelo, escuchaban en silencio los gemidos del anciano samaritano. Veinte veces le habían repetido unos y otros que él no tenía la culpa y que no habría podido hacer nada. Lisanias no era capaz de quitarse de la cabeza ese pensamiento. Como Miriam, no soportaba la ausencia de Joaquín a su lado, ahora, esta noche, mañana.

Hannah callaba, sentada, rígida, con los dedos arrugando nerviosos los faldones de la túnica.

Miriam, con los ojos secos, el corazón desbocado, la observaba de reojo. La tristeza muda y solitaria de su madre la intimidaba. No se atrevía a dirigirle un gesto de ternura. Las vecinas tampoco habían tomado a Hannah en sus brazos. La esposa de Joaquín no era una mujer a la que resultara fácil acercarse.

Ya había pasado el momento de las palabras violentas y de venganza. Solo quedaban el dolor y la conciencia de la impotencia.

Cerrando los párpados, Miriam revivía el drama. El cuerpo de su padre acurrucado, atado y tirado como un saco en la carreta.

Se preguntaba sin descanso: «Y ahora, ¿qué le pasará? ¿Qué le harán?»

Lisanias no era en absoluto el responsable del drama. Joaquín la había defendido. A causa de ella estaba ahora a merced de los recaudadores del Templo.

—No volveremos a verlo. Es como si hubiera muerto.

Resonando en el silencio, la clara voz de Hannah los sobresaltó. Nadie protestó. Todos pensaban lo mismo.

Joaquín había matado a un soldado y herido a un recaudador. Sabían de antemano cuál era el castigo. Si los mercenarios no lo habían matado o crucificado sobre la marcha solo era porque les urgía curar al recaudador del Sanedrín.

Sin duda le infligirían un suplicio ejemplar. Una sentencia que todos conocían de antemano: la cruz, hasta que el hambre, la sed, el frío y el sol lo mataran. Una agonía que duraría días.

Miriam se mordió los labios para contener el llanto que la ahogaba. Con una voz átona, dijo:

—Al menos, habría que descubrir adónde lo llevan.

—A Séforis —dijo un vecino—. Seguro que a Séforis.

—¡No! —dijo otro—. Ya no encarcelan a nadie en Séforis. Tienen demasiado miedo a las bandas de Barrabás, los jóvenes a los que han perseguido durante todo el invierno sin conseguir atraparlos. Se dice que, ya en dos ocasiones, Barrabás se ha atrevido a atracar las carretas de los recaudadores. No, lo conducirán a Tiberíades. De allí, nunca ha escapado un preso.

—También podrían llevarlo a Jerusalén —intervino un tercero— y crucificarlo delante del Templo para denunciar, una vez más, ante los de Judea lo bárbaros que somos nosotros, los galileos.

—Para saberlo, lo mejor es seguirlos —dijo Lisanias, levantándose de su taburete—. Yo me voy.

Surgieron multitud de objeciones. ¡Era demasiado viejo, estaba demasiado fatigado para correr tras los mercenarios! Lisanias insistió, asegurando que nadie desconfiaría de un anciano y que todavía estaba suficientemente ágil para regresar pronto a Nazaret.

—¿Y después? —preguntó Hannah con voz contenida—. Cuando descubráis dónde se encuentra mi esposo, ¿de qué os servirá? ¿Para ir a verlo en su cruz? Yo no iré. No, ¡no iré a ver cómo devoran a Joaquín los pájaros cuando debería estar aquí y cuidar de nosotras!

Algunas voces protestaron. No muy fuerte, porque nadie sabía lo que convenía o no hacer en adelante. Pero Lisanias rugió:

—Si no soy yo, otros deben seguirlos. Es preciso que sepamos adónde lo llevan.

Se celebró un conciliábulo y, finalmente, designaron a dos jóvenes pastores, que partieron de inmediato, evitando el camino de Séforis y cortando a través del bosque.

\* \* \*

El día no trajo alivio alguno. Al contrario, dividió Nazaret como un vaso que se rompe.

La sinagoga no se quedó vacía. Hombres y mujeres estaban allí, más devotos que de costumbre, hablando después de largas oraciones y, sobre todo, atentos a las exhortaciones del rabino.

Dios había decidido la suerte de Joaquín, afirmaba. No se mata a un hombre, aunque sea un mercenario de Herodes. Hay que aceptar su camino, porque solo el Todopoderoso sabe y nos conduce hasta la venida del Mesías.

No había que mostrarse demasiado indulgente hacia Joaquín, aseguraba. Porque su acto, además de poner en peligro su vida, sometía en adelante a toda la aldea de Nazaret a la venganza de Roma y del Sanedrín. Serían muchos los que reclamarían un castigo. Y los mercenarios de Herodes, unos paganos sin fe ni ley, solo soñarían con la venganza.

Había que esperar horas sombrías, previno el rabino. Desde ese momento, aceptar el castigo de Joaquín era lo más prudente, así como orar mucho para que el Eterno le perdonase.

Esos consejos acabaron de sembrar la confusión. Unos los encontraban llenos de buen sentido. Otros recordaron que, la víspera de la llegada de los recaudadores, la rabia había insuflado un viento de rebeldía sobre ellos. Joaquín les había tomado la palabra. Ahora, ya no sabían si debían seguir su ejemplo y manifestar, también ellos, el coraje de su cólera. La mayor parte de ellos estaban desorientados por las palabras oídas en la sinagoga. ¿Cómo distinguir el bien del mal?

Al escucharlas, Lisanias explotó, diciendo en voz bien alta que, al final, se alegraba mucho de ser samaritano y no galileo.

—¡Sois de lo que no hay! —gritó a quienes rodeaban al rabino—. Ni siquiera sois capaces de comprender a quien defiende a una anciana contra los recaudadores.

Y, asegurando que, en adelante, ninguna norma se lo impediría, fue a instalarse en casa de la anciana Hulda, que se había hecho daño en la cadera y no podía moverse de la cama.

Miriam escuchó y calló. Admitía que en las palabras del rabino había algo de verdad. Sin embargo, eran inaceptables. No solo justificaban todos los sufrimientos que los mercenarios de Herodes pudieren infligir a su padre, sino que, además, aceptaban que el Todopoderoso no fuese justo con los justos. ¿Cómo era posible tal cosa?

* * *

Antes del crepúsculo, los pastores regresaron sin aliento. La columna de los recaudadores del Templo solo se había detenido en Séforis el tiempo suficiente para curar la herida del recaudador.

—¿Habéis visto a mi padre? —preguntó Miriam.

—No se podía. Estaban lejos. Los mercenarios eran verdaderamente malvados. Sí es seguro que seguía en la carreta. Como el sol caía a plomo, debía de tener una sed terrible. La gente de Séforis tampoco podía acercársele. Era imposible acercarle una cantimplora, te lo juro.

Hannah gimió. Varias veces murmuró el nombre de Joaquín, mientras los demás bajaban la cabeza.

—Después, subieron a otra carreta al recaudador herido y salieron de la ciudad a toda velocidad. En dirección a Caná —aseguraron los pastores.

—¡Van a Tiberíades! —exclamó un vecino—. Si regresaran a Jerusalén, habrían tomado la ruta del Tabor.

Todos lo sabían.

Un pesado silencio cayó sobre ellos.

Ahora, las palabras de Hannah estaban en la mente de todos, Sí, ¿de qué les servía saber que llevaban a Joaquín camino de la fortaleza de Tiberíades?

—Al menos —suspiró una vecina, respondiendo a las preocupaciones de todos—, eso significa que no lo van a colgar de inmediato en una cruz.

—Mañana o pasado mañana... ¿Qué cambia eso? —masculló Lisanias—. Los dolores de Joaquín se prolongarán más tiempo, nada más.

Todos se imaginaban la fortaleza. Un monstruo de piedra de los benditos días del rey David, que Herodes había hecho ampliar y reforzar, supuestamente para defender Israel de los nabateos, los enemigos del desierto del este.

En realidad, desde hacía lustros, la fortaleza servía para encarcelar a centenares de inocentes, ricos y pobres, sabios e ignorantes. A todos los que desagradaban al rey. Un rumor, una habladuría malintencionada, las maniobras de una vil venganza bastaban para acabar dando allí con los huesos. Lo más frecuente era no volver a salir de allí o acabar en el bosque de postes que la rodeaba.

Ahora, visitar Tiberíades era triste, a pesar de la gran belleza del lago Genesaret. Nadie podía escapar al espectáculo de los ajusticiados. Algunos aseguraban que, por la noche, sus gemidos resonaban en la superficie de las aguas como gritos que subieran del infierno. Ponían los pelos de punta. Los mismos pescadores, aunque la orilla cercana a la fortaleza fuese más rica en pesca que la otra, no se atrevían a acercarse.

Pero, aunque el terror hacía enmudecer a todos, Miriam pronunció con toda claridad y sin dudarlo:

—Me voy a Tiberíades. No dejaré que mi padre se pudra en la fortaleza.

Las cabezas se levantaron. El guirigay de protestas fue tan ruidoso como profundo había sido el silencio inmediatamente anterior.

Miriam deliraba. No debía dejarse llevar por el dolor. ¿Cómo iba a sacar a su padre de las celdas de Tiberíades? ¿Olvidaba acaso que solo era una niña? Apenas quince años, tan joven que ni siquiera la habían casado. Aunque parecía mayor y su padre tenía la costumbre, quizá no tan buena, de considerarla como una mujer razonable y sabia, no era más que una niña, no una hacedora de milagros.

—No pienso ir sola a Tiberíades —anunció ella cuando se apaciguaron—. Voy a pedir ayuda a Barrabás.

—¿Barrabás, el ladrón?

De nuevo se elevó un concierto de protestas.

Esta vez, tras haber intercambiado una mirada con Miriam. Halva, la joven esposa de Yossef, un carpintero amigo de Joaquín, declaró, alzando la voz por encima del alboroto:

—En Séforis, dicen que no roba para él, sino para darlo a quienes lo necesitan. Cuentan que hace más bien que mal y que la gente a la que roba lo merece.

Unos hombres la interrumpieron secamente. ¿Cómo se podía hablar así? Un ladrón es un ladrón.

—¡La verdad es que esos condenados ladrones atraen a los mercenarios de Herodes a nuestras aldeas como una llaga las moscas!

Miriam se encogió de hombros.

—¡Lo mismo que imagináis que mi padre va a atraer la venganza de los mercenarios a Nazaret! —dijo ella con dureza—. Lo que importa es que, aunque persiguen a conciencia a Barrabás, no lo atrapan nunca. Si alguien es capaz de salvar a mi padre, es él.

Lisanias movió la cabeza.

—¿Y por qué iba a hacerlo? ¡No tenemos oro para recompensarle!

—¡Lo hará porque me lo debe!

Todas las miradas se centraron en ella.

—Nos debe la vida, a mi padre y a mí. Me escuchará, estoy segura.

\* \* \*

Las interminables discusiones se prolongaron hasta bien entrada la noche.

Hannah gemía diciendo que no quería dejar marchar a su hija. ¿Quería dejarla Miriam absolutamente sola, sin hija ni esposo? Porque seguro que igual que Joaquín ya estaba crucificado y muerto, a Miriam la apresarían los ladrones o los mercenarios. La violarían y después la asesinarían. Eso era lo que le esperaba.

El rabino la apoyaba. Miriam hablaba con la inconsciencia de la juventud tanto como para olvidar su sexo. Que una joven fuera a meterse en la boca del lobo con una fiera, un rebelde, un ladrón como Barrabás era inconcebible. ¿Y para qué, para dejarse matar a la primera ocasión, para atizar el resentimiento de los romanos y de los mercenarios del rey, que no dejarían de revolverse contra todos ellos?

Se embriagaban con palabras de terror, con la imaginación de lo peor. Se complacían en la impotencia. Aunque ella sabía que todos hablaban por afecto y creyéndose sabios, Miriam comenzó a sentir un inmenso disgusto.

Se retiró a la terraza. Saturada por toda la tristeza del día, se tendió sobre los troncos que disimulaban el escondite, en adelante inútil, que su padre había preparado para ella cuando solo era una niña pequeña. Cerró los ojos y dejó que las lágrimas se deslizaran por sus mejillas.

Tenía que llorar ahora, porque al cabo de un momento, sin que nadie se percatase de ello, haría lo que había dicho. Dejaría Nazaret para ir a salvar a su padre. Entonces ya no sería el momento de lloriqueos.

En la oscuridad, volvió a ver el rostro de Joaquín. Dulce, acogedor y terrible también, como lo había vislumbrado cuando golpeó al mercenario.

Había tenido ese coraje. Por ella. Por la anciana Hulda, por todos ellos, los habitantes de Nazaret. Él, el más dulce de los hombres. Él, a quien venían a buscar para aplacar las disputas entre los vecinos. Había tenido ese coraje. Ella también debía tenerlo. ¿Qué sentido tenía esperar al alba si el día que llegaba no iba a ser el de la lucha contra quien os humilla y os anonada?

Volvió a abrir los ojos, se obligó a escrutar las estrellas para adivinar la presencia del Todopoderoso. ¡Ah, si, al menos, pudiera preguntarle si quería o no la vida de Joaquín, su padre!

Al oír un roce, se sobresaltó.

—Soy yo —susurró la voz de Halva—. Imaginé que estarías aquí.

Cogió la mano de Miriam, la estrechó llevando sus labios a la punta de los dedos.

—Tienen miedo, están tristes y no pueden dejar de hablar —dijo ella simplemente, indicando el guirigay que llegaba desde abajo.

Como Miriam permaneciera callada, añadió:

—Vas a marcharte antes del amanecer, ¿no?

—Sí, así es.

—Tienes razón. Si quieres, te acompañaré un trecho con nuestra mula.

—¿Qué dirá tu esposo?

—He hablado con Yossef. En realidad, si no fuese por los niños, iría contigo.

No hacía falta que dijera nada más. Miriam sabía que Yossef quería a Joaquín como un hijo. Le debía todo lo que sabía del oficio de carpintero e incluso su casa, a dos leguas de Nazaret, en la que había nacido.

Prolongando su pensamiento, Halva se rio con ternura.

—¡Salvo que Yossef es el último hombre que me puedo imaginar luchando contra los mercenarios! ¡Es tan tímido que no se atreve a decir en voz alta lo que piensa!

Atrajo a Miriam hacia sí y la llevó hacia la escalera.

—Pasaré yo delante para que no te vean salir. Iremos a mi casa. Te daré un abrigo; así, tu madre no se dará cuenta. Y podrás descansar unas horas antes de que salgamos.

## Capítulo 2

EL SOL SE LEVANTABA SOBRE LAS COLINAS CUANDO ellas salían del bosque. Lejos, en el fondo del valle, al pie del camino que tomaban, extendiéndose entre las huertas en flor y los campos de lino, aparecían los apretados tejados de Séforis. Halva detuvo la carreta.

—Te voy a dejar aquí. No conviene que vuelva demasiado tarde a Nazaret.

Atrajo a Miriam hacia ella.

—¡Sé prudente con ese Barrabás! A fin de cuentas, algo de bandido tiene...

—Si es que vuelvo a encontrarlo —suspiró Miriam.

—¡Lo verás! Lo sé. Como también sé que vas a salvar a tu padre de la cruz.

Halva la abrazó de nuevo. Esta vez, sin picardía alguna, sino con ternura y seriedad.

—Lo siento en el fondo de mi corazón, Miriam; me basta verte para sentirlo. Vas a salvar a Joaquín. Puedes confiar en mí: ¡mis intuiciones nunca fallan!

Mientras caminaban, no habían dejado de pensar en el medio para encontrar a Barrabás. A Halva, Miriam no le había ocultado su preocupación: ignoraba dónde se escondía. Ante la gente de Nazaret, se había mostrado muy segura, afirmando que él la escucharía. Quizá fuese cierto. Pero, primero, tenía que llegar hasta él.

—Si los romanos y los mercenarios de Herodes no lo encuentran, ¿cómo lo voy a hacer yo?

Halva, siempre práctica y confiada, no se había dejado impresionar por la dificultad.

—Lo encontrarás precisamente porque no eres romana ni mercenaria. Sabes muy bien cómo van las cosas. En Séforis, debe de haber más de uno que sepa dónde se esconde Barrabás. Hay partidarios suyos y gente que está en deuda con él. Ellos te informarán.

—Si hago demasiadas preguntas, desconfiarán de mí. Basta con que pase por las calles de Séforis para que se pregunten quién soy y adónde voy.

—¡Bah! La gente es curiosa, como nosotras, pero, ¿quién acudiría a los mercenarios de Herodes para denunciarte? Solo tendrás que explicar que vas a ver a una tía. Cuenta que vas a ayudar a tu tía Judit, que va a tener un hijo. No es una mentira muy gorda. Casi es verdad, ya que tuvo uno el pasado otoño. Y, cuando veas a una persona con pinta de buena gente, dile la verdad. Alguna habrá que te sabrá responder.

—¿Y cómo reconoceré a las de «pinta de buena gente»?

Halva exclamó, traviesa:

—¡Puedes eliminar de antemano a los ricos y a los artesanos demasiado serios! ¡Vamos, ten confianza! Tú eres perfectamente capaz de distinguir a un pícaro de un hombre honesto y a una harpía viciosa de una buena madre.

Quizá Halva tuviera razón. En sus palabras, las cosas parecían fáciles, evidentes. Pero ahora que se acercaba a las puertas de la ciudad, Miriam dudaba más que nunca que pudiera sacar a Barrabás de su escondite para pedirle su ayuda.

Sin embargo, el tiempo apremiaba. Al cabo de dos, tres, cuatro días, a lo sumo, sería demasiado tarde. Su padre moriría en la cruz, calcinado por la sed y el sol, devorado por los cuervos, sometido a las burlas de los mercenarios.

\* \* \*

A las primeras luces del día, Séforis se despertaba. Las tiendas abrían, las cortinas y las telas de las puertas de las casas se apartaban. Las mujeres se saludaban con gritos agudos, preguntándose unas a otras si habían pasado bien la noche. Los niños salían en grupos a buscar agua a los pozos, peleándose. Los hombres, con el rostro aún arrugado de sueño, empujando sus asnos y mulas, partían para los campos.

Como había previsto Miriam, las miradas curiosas se centraban en ella, la forastera que entraba tan pronto en la ciudad. Quizá adivinaran, por su paso demasiado brusco, demasiado lento, que no sabía adónde ir pero que, sin embargo, no se atrevía a preguntar. No obstante, la curiosidad que suscitaba era menos viva de lo que había temido. Las miradas se apartaban tras haber calibrado su aspecto y la buena calidad de su abrigo.

Después de cruzar varias calles, recordando los consejos de Halva, caminó más decidida. Giró aquí a mano izquierda, un poco más allá, a la derecha, como si conociese la ciudad y supiera perfectamente adónde la llevaban sus pasos. Buscaba un rostro que le inspirase confianza.

Atravesó así un barrio tras otro, pasando delante de los fétidos tenderetes de los peleteros, los de los tejedores, que exponían sobre grandes pértigas paños, tapices y colgaduras, deslumbrando la calle con una explosión de color. Después, vino el barrio de los canasteros, los tejedores de tiendas, los cambistas...

Brevemente, buscaba en los rostros un signo que le diera el valor para pronunciar el nombre de Barrabás. Pero, en cada ocasión, encontraba un motivo para bajar los párpados y no detenerse. Además de no atreverse a mirar fijamente para no parecer una descarada, le daba la sensación de que ninguno podría saber dónde se hallaba un bandido buscado por Roma y por los mercenarios del rey.

Sin otra opción que encomendarse a la buena voluntad del Todopoderoso, se sumergió en unas callejuelas cada vez más ruidosas y populosas.

Después de apartase de un grupo de hombres que salían de una pequeña sinagoga edificada entre dos grandes higueras, se aventuró por un callejón lo bastante grande para que una persona pudiese atravesarse en él. Al pie del camino de tierra batida, parecida a una boca muy abierta, surgió la cueva de un zapatero. Se sobresaltó cuando un aprendiz agitó repentinamente delante de ella unas largas lianas de cuerdas. Unas risas la persiguieron mientras corría casi hasta el extremo de la galería, que iba achicándose y parecía querer cerrase sobre ella.

Desembocaba en un terreno ondulado, lleno de porquería y cubierto de malas hierbas. Había charcos de aguas estancadas esparcidos por allí. Las gallinas y los pavos apenas se apartaban cuando pasaba. Los muros que cerraban la plaza no habían sido encalados desde mucho tiempo atrás. En las fachadas de las casas en ruinas, eran raras las aberturas con postigos. Atado al tronco de un árbol muerto transformado en poste, un asno con el pelaje mugriento volvió su gruesa cabeza hacia ella. Su rebuzno resonó, inquietante como una sirena de alarma.

Miriam echó un vistazo tras ella, dudando si dar media vuelta, adentrarse en la callejuela y sufrir una vez más las burlas de los aprendices. Al otro lado del terreno ondulado, frente a ella, se adivinaban dos calles que quizá la llevaran de nuevo al centro de la ciudad. Avanzó, examinando el suelo que se extendía ante ella para evitar los charcos y las basuras. No los vio aparecer. Solo el repentino cacareo de las gallinas le hizo levantar la cabeza.

Tuvo la impresión de que salían del suelo fangoso. Una decena de chavales andrajosos, con los cabellos hirsutos, mocos en la nariz y mirada astuta. El mayor no debía de tener más de once o doce años. Todos iban descalzos, con las mejillas hundidas tan negras de mugre como sus manos. Unos niños tan desnutridos que ya les faltaban dientes. Eran *am ha'aretzim,* como los calificaban con desprecio las gentes de Judea. Ignorantes, palurdos, paletos, condenados de la tierra. Hijos de esclavos, hijos de nadie que nunca serían, en el gran reino de Israel, más que esclavos. *Am ha'-aretzim:* los pobres entre los pobres.

Miriam se quedó paralizada, con el rostro inflamado. Tenía el corazón desbocado y la cabeza llena de las historias monstruosas que se contaban de estos críos. Cómo te atacan, pequeñas fieras en manada. Cómo te despojan, te violan. E incluso, decían, con la emoción del miedo y del odio, cómo te comen.

El entorno, sin duda, era perfecto para que pudiesen llevar a cabo estos horrores sin temor de que los molestasen.

Ellos, a su vez, se detuvieron. En sus muecas, la prudencia se mezclaba con el placer de adivinar su miedo.

Habiendo juzgado rápidamente que no arriesgaban nada, se abalanzaron hacia ella. Como perros sarnosos, la rodearon, dando saltitos, burlándose, gruñendo, con la boca abierta, muertos de hambre, dándose codazos y tocando con sus dedos repugnantes el hermoso paño de su abrigo.

Miriam sintió vergüenza. De su miedo, de su corazón desbocado, de sus manos húmedas. Recordó lo que Joaquín, su padre, le había dicho en una ocasión: «Nada de lo que dicen de los *am ha'aretzim* es cierto. Se burlan de ellos porque son más pobres que los pobres. Ese es su único vicio y su única malicia». Trató de sonreírles.

Ellos respondieron con los peores gestos. Agitaron sus manos mugrientas haciendo gestos obscenos.

Quizá su padre tuviera razón. Pero Joaquín era bueno y quería ver el bien por todas partes. Y, desde luego, nunca había estado en el lugar de una joven rodeada por una jauría de estos demonios.

No debía quedarse inmóvil. ¿Podría alcanzar la calle más cercana, donde hubiese casas?

Dio algunos pasos en dirección al asno, que los observaba agitando sus grandes orejas. Los chicos la siguieron, redoblando sus gruñidos estúpidos y sus saltos amenazadores.

El asno retrajo los belfos, descubrió sus dientes amarillentos en un malvado rebuzno que no impresionó a los críos. Inmediatamente, le pegaron en los costados, imitándolo. En un instante, allí estaban, alrededor de Miriam, riéndose de sus imitaciones como los niños que eran, obligándola a quedarse de nuevo inmóvil.

Sus risas ahogaron su miedo. Sí, eran críos y se divertían con lo que podían: el miedo del asno y ¡el miedo de una chica demasiado tonta!

Las palabras de Halva le atravesaron el alma: «Busca a personas con pinta de buena gente». Las tenía delante, a esas personas con «pinta de buena gente». El Todopoderoso le ofrecía la ocasión que buscaba con impaciencia y, si Barrabás era quien se decía, había encontrado a los mensajeros que necesitaba.

Ella se dio la vuelta, bruscamente. Los niños se apartaron de un salto, como una jauría que temiera unos golpes.

—¡Yo no quiero haceros daño! —exclamó Miriam—. Al contrario, os necesito.

Una decena de pares de ojos la escrutaban, desconfiados. Ella buscó un rostro que pareciera más razonable que los otros. Pero la mugre y la desconfianza cubrían a todos con la misma máscara.

—Busco a un hombre que se llama Barrabás —dijo ella—. El que los mercenarios de Herodes tratan como a un bandido.

Fue como si los hubiese amenazado con una antorcha. Ellos se agitaron, murmuraron unas palabras inaudibles, la boca malvada, la mirada pendenciera. Algunos, con los puños cerrados, adoptaron unas poses cómicas de pequeños hombrecitos.

Miriam añadió:

—Soy amiga suya. Lo necesito. Solo él puede ayudarme. Vengo de Nazaret y no sé dónde se esconde. Estoy segura de que vosotros podéis conducirme hasta él.

Esta vez, la curiosidad ablandó sus caras y les hizo callar. No se había equivocado. Estos críos sabrían encontrar a Barrabás.

—Vosotros podéis hacerlo y es importante. Muy importante.

La preocupación sucedió a la curiosidad. Reapareció la desconfianza. Uno de ellos, de voz chillona, dijo:

—¡No sabemos ni quién es, ese Barrabás!

—Hay que decirle que Miriam de Nazaret está aquí, en Séforis —insistió Miriam, como si no lo hubiera oído—. Los soldados del Sanedrín han encerrado a mi padre en la fortaleza de Tiberíades.

Estas últimas palabras acabaron con lo que les quedaba de resistencia. Uno de los chicos, ni el más forzudo ni el más violento de la banda, se acercó. Sobre su cuerpo enclenque, su cara sucia parecía prematuramente envejecida.

—Si lo hacemos, ¿qué nos das?

Miriam hurgó en la bolsa de cuero que cubría su abrigo. Sacó unas moneditas de latón, apenas un cuarto de talento, el precio de una mañana de trabajo en el campo.

—Es todo lo que tengo.

Los ojos de los niños brillaron. Su jefecillo se sobrepuso a su alegría y consiguió mostrar un desdén convincente.

—Eso no es nada. Y lo que pides es mucho. Cuentan que ese Barrabás es muy malo. Nos puede matar si no le gusta que lo busquemos.

Miriam movió la cabeza.

—No. Lo conozco bien. No es malo ni peligroso con aquellos a los que quiere. Yo no tengo nada más, pero, si me lleváis hasta él, os recompensará.

—¿Por qué?

—Ya te lo he dicho: es amigo mío. Se alegrará de verme.

Los labios del niño esbozaron una sonrisa astuta. Sus compañeros se arremolinaban ahora a su alrededor. Miriam tendió la mano, ofreciendo las monedas.

—Toma.

Tan ligeros como las patas de un ratón, bajo las miradas vigilantes de sus camaradas, los dedos del niño cogieron las monedas en la palma de la mano de ella.

—Tú no te muevas de aquí —ordenó, llevándose el puño al pecho—. Voy a ver si puedo llevarte. Pero, antes de que volvamos, no te muevas de aquí; sino, tanto peor para ti.

Miriam asintió.

—Dile bien mi nombre a Barrabás: ¡Miriam de Nazaret! Y que mi padre va a morir en la fortaleza de Tiberíades.

Sin decir palabra, le dio la espalda, llevándose a su pandilla. Antes de dejar el terreno ondulado, algunos chavales, jugando, persiguieron las pavas y las gallinas, que se dispersaron, enloquecidas. Después, todos los niños desaparecieron tan repentinamente como habían surgido.

* * *

No tuvo que esperar mucho.

De vez en cuando, algunos transeúntes atravesaban las callejuelas. Su aspecto era poco menos famélico que el de los niños. Una vaga curiosidad animaba sus rostros. La miraban con detenimiento antes de continuar su camino, indiferentes.

Las gallinas volvieron a picotear a los pies del asno, que dejó de preocuparse por Miriam. El sol ascendía en el cielo salpicado de nubes. Calentaba la tierra cubierta de desperdicios, levantando un olor cada vez más nauseabundo.

Tratando de permanecer insensible, Miriam se obligó a ser paciente. Quería convencerse de que los niños no la confundían y sabían verdaderamente dónde se encontraba Barrabás. No podría permanecer en este lugar sin que su presencia despertara sospechas.

Después, de golpe y porrazo, aparecieron. No corrían. Al contrario, se acercaban a ella a un paso moderado. Su jefecillo ordenó en voz baja:

—Síguenos. Quiere verte.

Su voz seguía siendo bronca. Sin duda, lo era en todo momento. En sus compañeros, Miriam vislumbró un cambio.

Antes de dejar el terreno ondulado, el chico añadió:

—A veces, quieren seguirnos. No se los ve, pero yo los siento. Si te digo: «¡Lárgate!», te largas. No discutas. Nos encontraremos más tarde.

Miriam asintió. Ellos se adentraron en un callejón fangoso, bordeado por muros de mala muerte. Los chicos avanzaban en silencio, pero sin ningún miedo. Ella le preguntó al jefecillo:

—¿Cómo te llamas?

No respondió. Los otros le lanzaron miradas rápidas en las que Miriam adivinó un asomo de burla. Uno de ellos se golpeó con fuerza el pecho.

—Yo me llamo David. Como el rey que amó a esta chica tan bella...

Tropezó en el nombre, que no acababa de recordar. Los otros le soplaron nombres diversos, pero «Betsabé» no les vino a la memoria.

Miriam sonrió al escucharlos. Sin embargo, su mirada no se apartaba de su guía.

Cuando los demás se callaron, se encogió de hombros despreocupadamente y murmuró:

—Abdías.

¡Oh! —se sorprendió Miriam—. Es un nombre muy bonito. Y poco frecuente. ¿Sabes de dónde viene?

El niño levantó la cara hacia ella. Sus ojos, muy negros, eclipsaban su curioso rostro. Brillaban de inteligencia y de astucia.

—Un profeta. Uno que no amaba a los romanos, como yo.

—Y que era muy pequeñito —se burló en seguida el que se llamaba David—. Y perezoso. ¡Los sabios dicen que escribió el libro más pequeño del Libro!

Los demás chicos se rieron con una risa sorda. Abdías los fulminó con la mirada, reduciéndolos al silencio.

¿Cuántas veces se habrían pegado a causa de este nombre?, se preguntó Miriam. ¿Y cuántas veces habría tenido que vencerlos Abdías a puñetazos y patadas para imponerse?

—Tú sabes esas cosas —dijo ella, dirigiéndose a David—. Y tienes razón. El Libro solo contiene una veintena de versículos de Abdías. Pero son fuertes y hermosos. Recuerdo el que dice: *Se acerca el día de Yahveh para todas las naciones: lo que hiciste te lo harán, te pagarán tu merecido. Como bebisteis en mi monte santo, beberán todas las naciones por turno, beberán, apurarán y desaparecerán sin dejar rastro.*

Ella se guardó de añadir que Abdías había luchado contra los persas, mucho antes de que los romanos se convirtieran en la peste del mundo. Pero no dudaba que el profeta Abdías había sido como su pequeño guía: bravo, astuto, valiente.

Los niños habían reducido su marcha. La miraban con estupefacción. Abdías preguntó:

—¿Sabes de memoria lo que dijeron los profetas? ¿Lo has leído en el Libro?

Miriam no pudo contener la risa.

—¡No! Yo soy como vosotros. No sé leer. Pero mi padre ha leído el Libro en el Templo. A menudo, me cuenta las historias.

La admiración iluminó y embelleció sus rostros mugrientos. ¡Qué prodigio debía ser que un padre contara a su hija las bellas historias del Libro! Se esforzaban para imaginarlo. El deseo los impulsaba a preguntar más cosas. Miriam protestó, seria de nuevo:

—No perdamos tiempo charlando. Cada hora que pasa, los mercenarios de Herodes hacen sufrir a mi padre. Más tarde, os prometo que os las contaré.

—Y tu padre también —replicó Abdías con tono firme—. Cuando Barrabás lo haya liberado, tendrá que contárnoslas.

\* \* \*

Girando a izquierda y derecha, en un zigzag que no parecía llevarlos muy lejos, llegaron a una calle más grande. Las casas que la bordeaban, menos deterioradas, estaban adornadas con jardines. Algunas mujeres estaban trabajando en ellos. Lanzaron unas miradas intrigadas hacia el grupo. Al reconocer a los niños, volvieron a sus quehaceres.

Abdías, doblando una vez más a la derecha, se adentró en un callejón que se abría entre gruesos muros de ladrillo visto: una antigua construcción romana. Aquí y allí, entre las fisuras, se habían abierto paso granados silvestres y tamariscos, disimulándolas al tiempo que las ensanchaban. Algunos eran tan grandes y tan fuertes que sus masas enlazadas sobrepasaban los muros de una altura equivalente a la de un hombre.

Miriam se dio cuenta de que una parte de los niños se había quedado atrás, a la entrada del callejón. A una señal de Abdías, los chicos se adelantaron corriendo.

—Van a montar guardia —explicó el jefecillo.

Y, a continuación, él la llevó sin miramientos hacia un grueso matorral de tamarisco. El tronco se había multiplicado en ramas ásperas, pero bastante flexibles para poder apartarlas con el fin de pasar a su través.

—Date prisa —susurró Abdías.

Su abrigo la estorbaba. Lo desabrochó torpemente. Abdías se lo cogió de las manos mientras la empujaba hacia adelante.

Al otro lado, para sorpresa suya, se encontró en un campo de habas apenas crecidas, salpicado de algunos almendros de troncos bajos. Abdías saltó a su lado, seguido por dos de sus compañeros.

—¡Corre! —ordenó, llevando el abrigo entre las manos.

Bordearon el campo de habas y llegaron a una torre medio en ruinas. Abdías, precediéndola, subió una escalera cubierta de ladrillos rotos. Penetraron en una habitación cuadrada cuya pared del fondo había sido derribada en gran parte. A través de la brecha, Miriam adivinó la parte trasera de otra construcción. Era romana también y muy antigua. El tejado de tejas redondas estaba parcialmente derrumbado.

Abdías señaló un puente de madera descuajeringado que, desde la brecha de la pared, penetraba en una buhardilla de la construcción romana.

—Pasa por encima. No hay peligro, es sólido. Y al otro lado hay una escala.

Miriam se aventuró aguantando el aliento. Quizá fuese sólido, pero se movía terriblemente. Se deslizó hacia la buhardilla y se dejó caer suavemente sobre una tabla de madera. La habitación en la que se enderezó parecía un pequeño granero. Unos viejos serones que servían para transportar vasijas, comidos de humedad e insectos, se amontonaban en un rincón. La paja, con el trenzado roto y desmenuzada rechinaba al pasar. Ella adivinó el postigo abatido de una trampilla mientras, tras ella, Abdías saltaba a su vez sobre la tabla.

—¡Anda, baja! —la animó.

La estancia inferior estaba apenas iluminada por una puerta estrecha. Sin embargo, la escasa luz bastaba para darse cuenta de que el suelo enlosado estaba lejos de la tabla en la que se encontraba Miriam. Al menos, cuatro o cinco veces su altura.

A tientas, con la punta de los pies, buscó los peldaños de la escala. Abdías, con una sonrisa burlona en los labios, se inclinó hacia ella, condescendiente, sosteniéndole la muñeca.

—No está tan alto —dijo divertido—. A veces, ni siquiera utilizo la escala. Salto.

Miriam intuyó los peldaños que vacilaban bajo su peso y, absteniéndose de responder, los bajó, apretando los dientes. Después, antes de tocar el suelo, dos manos poderosas la cogieron por la cintura. Ella lanzó un grito mientras la levantaban para dejarla en el suelo.

—Estaba seguro de que nos volveríamos a ver —declaró Barrabás, con una sonrisa en la voz.

\* \* \*

Una luz escasa lo iluminaba en contraluz. Ella distinguía vagamente su rostro.

A su espalda, Abdías se dejó deslizar como una pluma a lo largo de la escala. Barrabás le revolvió con ternura la pelambrera.

—Veo que sigues siendo igual de valiente —le dijo a Miriam—. No has tenido miedo de confiar tu vida a estos demonios. En Séforis, no hay muchos que se hubiesen atrevido.

Abdías resplandecía de orgullo.

—He hecho lo que me dijiste, Barrabás. Y ella ha obedecido.

—Está bien. Ahora, vete a comer.

—Imposible. Los otros me esperan al otro lado.

Barrabás lo empujó hacia la puerta con un pequeño cachete.

—Te esperarán. Come ahora.

El chico masculló una vaga protesta. Antes de desaparecer, lanzó una gran sonrisa inesperada hacia Miriam. Por primera vez, su cara era verdaderamente la de un niño.

—Veo que ya has hecho un amigo —dijo, divertido, Barrabás, con un signo de aprobación—. Es raro, ¿no? Va a cumplir quince años y parece que tiene apenas diez. Hacerle comer es toda una aventura. Cuando lo encontré, era capaz de comer una vez cada dos o tres días. Se diría que su madre lo engendró con un camello.

Atravesó el umbral del granero y salió a la luz. Ella lo encontró cambiado, mucho más de lo que esperaba.

No era solo la barba, ahora espesa y rizada, que le cubría las mejillas. Parecía más alto que en su recuerdo. Sus hombros se habían ensanchado y su cuello era poderoso. Una curiosa túnica blanca de pelo de cabra, ceñida a la cintura por un cinturón de cuero tan grande como la mano, le cubría el torso y los muslos. Llevaba una daga al costado. Las correas de sus sandalias, unos medios botines romanos de buena calidad, le llegaban hasta las pantorrillas. Una larga banda de lino ocre, que retenían unas tiras estrechas verdes y rojas, le cubría la cabeza.

Una indumentaria que no debía de pasar desapercibida e inesperada en un hombre que se escondía. Unos efectos que, desde luego, Barrabás no había comprado a los artesanos de Séforis con dinero contante y sonante.

Él adivinó su pensamiento. La malicia iluminó de nuevo sus rasgos.

—Me he puesto guapo para recibirte. ¡No creas que siempre voy vestido así!

Miriam pensó que decía la verdad. También pensó que inspiraba una seguridad que ella no recordaba. Y también una dulzura que la curiosidad y la ironía, mientras la examinaba de pies a cabeza, no disimulaban por completo.

Remató su examen con un gesto provocador.

—¡Miriam de Nazaret! Me alegro de que le dijeses tu nombre a Abdías. No te hubiese reconocido —mintió—. Recordaba a una cría y he aquí a una mujer. Y hermosa.

Ella estuvo a punto de devolverle la broma. Sin embargo, no era momento para perder el tiempo. Barrabás parecía olvidar por qué estaba ella ante él.

—He venido porque necesito tu ayuda —declaró ella secamente, con una voz más ansiosa de lo que hubiese deseado.

Barrabás asintió, serio a su vez.

—Lo sé. Abdías me ha dicho que es por tu padre. Es una mala noticia.

Y, como Miriam iba a seguir hablando, él levantó la mano.

—Espera un momento. No hablemos de eso aquí. Todavía no estamos en mi casa.

Avanzaron hacia una especie de patio extrañamente pavimentado con grandes losas rotas que dejaban entrever un laberinto de pasillos estrechos, de tinajas, hogares e incluso una canalización de ladrillo y barro que a Miriam le parecieron otros tantos enigmas. Las paredes estaban ennegrecidas de hollín, con desconchones, como si los ladrillos y la cal no fuesen más que una frágil piel.

—Sígueme —dijo Barrabás, precediéndola entre las losas rotas y las aberturas del suelo.

Se acercaron a un porche estropeado, pero cuya puerta era tan sólida como nueva. Se abrió ante ellos sin empujarla. Miriam dio un paso a su vez. Y se quedó inmóvil, pasmada.

Nunca había visto nada parecido. La sala era inmensa; el centro, un gran estanque, y el techo solo cubría el perímetro. Lo sostenían unas elegantes columnas. Unos personajes gigantescos pintados, animales desconocidos, paisajes colmados de flores cubrían las paredes y hasta los maderos del techo. El suelo estaba formado por piedras con reflejos verdes que dibujaban figuras geométricas entre placas de mármol.

Sin embargo, solo era un recuerdo de su esplendor. El agua del estanque estaba tan sucia que las nubes apenas se reflejaban. Las algas vacilaban en la sombra, mientras las arañas de agua corrían por su superficie. Los mármoles estaban medio rotos, las pinturas, borradas a veces por una lepra blanca, las manchas de humedad ensuciaban los bajos de las paredes. Una parte del techo se había roto como bajo los efectos de un incendio, pero tan lejano que las lluvias hubiesen lavado lo que quedaba del armazón calcinado. En la parte más sana, se apiñaban montones de sacos y cestos llenos de cereales, de cuero, de tejidos. Sillas de camello, armas, odres estaban amontonados entre las columnas y llegaban al techo.

En medio de este desorden, unos hombres y unas mujeres, cincuenta quizá, levantados o acostados sobre mantas y balas de lana, la miraban sin amabilidad.

—Entra —dijo Barrabás—. No corres peligro alguno. Aquí, todo el mundo tiene ya lo que quiere.

Volviéndose hacia sus compañeros, con una curiosa arrogancia, anunció, con voz suficientemente fuerte para que todos lo oyeran:

—Esta es Miriam de Nazaret. Una chica valiente que me escondió una noche donde los mercenarios de Herodes creían que podrían echarme mano.

Esas palabras fueron suficientes. Las miradas se desviaron. Impresionada por el lugar, a pesar del desorden y la mugre, Miriam todavía dudaba de avanzar. La extrañeza de estos hombres y de estas mujeres casi desnudos, a medias vivos, que aparecían en las pinturas murales la intranquilizaban. A veces solo aparecían partes del cuerpo, un rostro, un busto, miembros, la vaguedad de un vestido transparente. Así, solo parecían más verdaderos y más fascinantes.

—Es la primera vez que ves una casa romana, ¿no? —dijo, divertido, Barrabás.

Miriam asintió.

—Los rabinos dicen que va contra nuestras leyes vivir en una casa en la que haya pinturas de hombres y de mujeres...

—¡E incluso de animales! Cabras y también flores.

Él asintió, más socarrón que nunca.

—Hace mucho tiempo que no escucho las matracas hipócritas de los rabinos, Miriam de Nazaret. En cuanto a este lugar, a mí me sirve perfectamente.

Con un gesto teatral, haciendo bailar cómicamente su túnica de pelo de cabra, señaló todo lo que los rodeaba.

—Cuando Herodes tenía veinte años, todo eso era para él. Él, que solo era el hijo de su padre y el pequeño señor de Galilea. Venía a bañarse aquí. Se emborrachaba, sin duda. Y con mujeres más reales de las que adornan estas paredes. Los romanos le enseñaron a imitarlos, a ser un judío gentil servil, como querían. Se aplicó tan bien, les lamió tanto el culo, que lo coronaron. Rey de Israel, y rey de los rabinos del Sanedrín. Séforis y Galilea han terminado siendo demasiado pobres para él. Solo son buenas para freírlas a impuestos.

Los compañeros de Barrabás escuchaban aprobando con la cabeza este discurso que conocían de memoria, pero del que no se cansaban. Barrabás señaló el extraño patio que acababan de atravesar.

—Lo que has visto allá abajo son los hogares que les servían para calentar el agua del estanque en invierno. Hace años, los esclavos que estaban a cargo de ellos prendieron fuego a todo. Ellos huyeron mientras los vecinos apagaban el fuego y todo quedó abandonado. Nadie se atrevía a entrar. Seguía siendo la piscina de Herodes, ¿verdad? Y así hasta hoy. Hasta que la he hecho mi casa. ¡Y el mejor escondite de Séforis!

Estallaron las risas y las bromas. Barrabás asintió, orgulloso de su astucia.

—Herodes y sus romanos nos buscan por todas partes. ¿Crees que nos imaginan aquí? ¡Nunca! Son demasiado estúpidos.

Miriam no lo dudaba. Pero no estaba aquí para aplaudirle, algo que a Barrabás parecía no preocuparle.

—Ya sé que eres astuto —dijo ella fríamente—. Por eso he venido hasta ti, aunque todo el mundo, en Nazaret, cree que solo eres un bandido como los demás.

Las risas se atenuaron. Barrabás se atusó la barba y sacudió la cabeza como para contener un emergente mal humor.

—Los de Nazaret son unos cagados —murmuró él—. Todos, a excepción de tu padre, a lo que parece.

—Exactamente, mi padre está en las mazmorras de Herodes, Barrabás. Estamos perdiendo el tiempo en parloteos inútiles.

Ella temió que la dureza de su tono lo encolerizase, mientras sus compañeros bajaban la vista. Detrás del grupo de mujeres, Abdías se había levantado, con un bocadillo en una mano y el ceño fruncido.

Barrabás dudó. Los miró a todos de arriba abajo. Después declaró con una calma inesperada:

—Si tu padre tiene tu carácter, ¡empiezo a comprender lo que le ha pasado!

Señaló uno de los rincones bajo las paredes pintadas que rodeaban la piscina. El lugar estaba amueblado como una habitación: un jergón recubierto de pieles de borrego, dos baúles, una lámpara. Dos taburetes de madera adornados con bronce encuadraban un gran tablero de cobre sobre los que había vasos y una jarra de plata. En el rincón, estaban dispuestos diversos muebles y objetos de lujo, sin duda robados a ricos mercaderes del desierto.

A pesar de su impaciencia y su tensión, Miriam se fijó en el orgullo de Barrabás mientras llenaba un vaso de leche fermentada mezclada con miel.

—Cuéntame —dijo él, instalándose cómodamente sobre unas balas de algodón.

\* \* \*

Miriam estuvo hablando mucho tiempo. Quería que Barrabás comprendiera por qué su padre, que era la mansedumbre y la bondad encarnadas, había llegado a matar a un soldado y a herir a un recaudador.

Cuando ella se calló, Barrabás dejó escapar un pequeño silbido entre dientes.

—Desde luego, tu padre es un buen candidato a la cruz. Matar a un soldado y pinchar a un recaudador en la barriga... No le van a hacer un regalo.

De nuevo, sus dedos revolvieron la barba, en un gesto maquinal que lo avejentaba.

—Y supongo que quieres que ataque la fortaleza de Tiberíades, ¿no?

—Mi padre no debe morir en la cruz. Hay que impedirlo.

—Más fácil de decir que de hacer, querida. Tienes más probabilidades de morir con él que de salvarlo.

Su mueca dejaba traslucir más preocupación que ironía.

—¡Qué se la va a hacer! Que me maten con él. Al menos no habré agachado la cabeza ante la injusticia.

Hasta ahora, ella nunca había pronunciado semejantes palabras, tan violentas y definitivas. Pero comprendía que decía la verdad. Si tenía que asumir el riesgo de morir para defender a su padre, no temblaría.

Barrabás se percató de ello. Su incomodidad se hizo más intensa.

—El coraje no basta. ¡La fortaleza no está construida para que uno entre y salga como de un campo de habas! No te hagas ilusiones. No conseguirás rescatarlo.

Miriam se endureció, frunció los labios. Barrabás sacudió la cabeza.

—Nadie puede llegar allí —insistió él, golpeándose el pecho—. Nadie, ni siquiera yo.

Había recalcado estas últimas frases, mirándola de arriba abajo con toda su altivez de joven rebelde. Con el rostro helado, ella sostuvo su mirada.

Barrabás fue el primero en desviar la vista. Masculló algo, se levantó nervioso de su taburete, avanzó hasta el borde de la piscina. Algunos de sus compañeros habían debido de oír a Miriam y todos lo observaban. Él se volvió, con la voz dura, los puños cerrados, llevado por esa fuerza que hacía de él un temido jefe de banda.

—¡Lo que pides es imposible! —dijo él con hosquedad—. ¿Qué te crees? ¿Que uno se bate contra los mercenarios de Herodes como quien borda un vestido? ¿Que uno ataca sus fortalezas como se saquea una caravana de mercaderes árabes? Sueñas, Miriam de Nazaret. ¡No sabes lo que dices!

Un escalofrío sacudió a Miriam. Ni por un momento había imaginado que Barrabás pudiera negarle su ayuda. Ni por un momento había pensado que los de Nazaret pudieran tener razón.

¿Barrabás no era más que un ladrón? ¿Había olvidado las grandes declaraciones que antaño justificaban sus rapiñas? El desprecio venció la decepción. Barrabás el rebelde ya no era tal. Le había cogido el gusto al lujo, corrompiéndose al contacto con los objetos que robaba y haciéndose como sus propietarios: hipócrita, más entusiasmado por el oro y la plata que por la justicia. Su valor se reducía a las victorias fáciles.

Ella se levantó de su taburete. No iba a humillarse ante Barrabás, a suplicarle. Puso una sonrisa altiva en sus labios, dispuesta a agradecerle su acogida.

Él se puso ante ella de un salto, con la mano levantada.

—¡Cállate! Sé lo que piensas. Tus ojos son elocuentes. Crees que he olvidado lo que te debo, que no soy más que un ladrón de caravanas. Piensas esas burradas porque no vas más allá de tu corazón.

La cólera hacía vibrar su voz, crispaba sus puños. Algunos de sus compañeros se acercaron mientras él hablaba cada vez más fuerte.

—Barrabás no ha cambiado. Robo para vivir y hacer vivir a quienes me siguen. Como esos críos que viste antes.

Con el dedo, señaló a quienes se acercaban.

—¿Sabes quiénes son? *Am ha'aretzim.* Gentes que han perdido todo por culpa de Herodes y de los tacaños del Sanedrín. No esperan nada de nadie. ¡Sobre todo, no esperan nada de los judíos demasiado sumisos de Galilea! Nada de los rabinos, que solo saben farfullar palabras inútiles y agobiarnos con lecciones. «¡Que el pueblo de barro vuelva al barro!», eso es lo que piensan. Si no robásemos a los ricos, moriríamos de hambre, esa es la verdad. Y no es precisamente en tu pueblo de Nazaret donde se preocuparían por ello.

Gritaba, las venas de la frente aparecían hinchadas, las mejillas, enrojecidas. Todos se arremolinaban tras él, frente a Miriam. Abdías los empujó sin miramientos para ponerse en primera fila.

—¡Nunca olvido mi objetivo, Miriam de Nazaret! —exclamó Barrabás, golpeándose el pecho—. Nunca. Ni siquiera cuando duermo. Abatir a Herodes, expulsar a los romanos de Israel, eso es lo que quiero. Y dar una patada en el culo a los del Sanedrín, que se aprovechan de la pobreza del pueblo.

Sin dejarse impresionar por la violencia de tales declaraciones, Miriam sacudió la cabeza.

—¿Y cómo piensas abatir a Herodes si ni siquiera eres capaz de sacar a mi padre de la fortaleza de Tiberíades?

Barrabás se dio una fuerte palmada en los muslos, con los párpados arrugados de furia.

—Tú no eres más que una niña, ¡no entiendes nada de la guerra! Que yo muera, me da igual. Pero ellos, ellos me siguen porque saben que nunca los metería en una aventura perdida de antemano. En Tiberíades, dos cohortes romanas guardan la fortaleza. Quinientos legionarios. Más un centenar de mercenarios. ¡Cuéntanos! Nunca podremos llegar hasta tu padre. ¿De qué serviría nuestra muerte? ¡Para alegrar a Herodes!

Lívida, con los dedos temblorosos, Miriam asintió con la cabeza.

—Sí. Tienes razón, sin duda. Me he equivocado. Te creía más fuerte de lo que eres.

—¡Ah!

El grito de Barrabás rebotó en el agua de la piscina, vibró entre las columnas. Él agarró el brazo de Miriam que ya se dirigía a la salida.

—Estás loca, loca de atar... ¿Has pensado solamente en una cosa? Aunque pudiera escapar de la fortaleza, tu padre sería como nosotros para el resto de sus días. Un fugitivo. Ya no volvería a su taller. Los mercenarios destruirían vuestra casa.

Tu madre y tú tendrías que esconderos en Galilea durante toda vuestra vida...

Miriam se soltó secamente.

—¡Lo que tú no comprendes es que vale más morir luchando! ¡Morir haciendo frente a los mercenarios que ser humillado en la cruz! Herodes gana, Herodes es más fuerte que el pueblo de Israel, porque bajamos la cabeza cuando tortura ante nuestros ojos a quienes queremos.

La réplica produjo un silencio asombrado.

Abdías fue el primero en romperlo. Se acercó, pegándose a Miriam y a Barrabás.

—Ella tiene razón. Yo voy con ella. Me esconderé y, de noche, iré a desclavar a su padre de la cruz.

—¡Tú, tú te callas o te zurro en el culo! —dijo Barrabás con humor.

Se interrumpió; se volvió de repente hacia sus compañeros; los ojos le brillaban.

—¡Sí, este crío tiene razón! Es una estupidez dejarse masacrar tratando de entrar en la fortaleza. Pero una vez que Joaquín esté en la cruz, ¡es otra historia!

\* \* \*

—No van a dejar durante mucho tiempo que tu padre se pudra en las mazmorras —explicó Barrabás con entusiasmo—. Los presos les molestan. A los que son condenados, se apresuran a

colgarlos. Allí es donde podemos salvarlo. Descol-
gándolo de esa marranada de cruz. Abdías tiene
razón. De noche. Como quien no quiere la cosa,
si es posible. Un golpe con el que sueño desde
hace mucho tiempo. Con un poco de suerte, incluso podremos salvar a algunos otros con él.
Pero habrá que actuar como los zorros: ¡por sorpresa, rápidamente y huyendo más deprisa aun!

Toda su cólera se había esfumado y reía como
un niño, encantado al imaginar la jugarreta que
iba a gastarles a los mercenarios de la guarnición
de Tiberíades.

—¡Descolgar a los ajusticiados de Tiberíades!
¡Por Dios Todopoderoso, si es que existe, esto va a
hacer ruido! ¡A Herodes se lo van a llevar los demonios y él les va a armar una buena a los mercenarios!

Todos rieron, imaginando ya el éxito.

Miriam estaba preocupada. ¿No será demasiado tarde? Antes de que lo aten a la cruz, tienen
todo el tiempo del mundo para pegarle, herirlo e
incluso matarlo. A menudo, a los ajusticiados los
colgaban ya muertos en la cruz.

—Eso solo les ocurre a los que tienen más
suerte. A los que les hacen un favor especial para
que no sufran demasiado tiempo —aseguró Barrabás—. A tu padre querrán verlo sufrir el máximo tiempo posible. Pero aguantará. Le golpea-
rán, le insultarán, le dejarán que sufra sed y
hambre, sin duda. Pero sabrá apretar los dientes.

Y nosotros lo bajaremos de la cruz en la primera noche.

Barrabás se volvió hacia sus compañeros y los previno acerca de lo que les esperaba:

—No les va a gustar que descolguemos a los crucificados. Los mercenarios no nos dejarán en paz. No podremos volver aquí, el escondite ya no será lo bastante seguro y, de todas formas, ya no podremos entrar en la ciudad. Después del golpe, tendremos que separarnos durante algunos meses. Tendremos que vivir de lo que tenemos...

Uno de los más viejos le interrumpió levantando su puñal.

—¡No gastes saliva, Barrabás! Sabemos lo que nos espera. Y está bien: ¡todo lo que hace daño a Herodes nos sienta bien!

Las aclamaciones resonaron. En un instante, la antigua piscina de Herodes se animó con una intensa actividad, mientras Barrabás lanzaba órdenes y todo el mundo se preparaba para partir.

Abdías, impaciente, tiró de la manga a Barrabás.

—Tengo que prevenir a los demás. Nos largamos sin esperaros, como siempre, ¿no?

—No antes de traernos las mulas y los burros. Necesitaremos carretas.

Abdías asintió. Se alejó. Tras unos pasos, se dio la vuelta y señaló a Miriam. Con una sonrisa de oreja a oreja, que dejaba ver todos sus descuidados dientes, declaró:

—Aunque no hubieras querido, yo habría ido con ella.

—Tú me habrías obedecido o te hubiese zurrado la badana —bromeó Barrabás, amenazándolo con el dedo.

—¡Eh!, olvidas que quien ha tenido la idea para salvar a su padre soy yo, no tú. Ahora, ya no eres mi jefe. Somos socios.

El orgullo iluminó su extraño rostro, dándole una fugaz belleza de hombre-niño. Con una voz llena de guasa, añadió:

—Y ya verás, no es a ti a quien ella va a querer, Miriam de Nazaret, ¡es a mí!

Mientras salía pitando y su risa resonaba entre las paredes arruinadas de las termas, Miriam observó con el rabillo del ojo que Barrabás se ruborizaba.

\* \* \*

Ya de noche cerrada, una caravana, tan corriente como las que circulaban por las calzadas de Galilea los días de los grandes mercados de Cafarnaúm, Tiberíades, Jerusalén o Cesarea, salió de Séforis.

Tiradas por animales de aspecto tan pobre como el de sus propietarios, una decena de carretas transportaba balas de lana, cáñamo, pieles de borregos y sacos de cereales. Cada una tenía un ingenioso doble fondo en el que Barrabás y sus compañeros habían disimulado una hermosa colección de espadas, dagas, hachas de combate e incluso algunas lanzas romanas sustraídas de los almacenes.

# Capítulo 3

LA PEQUEÑA BARCA DE PESCA SE BALANCEABA SObre el tenue oleaje del lago de Genesaret, rodeado por una docena de barcas semejantes. Habían arriado las velas rojas y azules. Desde la mañana, a dos leguas de la orilla, los pescadores lanzaban sus redes, como cualquier día ordinario. Sin embargo, cada barca llevaba a cuatro compañeros de Barrabás, preparados para el combate. Por ahora, disfrutaban ayudando a los pescadores.

Acurrucada sobre las toscas tablas de un fondo de popa, Miriam calculaba con impaciencia el lento descenso del sol sobre Tiberíades. Allá abajo, más allá del horrible bosque de postes que lindaba con la fortaleza, su padre sufría, ignorando que ella estaba tan cerca de él. Ignorando que, la próxima noche y si Dios Todopoderoso lo permitía, ella lo liberaría.

Sentado detrás de ella sobre el larguero del barco, Barrabás percibió su angustia. Él le puso la mano en el hombro.

—No habrá que esperar mucho tiempo —le dijo, mientras ella levantaba la cabeza hacia él—. Ten un poco de paciencia.

Su rostro aparecía fatigado, pero su voz seguía siendo amablemente socarrona.

Miriam hubiese querido sonreírle, tocarle la mano para manifestar su amistad y su confianza. Pero era incapaz. Sus músculos estaban tan tensos que tenía que esforzarse para no temblar. Tenía tal nudo en la garganta que apenas podía respirar. La noche anterior, molida de angustia y de fatiga, casi no había dormido. Barrabás, que solo se permitió algunos momentos aislados de sueño, tampoco había descansado.

En realidad, Miriam estaba asombrada por su habilidad y su eficacia.

* * *

Tras su salida de Séforis, marchando toda la noche y deteniéndose solo para dejar que descansaran los burros y las mulas, la banda de Barrabás se encontraba a primera hora de la mañana en las colinas que dominaban las orillas del lago de Genesaret. Tiberíades estaba a sus pies. La fortaleza, con sus murallas de piedras talladas, sus torres y sus defensas almenadas, presentaba un aspecto más impresionante que nunca.

A pesar de la distancia, Miriam localizó de inmediato el terrible campo de los suplicios. A la derecha de la fortaleza, se extendía a la orilla del lago durante casi un cuarto de legua. De lejos, se divisaban los centenares de postes, como si, en aquel entorno, hubiera brotado una hierba monstruosa.

A su alrededor, ningún cultivo. Las huertas y los jardines rodeaban únicamente las paredes blancas de la ciudad y el entrelazado de callejuelas prudentemente apiñadas al otro lado de la fortaleza. Visto desde arriba, el campo de los ajusticiados dibujaba una larga faja oscura bordeada por una valla amenazadora, monstruosamente pintada de negro, que mancillaba el esplendor natural de las orillas.

Miriam se mordió los labios. Hubiera querido precipitarse, asegurarse de que Joaquín no estaba ya entre las formas negras que se percibían en los extremos de las cruces irregulares, aunque no verlo allí no la hubiera reconfortado en absoluto. Quizá lo hubiesen asesinado en la fortaleza.

Sin perder tiempo, Barrabás organizó su tropa. Debían permanecer al abrigo del bosque mientras él mismo, Abdías y unos compañeros de confianza iban de reconocimiento a Tiberíades.

Regresaron con el rostro sombrío. Abdías se acercó enseguida a Miriam. Con la barbilla, indicó el campo de los suplicios.

—Tu padre no está allí. Estoy seguro de que no está allí.

Miriam cerró los ojos, respirando profundamente para calmar los latidos de su corazón. Abdías se dejó caer en el suelo. Sus mejillas hundidas y sucias parecían más tensas, sus rasgos, más anormalmente envejecidos que nunca. A su espalda, los demás se habían acercado para oírle.

—He llegado muy cerca, como me había dicho Barrabás. Está lleno de guardias, pero no desconfían demasiado de los niños. La valla de estacas que rodea el campo de cruces está llena de clavos hacia arriba. Quien quiera saltarla se hará trizas. Hay dos sitios en los que puede verse el interior. Y lo que se ve no es nada divertido, os lo aseguro.

Abdías se detuvo un momento, como si todavía estuviera viendo aquellos horrores.

—Decenas y decenas. No se pueden contar. Hay quienes llevan allí tanto tiempo que no son más que huesos en trozos de harapos. Otros no llevan tanto tiempo para que hayan muerto. Se los oye murmurar. A veces, hay quienes gritan con una voz extraña. Como si ya estuviesen con los ángeles.

Un largo escalofrío, irreprimible, sacudió los hombros de Miriam.

—Si son tantos —preguntó con voz ronca, apenas audible—, ¿cómo sabes que mi padre no está allí?

La astucia volvió a reflejarse en los ojos de Abdías. Casi asomó una sonrisa.

—He hablado con un viejo mercenario. Los viejos como ese, cuando ven a un niño como yo, se hacen tan blandengues como la esposa de un rabino. Le he contado que a mi hermano mayor iban a colgarlo en la cruz. Ha empezado a reírse, diciendo que no le extrañaba y que seguro que yo iría a hacerle compañía. Yo he puesto cara de echarme a llorar. Entonces, me ha dicho que no llorara, que no iban a colgarme inmediatamente. Después, me ha preguntado desde cuándo estaba mi «hermano» en la fortaleza, porque no habían colgado a ningún hombre en una cruz desde hacía cuatro días.

Abdías levantó la mano con los dedos separados.

—Haz la cuenta: tu padre llegó a la fortaleza anteayer...

Miriam asintió con la cabeza, tomando la mano del niño en las suyas, a la vista de todos. Sintió temblar los dedos de Abdías entre los suyos y no los retuvo mucho tiempo.

Barrabás, con voz arrogante, añadió a la atención de todos que no había que no había que pensar en entrar en el campo de los suplicios por la puerta principal.

—Sus dimensiones solo permiten el paso de una mula. Una decena de mercenarios la vigilan constantemente, preparados para dar la alarma y cerrarla con un batiente acorazado de hierro.

—Y está cerrada toda la noche, por lo que he averiguado —añadió uno de sus compañeros.

Por otra parte, la ciudad hervía de legionarios y, sin duda, de espías. Buscar refugio en ella ni se planteaba. Atravesarla en grupo llamaría demasiado la atención, incluso con su aspecto de pobres mercaderes. Los guardias estaban alerta y no había que correr ese riesgo.

Las caras mostraban preocupación. Barrabás se burló:

—No pongáis esas caras; esto va a ser más fácil de lo que pensamos. Su valla se detiene en el lago. En la orilla no hay nadie, ni siquiera guardias.

Retumbaron las protestas. ¿Quién sabía nadar en la banda? No más de tres o cuatro. Y además, nadar con unas pobres gentes que acabaran de bajar de unas cruces, al alcance de los arqueros romanos, era un suicidio... Hacían falta barcas. Y ellos no tenían barcas.

—Y, si las tuviésemos, ¡no sabríamos utilizarlas!

Barrabás se burló de su pesimismo.

—No veis más allá de vuestras mugrientas narices. No tenemos barcas. Pero a las orillas del lago tenemos todo lo que haga falta de pescadores y de barcas. Nosotros tenemos cereales, lana, pieles. Incluso algunos bellos objetos de plata. Con eso podemos convencerlos de que nos ayuden.

\* \* \*

Antes de anochecer, el asunto estaba cerrado. Los pescadores de los pueblos de los alrededores de Tiberíades detestaban vivir tan cerca de la fortaleza y de su campo de dolor. La reputación de la banda de Barrabás y el cargamento de las carretas hicieron el resto.

Discretamente, la noche siguiente, las casas que estaban a la orilla del lago permanecieron abiertas. Al día siguiente, mientras Abdías y sus camaradas merodeaban todavía cerca de la fortaleza, Barrabás había puesto a punto su estrategia, de acuerdo con los pescadores.

Miriam había aguantado unas horas de pesadilla antes de que Abdías la sacara de un mal sueño, dos horas después de que amaneciera.

—He visto a tu padre. Puedes estar tranquila: él andaba. No así todos los demás. Han colgado a quince en las cruces de una sentada. Él era uno de ellos.

Un poco más tarde, dirigiéndose a Barrabás, había añadido:

—El mercenario viejo es mi amigo. Me ha dejado mirar todo lo que quería. Descubrí de inmediato a Joaquín por su calva y su túnica de carpintero. No le he quitado los ojos de encima. Sé exactamente dónde está. Lo encontraría incluso de noche cerrada.

Ahora, esperaban la oscuridad. La tensión hacía desaparecer su agotamiento. Antes de dejar la orilla, Barrabás había repetido minuciosamente su plan y se había asegurado de que todo el mundo sabía lo que tenía que hacer. Miriam, a pesar de su angustia, no dudaba de su determinación.

El sol parecía estar solo a unas manos de las colinas que rodeaban Tiberíades. A contraluz, la fortaleza se recortaba como una masa negra de silueta atormentada. El crepúsculo engullía, uno a uno, el verde de prados y huertos. En el aire inmóvil, se difundía una extraña luz, sorda y azulada, parecida a un nubarrón. Pronto, el mismo campo de los suplicios iba a desaparecer. En la superficie del lago, resonaban ruidos, llegados de Tiberíades y como proyectados por los miles de chispas en las que se dispersaban los reflejos del sol.

Miriam clavaba las uñas en las palmas de sus manos, imaginando tan vívidamente la desesperación que debía sentir su padre que creía verlo, orando a Yahveh con su mansedumbre habitual, mientras que, tras el ardor del día, caía sobre él la fría onda de las tinieblas.

Con la ayuda de Barrabás, el pescador que llevaba su barca, replegó su red al pie del mástil. Señaló la orilla.

—Cuando el sol toque la cresta de las colinas, se levantará la brisa —anunció—. Entonces, será más fácil maniobrar.

Barrabás asintió con un gesto.

—Habrá un poco de luna. Justo lo que necesitamos.

Barrabás fue a sentarse al lado de Miriam, mientras que el pescador cobraba jarcia para izar la vela.

—Cógelo —le ordenó con dulzura—. Puedes necesitarlo.

En la palma de su mano, tenía un puñal corto, con el mango de cuero rojo y la hoja muy afilada. Miriam lo contempló, estupefacta.

—Cógelo —insistió Barrabás—. Y, sobre todo, úsalo si es preciso. Sin dudar. Quiero descolgar a tu padre, pero también quiero que sigas viva y sonriente.

Le guiñó el ojo y se volvió enseguida para ayudar al pescador que cobraba la jarcia para izar la vela por completo.

A su alrededor, en las otras barcas, la misma animación silenciosa agitaba a los hombres. Una a una, con una lentitud solemne, iban izándose las velas triangulares, resplandecientes ante los últimos destellos del día.

El sol planeó sobre los bosques ya oscuros. Una capa oleosa de color rojo sangre se extendió por la superficie del lago, tan deslumbrante que había que protegerse los ojos.

Como había anunciado el pescador, la brisa agitó la vela. Empuñó el remo, lo empujó de un golpe. La vela osciló, se infló como bajo el efecto de un puñetazo. La barca crujió, el estrave cortó el agua con un crujido. A su vez, todas las demás barcas giraron. Las velas restallaron unas tras otras, mientras el crujido de mástiles y cuadernas rebotaba en la superficie del lago rasgado.

Barrabás estaba de pie, bajo la vela, agarrándose al mástil. El estrave de la barca apuntaba en dirección a una amplia cala al este de Tiberíades. Sonriendo, el pescador le dijo a Miriam:

—Mientras puedan vernos, hacemos como si volviésemos a casa.

* * *

Hasta la oscuridad completa, habían navegado en dirección sur, reduciendo progresivamente la vela para no alejarse demasiado de la fortaleza. Ahora, la escasa luz de luna permitía distinguir las barcas más próximas, nada más. En la orilla, brillaban las luces de los palacios de Tiberíades y las antorchas en los caminos de ronda de la fortaleza.

Navegaban en silencio, pero las barcas iban tan cerca unas de otras que el ruido del agua contra los cascos, el chasquido de las velas y el crujido de los mástiles parecían armar un estrépito del demonio, audible hasta en la costa.

La brisa era estable, los pescadores conocían sus barcas como un caballero su montura. Pero Miriam adivinaba el nerviosismo de Barrabás. No dejaba de levantar los ojos para verificar el inflado de las velas, sin conseguir estimar la velocidad, con el temor de alcanzar la fortaleza demasiado pronto o demasiado tarde.

De repente, estuvieron tan cerca de la enorme masa de torres que las siluetas de los mercenarios se dibujaron claramente en el halo de las antorchas. Casi de inmediato, se oyó un silbido. Después otro, como un eco. Barrabás tensó el brazo.

—¡Allí! —exclamó con alivio.

Miriam escrutó la orilla sin distinguir nada anormal. De repente, al pie de la muralla, estalló un fuego, tan violento que solo podía provenir de lámparas o de antorchas. En segundos, las llamas crecieron, extendiéndose de un sitio a otro. Los gritos, las llamadas resonaron por el camino de ronda. Los guardias se alarmaron, abandonando sus puestos.

—¡Ya está! —rugió Barrabás, radiante—. ¡Ellos lo han conseguido!

«Ellos» eran una decena de los miembros de su banda. Su misión era provocar un incendio en el campamento de la guardia y en los graneros del mercado que estaban al lado de la fortaleza, en el lado opuesto al campo de los suplicios. Las carretas traídas desde Séforis habían sido abandonadas allí durante el día, cargadas de madera vieja y de un forraje de aspecto anodino. Los dobles fondos, previamente vaciados de sus armas, los habían llenado de ollas de betún y de tarros de esencia de trementina, transformando los vehículos en terribles ingenios incendiarios. Los hombres de Barrabás tenían que prenderles fuego a una hora muy precisa antes de huir de la ciudad.

Evidentemente, lo habían conseguido. Como para confirmarlo, un ruido sordo resonó por el lago. De nuevo, unas llamas iluminaron la muralla. Unos destellos dorados y llamas surgían ahora, lejos de las primeras. Este incendio iba a sembrar la confusión entre los mercenarios y a provocar la desbandada de los habitantes.

De todas las barcas se elevaron gritos de alegría, mientras que el fuego, que ganaba fuerza, se reflejaba en el puerto de Tiberíades. Al final se oyó el ulular de las trompas que llamaba a los legionarios y a los mercenarios a ayudar a sofocar los incendios. Barrabás se volvió hacia el pescador.

—¡Es el momento! —dijo, tratando de dominar su excitación—. ¡Tenemos que lanzarnos mientras están ocupados en apagar el fuego!

* * *

Su plan funcionó de maravilla.

Gracias a la distracción provocada por el incendio, la vigilancia del campo de los suplicios y la de los caminos de ronda se había reducido, si no abandonado.

Las barcas atracaron en silencio en una playa de grava, en la que todos desembarcaron. Aquí, la oscuridad era profunda, mientras se oían los gritos de quienes combatían el fuego que enrojecía el cielo y el lago.

Barrabás y sus compañeros, sombras en la sombra, empuñando los cuchillos desenvainados, corrieron para asegurarse de que no se había quedado rezagado ningún guardia que pudiera dar la alarma.

Una mano se deslizó en la de Miriam. Abdías la guió.

—Por aquí; tu padre está en alto, cerca de la valla.

Sin embargo, tanto Miriam como los camaradas de Abdías que los seguían dudaron, llenos de pavor. Sus ojos estaban lo bastante acostumbrados a la oscuridad para discernir el horror que los rodeaba.

Las cruces estaban levantadas como si fuese un bosque del infierno. Algunas, podridas, se habían quebrado sobre restos de cadáveres. Otras estaban tan cerca unas de otras que, en algunas partes, los travesaños que sostenían los brazos descuartizados de los condenados se montaban unos en otros.

Algunas cruces estaban todavía vacías. Pero, a sus pies, colgaban esqueletos, siluetas grotescas que, tras largo tiempo, nada tenían de humano.

Solo entonces fue consciente Miriam de la pestilencia que respiraba, de los huesos y de los esqueletos humanos que cubrían el suelo bajo sus pies.

Unos pequeños bufidos los sobresaltaron. La fricción del aire les cortaba el aliento. Unos gatos salvajes salieron corriendo, las aves nocturnas, carroñeras que su presencia repentina perturbaba, se echaban a volar con una suavidad amenazante.

Miriam dudó un instante de poder avanzar más. Abdías saltó hacia adelante sin soltarle la mano.

—¡Rápido! No tenemos tiempo que perder.

Corrieron y eso les vino bien. Como había prometido, Abdías se orientó sin dudar entre las cruces.

—Allí —dijo, señalando con el dedo.

Miriam supo que decía la verdad. A pesar de la noche, reconoció el perfil de Joaquín.

—¡Padre!

Joaquín no respondió.

—Duerme —aseguró Abdías—. Un día entero allá arriba, ¡eso debe de dejarte fuera de combate!

Mientras Miriam llamaba todavía a su padre, unos gritos, un ruido de lucha se elevaron cerca de la valla.

—¡Por todos los demonios! —gruñó Abdías—, ¡han dejado algunos guardias! ¡Rápido, vosotros, ayudadme!

Lanzó a dos de sus camaradas al pie de la cruz y saltó ágilmente sobre sus hombros.

—Haced lo mismo con las otras cruces de alrededor —ordenó al resto de la banda—. Seguro que hay algunos que todavía están vivos.

Miriam lo vio trepar, con el cuchillo entre los dientes, tan ágil como un mono. En un abrir y cerrar de ojos, llegó a la altura de Joaquín.

Con dulzura, le agitó la cabeza.

—¡Eh!, padre Joaquín, despierta. ¡Tu hija viene a salvarte!

Joaquín murmuró unas palabras ininteligibles.

—¡Despiértate, padre Joaquín! —insistió Abdías—. ¡No es momento de echarse un sueño! Voy a cortar tus ligaduras y, si no me ayudas, te vas a romper la crisma.

Miriam oyó quejas de dolor en las cruces cercanas en las que se agitaban los otros críos. Unas voces y unos ruidos metálicos resonaban allá donde seguían peleando.

—Mi padre debe de estar herido —le dijo ella a Abdías—. ¡Corta sus ligaduras y lo sostendremos!

—No te preocupes, ¡ya se despierta!

—¡Miriam!, Miriam, ¿es a ti a quien oigo?

La voz era ronca, agotada.

—Sí, padre, soy yo...

—Pero, ¿cómo? Y tú, ¿quién eres tú?

—Más tarde, padre Joaquín —murmuró Abdías, aferrándose a las gruesas cuerdas—. Ahora, hay que salir a escape, y deprisa, porque esto pronto va a irse a pique...

De hecho, mientras Miriam y los camaradas de Abdías retenían a Joaquín, que se deslizaba por la cruz, Barrabás acudió con sus compañeros.

—¡Los cabrones! —gruñó.

Con la túnica desgarrada, los ojos todavía brillantes del combate, ya no tenía un cuchillo, sino una *spatha*, la larga espada romana, tan famosa.

—Solo quedaban cuatro en una tienda de campaña. Estos ya no verán Jerusalén y nos han hecho el regalo de sus armas. Pero creo que un hombre custodiaba una puerta de la fortaleza. Hay que salir pitando antes de que vuelvan con refuerzos.

—¿Quién eres tú? —murmuró Joaquín, pasmado.

Sus piernas no le sostenían y cada movimiento de los brazos le arrancaba un gemido. Estaba tendido en los brazos de Miriam, que le sostenía la cabeza. Barrabás sonrió de oreja a oreja.

—Barrabás, para servirte. Tu hija vino a pedirme que te arrancara de las garras de los mercenarios de Herodes. Misión cumplida.

—Todavía no —murmuró Abdías, saltando al suelo—. Acabo de ver una antorcha al pie de la muralla.

Barrabás ordenó silencio, escuchó las voces de los mercenarios que se acercaban y concluyó en un susurro:

—Les va a resultar difícil descubrirnos en la oscuridad. De todas formas, hay que largarse a toda velocidad.

—Mi padre no puede correr —dijo Miriam.

—Lo llevaremos.

—Los compañeros han bajado a otros cuatro, que hay que llevar también —murmuró Abdías.

—¡Bueno!, ¿a qué esperáis? —gruñó Barrabás, cargando a Joaquín a hombros.

\* \* \*

Tuvieron tiempo de subir a las barcas con las velas ya izadas antes de que a los mercenarios se les ocurriera la idea de correr hasta la orilla.

El chasquido de las velas, el crujido de las barcas los alertaron, pero demasiado tarde. Hicieron algunos tiros al azar. Las flechas y las lanzas se perdieron en la oscuridad. Al otro lado de la fortaleza, el incendio progresaba con más furia que nunca. Amenazaba con devorar parte de la ciudad y los mercenarios no se entretuvieron demasiado en perseguir a quienes creían ladrones de cadáveres.

Las barcas desaparecieron en la noche. Como habían convenido, los pescadores incendiaron dos, las más viejas y menos maniobrables. Las abandonaron a merced de la corriente, a fin de hacer creer a los romanos y a los mercenarios que habían sido robadas.

Mientras la barca remontaba el lago hacia el norte, Joaquín, con los dedos entumecidos por las ligaduras que le habían aprisionado las muñecas, no dejaba de palpar las manos de Miriam y de acariciarle el rostro. Con el espíritu aún confuso, medio desfallecido por la sed y el hambre, con todo el cuerpo dolorido, balbucía agradecimientos. Los mezclaba con plegarias a Yahveh, mientras Miriam le contaba cómo se había negado a abandonarlo a la muerte, a pesar de la oposición de sus vecinos nazarenos, a excepción de Yossef, el carpintero, y de Halva, su esposa.

—Pero yo soy quien ha tenido la idea para salvarte, padre Joaquín —intervino Abdías—. Si no, Barrabás solo, no lo habría hecho.

—Entonces, también a ti te lo agradezco de todo corazón. Eres muy valiente.

—¡Bah! No era tan difícil y no es gratis. Tu hija me ha hecho una promesa si llegaba allí.

La risa de Joaquín resonó contra el pecho de Miriam.

—A menos que ella te haya prometido casarse contigo, también yo haré mía esta promesa.

Por un instante, la sorpresa hizo callar a Abdías. De nuevo, Miriam sintió la risa de su padre, que abrazaba contra ella. Sobre todo, era la prueba de que ella lo había salvado del horror del campo de los suplicios.

—¡Bah!, es mucho menos que eso —murmuró Abdías—. Ha prometido que me contarías las historias del Libro.

# CAPÍTULO 4

BARRABÁS HABÍA PREVISTO SU HUÍDA CON TANTA minuciosidad como la liberación de Joaquín.

La banda se dispersó. Unos, acompañando a los crucificados rescatados, a excepción de Joaquín, atravesaron el lago con la ayuda de los pescadores. La mayor parte desapareció rápidamente por los caminos que llevaban a los espesos bosques del monte Tabor. Los jóvenes compañeros de Abdías se desperdigaron por los pueblos de la orilla antes de llegar a Tariquea y Jotapata para reanudar su vida de niños nómadas, mientras que su jefe se quedaba con Barrabás, Miriam y Joaquín. Ellos navegaron toda la noche en dirección al norte.

Sin dejar el remo de timón, utilizando su larga experiencia en el lago para prever las corrientes y mantener la vela inflada a pesar de las vacilaciones del viento, el pescador se orientaba por la sombra densa de la orilla, de la que nunca se alejaba. Al alba, dejaron atrás los jardines de Cafarnaúm. Miriam descubrió un paisaje de Galilea desconocido.

Una complicada red de colinas cubiertas de encinas encerraba entre pendientes unos valles estrechos y tortuosos. Aquí y allá, rompiendo la monotonía de los árboles, unos acantilados caían a pico sobre el agua del lago. Dejaban entrever calas retorcidas a las que se aferraban algunos edificios destartalados de pescadores con tejados de ramas. Lo más frecuente era que el bosque llegara hasta la orilla. Infranqueable, no dejaba libre ninguna playa ni abrigo en el que dejar las barcas. Algunas raras aldeas se apiñaban en las orillas de los ríos que descendían en cascada de las colinas. Su pescador dirigió la embarcación hacia una de esas aldeas. La desembocadura del Jordán, a cuatro o cinco leguas más al norte, se dibujaba en un halo de bruma luminosa.

Durante la noche, Barrabás había asegurado a Miriam que no había un refugio mejor. Los mercenarios de Herodes raramente venían a visitar esta región, demasiado pobre, incluso para los buitres del Sanedrín, y de acceso demasiado difícil. Solo se podía llegar en barco, lo que hurtaba el arma de la sorpresa a los visitantes malintencionados.

Era fácil desaparecer en el bosque. Las colinas ofrecían gran cantidad de grutas discretas. Barrabás conocía muchas de ellas. Más de una vez, había hallado refugio en ellas con su banda. Además, había una bolsa suficientemente llena para que los pescadores los acogieran sin rechistar ni hacer preguntas. Miriam no tenía que inquietarse: estarían a salvo hasta que la cólera de los romanos y quizá incluso la de Herodes se calmase.

En realidad, la elección de su escondite no preocupaba mucho a Miriam. Lo que, al contrario, la llenaba de inquietud, desde que la luz del día las puso de manifiesto, eran las heridas de su padre.

Tras intercambiar algunas palabras con su hija en la emoción de su huída de Tiberíades, Joaquín se había adormecido sin que nadie se diera cuenta en la barca. Toda la noche, Miriam había vigilado su respiración ronca, a menudo irregular. Ella se había negado a considerarla demasiado dolorosa y anormal. Pero, mientras permanecía aún sumido en el sueño bajo una piel de borrego, un rostro espantoso surgía al alba lechosa del lago.

No había una parte de la cara en la que no hubiera recibido golpes. Sus labios hinchados, los pómulos y una ceja abiertos dejaban a Joaquín irreconocible. Una fea cuchillada, debida a un golpe con una lanza o espada, le había cortado una oreja y abierto la mejilla hasta el mentón. Aunque Miriam humedecía sin cesar su velo en el agua del lago para lavar la herida, esta supuraba continuamente.

Al levantar la piel de borrego, descubrió el pecho de su padre. La túnica que llevaba cuando había atacado a los recaudadores no era sino un fragmento manchado de sangre seca. Las manchas violáceas de los golpes lo cubrían desde el vientre a la garganta. Allí también, la sangre surgía de las llagas que cubrían sus hombros y espalda. Y, por supuesto, las cuerdas de la cruz le habían dejado las muñecas y los tobillos en carne viva.

Era evidente que le habían pegado y con tanta violencia que era posible que hubiera lesiones invisibles, más graves aún que las visibles, que pusieran en peligro su vida.

Miriam se mordió los labios para no ceder a las lágrimas.

A su lado, en el lento balanceo de la barca, adivinó que Barrabás, Abdías y el pescador desviaban la vista, espantados por lo que veían. A la luz del día, resultaba difícil decir si Joaquín dormía o estaba inconsciente.

—Es fuerte —murmuró al fin Barrabás—. Ha aguantado en la cruz, sabe que estás a su lado, ¡vivirá para complacer a su hija!

Su voz, dulce, no manifestaba su socarronería habitual. Le faltaba convicción. Abdías se dio cuenta de ello, y asintió vivamente con la cabeza.

—¡Seguro! Él sabe que no hemos hecho todo esto para verlo morir.

La voz del pescador los sorprendió; él que no había abierto la boca desde Tiberíades.

—El chaval tiene razón —dijo, buscando la mirada de Miriam—. Incluso con sus dolores, tu padre no querrá abandonarte. Un hombre que tiene una hija como tú no se deja morir. El paraíso de Dios no es suficientemente hermoso para él.

Se calló el tiempo necesario para cobrar la escota de la botavara para volver a tensar la vela y añadió con una cólera que marcó sus arrugas:

—¡Ojalá tengan razón los rabinos y los profetas y un día llegue el Mesías, para que acabe de una vez con estas vidas nuestras que nada valen!

Instintivamente, Barrabás estuvo a punto de dejarse llevar por la socarronería. ¿Hasta cuándo iba a creer el pueblo de Israel en estas tonterías con las que los rabinos lo machacaban? ¿Hasta cuándo estas pobres gentes, a las que Herodes oprimía hasta sacarles la sangre, iban a esperar a que un Mesías viniera a liberarlos, en lugar de liberarse ellos mismos?

Sin embargo, el tono del pescador, el rostro de Miriam, así como la inconsciencia de Joaquín le hicieron callar. No era momento de discutir. Y en buena hora, porque, un poco más tarde, el pescador le sorprendió de nuevo.

Acababan de sacar la barca a la playa. Los habitantes de la aldea, curiosos, se habían arremolinado para recibirlos. Al descubrir el estado de Joaquín, ayudaron a transportarlo hasta un jergón. Mientras el cortejo se alejaba hacia las casas, Barrabás tendió al pescador la bolsa que le había prometido. El hombre le empujó la mano hacia atrás.

—No, no vale la pena.

—No lo rechaces. Sin ti, nada hubiera sido posible. Tú vas a volver a Tiberíades, donde quizá tengas problemas. ¿Quién sabe si no querrán quemar vuestras barcas, para obligar a tus camaradas a que cuenten lo que saben de nosotros?

El pescador sacudió la cabeza.

—Tú no nos conoces, chaval. Nosotros hemos previsto nuestro golpe. Voy a volver dando la vuelta al lago. Todos mis compadres también. Llegaremos a Tiberíades todos juntos, con los barcos llenos hasta las trancas. La mejor pesca nunca vista. Y te puedo asegurar que nos agarraremos un cabreo de órdago a la grande cuando descubramos que el mercado ha quedado reducido a cenizas. Entonces, decidiremos regalar nuestro pescado. Esto alborotará a todas las buenas mujeres de la ciudad y con eso se montará el desbarajuste padre.

Barrabás, riéndose a carcajadas, le insistió.

—Cógelo de todas formas. Te lo mereces.

—Déjalo. No quiero tu dinero. ¿Acaso necesito dinero yo, un judío de Galilea, por salvar de la cruz a otro judío de Galilea? Los mercenarios de Herodes son los que hacen que les paguen por su vil trabajo. Y no te preocupes: se sabrá que Barrabás no es un ladrón, sino un honrado galileo.

\* \* \*

A pesar de las advertencias de Barrabás, Abdías, demasiado excitado para contenerse, contó, desde la tarde de su llegada y con todo lujo de detalles, el infierno del que regresaba Joaquín.

Aquí, en esta aldea fuera del alcance de los mercenarios, veían por primera vez a un hombre que había escapado del suplicio de la cruz. Todas las mujeres de la aldea se aliaron para salvarlo. Rivalizaban en ciencia, descubriendo los secretos de hierbas, polvos, pociones y sopas susceptibles de atenuar las ennegrecidas heridas dejadas por los golpes, de cerrar las llagas visibles e invisibles y, en fin, de devolver las fuerzas a Joaquín.

Miriam las ayudaba. En unos días, aprendió a distinguir plantas a las que nunca había prestado atención. Le enseñaron a molerlas, mezclar su polvo con grasa de cabra, tierra fina, algas o bilis de pescado, según se las transformase en pastas, emplastos o aceites de masaje, que administraban unas mujeres grandes y vigorosas, acostumbradas desde siempre a ver a hombres desnudos y con sus cuerpos maltrechos.

Una jovencita muy alegre ayudaba a a preparar infusiones y tisanas nutritivas. En su combate inconsciente contra el dolor, Joaquín mantenía las mandíbulas apretadas hasta romperse los dientes. La joven ayudó a Miriam a abrírselas con la ayuda de un pequeño embudo de madera. Solo era posible alimentar al herido cucharada a cucharada. La tarea era difícil, lenta y desesperante. Pero la joven compañera de Miriam consiguió aliviar la dureza y a lograr un extraño momento de dulzura maternal de la hija hacia el padre.

Cada noche, Miriam velaba a Joaquín sin separarse de él. Barrabás y Abdías procuraban en vano disuadirla. Se contentaban con hacerle compañía por turno, quedándose a su lado en la sombra apenas alterada por la mecha de una lámpara de aceite.

Al fin, una tarde, resultó claro que Abdías y el pescador habían tenido razón. Unas horas antes de anochecer, Joaquín abrió los ojos. Había preferido el paraíso de su hija al de Dios.

\* \* \*

Descubrió el rostro de Miriam sobre él y no pareció extrañado. Esbozó una sonrisa muy pálida. Sus manos torpes, cuyas muñecas estaban todavía cubiertas de emplastos y vendajes, quisieron tocarla. Riendo y llorando a la vez, Miriam se inclinó. Besó el rostro de su padre y ofreció sus mejillas a las caricias de Joaquín.

—¡Hija mía, hija mía!

Murmuró feliz, quería abrazarla acercándola hacia sí, pero sus hombros doloridos le hicieron dar un gemido.

Las mujeres que estaban a su alrededor salieron para gritar la buena noticia. Toda la aldea acudió para ver por fin los ojos del rescatado de la cruz, oír su risa y las dulces palabras que no dejaba de susurrar.

—Miriam, ángel mío. ¡Es como si resucitara! Que el Eterno sea bendito por haberme enviado a una hija así.

Miriam rehusó esos elogios; explicó a su padre lo que unos y otros habían hecho con el fin de que viviera.

Emocionado y balbuciente, Joaquín contempló los rostros rudos y alegres que lo rodeaban.

—Aunque no lo creáis —dijo—, mientras dormía, Miriam estaba a mi lado. Lo recuerdo muy bien. Ella estaba allí, de pie, no muy lejos de mí. Y yo también me veía. Era una historia fea, porque yo había caído de la cruz y me había roto en pedazos. Un brazo por aquí, el otro por allá. Las piernas estaban fuera de mi alcance. Solo mi cabeza y mi corazón funcionaban como es debido. Y tenía que retener sin cesar mis pedazos para impedir que se alejasen. Pero yo estaba tan agotado que solo deseaba una cosa: cerrar los párpados y dejar que mis brazos y mis piernas fuesen a su aire. Pero Miriam estaba allí, a mi espalda, impidiéndome que cediera a esa tentación.

Joaquín tomó aliento, mientras los demás lo escuchaban, boquiabiertos. Guiñó un párpado y prosiguió:

—Ella decía: «¡Vamos, vamos, padre! Mantén los ojos bien abiertos». Ya saben, con ese tono nada cómodo que puede emplear, increíblemente autoritario y seguro para una chica de su edad.

Todo el mundo se echó a reír; Barrabás asentía vigorosamente y Miriam se ruborizó hasta la raíz de sus cabellos.

—Sí, no ha dejado de reprenderme —añadió Joaquín, con la voz temblorosa de ternura—. «¡Vamos, padre, un esfuerzo! ¡No les des ese placer a los recaudadores! Tienes que recuperar tus brazos y tus piernas para volver a Nazaret. ¡Vamos, vamos! ¡Te estoy esperando!» Y ahora, aquí me tenéis con vosotros para agradecéroslo.

\* \* \*

El día siguiente, al alba, cuando Joaquín se despertó tras una corta noche de sueño, encontró a Barrabás y a Abdías a su lado. Miriam dormía en la estancia de las mujeres.

—Parece como si fuera a dormir un año —bromeó Abdías.

Joaquín asintió con una inclinación de cabeza mientras reparaba en el curioso rostro del niño.

—¿Eres tú quién me descolgó de la cruz? Me parece recordarlo, pero estaba todo muy negro.

—Yo soy.

—Para decirte la verdad, cuando te vi, creí que un demonio venía a llevarme al infierno.

—No me reconoces porque las mujeres de aquí se han empeñado en lavarme y darme ropa limpia —masculló Abdías, encogiéndose de hombros.

Barrabás rio de buena gana.

—Es la humillación más grande que ha sufrido Abdías hasta ahora. Le falta su mugre. Le costará semanas y meses parecerse de nuevo a sí mismo.

Joaquín dijo con mansedumbre:

—La limpieza no te viene tan mal, chaval. Deberías estar contento.

—Es lo que dice Miriam también —dijo con una mueca Abdías—. Pero no sabéis de qué habláis. En las ciudades, si eres como los otros niños, la gente no te tiene miedo ni compasión. Mañana, antes de partir para Tiberíades, volveré a ponerme mis pingos de *am ha'aretz*, desde luego.

Joaquín frunció el ceño.

—¿A Tiberíades? ¿Qué vas a hacer allí?

—Saber lo que maquinan los mercenarios de Herodes...

—¡Pero es demasiado pronto!

—No —intervino Barrabás—. Han pasado seis días. Quiero saber lo que traman en Tiberíades. Abdías irá a aguzar las orejas en la ciudad. Sabe hacer muy bien esa clase de cosas. Partirá mañana con un pescador.

Joaquín se contuvo para no protestar. Todavía tenía el miedo en las entrañas. La violencia y el odio de los mercenarios seguían tan anclados en su alma como marcaban su cuerpo. Pero Barrabás tenía razón. Él mismo habría dado mucho por tener noticias de Hannah, su esposa. También hubiera querido saber si los recaudadores, para vengarse de su huída, habían infligido en Nazaret el sufrimiento del que acababa de escapar.

Si así fuese, tendría que rendirse y volver a las mazmorras de Tiberíades. Un pensamiento y una decisión que no podía confiar a Barrabás y aún menos a Miriam.

—Vuelve —murmuró, tomando las manitas de Abdías—. Creo que te prometí algo mientras me sacabas del campo de los suplicios. Detesto no cumplir mis promesas.

* * *

Cinco días más tarde, apoyado sobre el hombro de Miriam, Joaquín probaba a utilizar las piernas cuando apareció Abdías. Saltó de la barca antes de que tocara la playa, con el rostro transfigurado de entusiasmo.

—¡Solo se habla de nosotros! —afirmó, antes incluso de tomarse el tiempo de beber un vaso de mosto—. La gente no tiene otra cosa en boca: «Barrabás ha liberado a unos crucificados que acababan de prender los romanos». «Barrabás ha humillado a los mercenarios de Herodes». «Barrabás se ha burlado de los romanos...». ¡Oye!, ¡se diría que te has convertido en el Mesías!

La broma de Abdías tenía más de amistad que de burla, pero Barrabás no abandonó su porte serio.

—¿Y los pescadores? ¿Han tenido problemas?

—Todo lo contrario. Han hecho lo que dijeron. Llegaron a Tiberíades con las barcas tan llenas que apenas las empujaba el viento. Una auténtica pesca milagrosa. Nos han puesto tibios: que habíamos quemado sus barcas y su lonja. La gente de Tiberíades también. Todo el mundo protesta que somos unos bribones, unos destructores, la vergüenza de Galilea... Solo cumplidos de ese tipo. Tanto que los mercenarios y los romanos se han creído que hemos dado el golpe solos. Hoy, la gente se ríe como quien no quiere la cosa. Todo el mundo está muy contento de que los hayamos engañado.

Ahora, Barrabás se relajó y Miriam acarició la enmarañada pelambrera de Abdías.

—¿Y, por supuesto, has sabido contenerte? ¿Has proclamado por todas partes que eras el mejor amigo del gran Barrabás? —bromeó ella.

—No hacía falta —se rio, orgulloso, Abdías—. Lo han adivinado todo. Nunca me han dado tanto de todo lo que yo quería. Hubiera podido traer una barca llena.

—¡Y que te denunciasen! —masculló Joaquín.

—¡No te preocupes, padre Joaquín! Los soplones, los localizo pronto. Nadie sabía dónde dormía ni cuándo me verían. Pero, ¿sabes que tú también eres célebre? Todo el mundo conoce tu historia. Joaquín de Nazaret, el que se atrevió a clavar una lanza en el vientre de un recaudador y que se ha salvado de la cruz...

—No era el vientre, sino el hombro —murmuró Joaquín con humor—. Y no es bueno que hagan tanto ruido con mi nombre. ¿Tienes noticias de Nazaret?

Abdías sacudió la cabeza.

—Eso no. No tenía tiempo de ir...

Joaquín cruzó su mirada con la de Barrabás y luego con la de Miriam.

—Estoy preocupado por ellos —murmuró—. Los mercenarios no saben dónde encontrarnos, pero saben adónde llevar la desgracia.

—Yo podría ir allí, ver al menos a mi madre, tranquilizarla —dijo Miriam.

—No, tú no —protestó Abdías—. Yo voy cuando quieras.

—A menos que vayamos todos juntos —sugirió Barrabás, pensativo—. Ahora que Joaquín anda, podemos desplazarnos como nos dé la gana.

Todos lo miraron, estupefactos.

—¿No hay una casa segura en la aldea? —preguntó a Joaquín y a Miriam.

Joaquín negó con la cabeza.

—No, no, sería una locura...

—¡Pero, sí, padre! —exclamó Miriam—. ¡Yossef y Halva nos abrirán su puerta sin dudarlo!

—Tú no te das cuenta del peligro, hija mía.

—Estoy segura de que Yossef estará orgulloso de ayudarte. Sabe todo lo que te debe y te quiere. Su casa está lejos de la aldea, en el extremo del valle. Allí no pueden cogernos por sorpresa.

—Montaremos guardia, padre Joaquín. De camino, reuniré a mis amigos. Estaremos allí todos. Ya verás, nadie podrá acercarse a la casa de ese Yossef sin que lo sepamos. Pregunta a Miriam, somos nosotros quienes guardamos los escondites de Barrabás. Sabemos hacerlo.

Miriam sonrió al recordar su llegada a Séforis, pero Joaquín no se dejó convencer. Su negativa enfadó a Barrabás y acabó con la alegría de Abdías.

* * *

Solo al anochecer, tras haber estado mucho tiempo en silencio, Miriam dijo con dulzura a su padre:

—Sé que estás muy preocupado por madre. Quieres abrazarla y yo también. Vamos a casa de Yossef y Halva, aunque solo sea poco tiempo. Después, decidiremos.

—¿Decidir qué, hija mía? Tú sabes muy bien que no podría volver a mi taller y montar ningún armazón con Lisanias. ¡Si quiere Dios que siga con vida!

—Eso es cierto —dijo Barrabás—. Ahora, estás en el mismo barco que yo. Olvida tu armazón, Joaquín. Es la revolución de Galilea contra Herodes lo que debemos construir juntos.

—¿Solo eso?

—Ya has oído a Abdías. Todo el mundo está contento porque hayamos ganado por la mano a los mercenarios de Herodes y a los buitres del Sanedrín. Mira a tu alrededor, Joaquín. Los habitantes de esta aldea se han volcado para curarte porque estabas en la cruz y era una pura injusticia. El pescador que dio el golpe con nosotros rehusó una bolsa de oro. Estaba demasiado orgulloso de haber luchado a nuestro lado. Son signos. Hemos demostrado a los galileos que los mercenarios son unos imbéciles. Hay que continuar. Y a lo grande, ¡para vencer el miedo de Israel!

—¿Cómo lo vas a hacer, con tus cincuenta compañeros y unos críos?

—No. Arrastrando a los que ya no pueden más. Infundiéndoles coraje. Nosotros te hemos bajado de la cruz, a ti y a otros desgraciados. Podemos hacerlo en otro lugar, incluso en Jerusalén. Podemos acosar a los mercenarios. Podemos luchar y demostrar que les ganamos...

Joaquín hizo una amarga mueca.

—Barrabás, hablas de una revolución como de un momento de mal humor. ¿Crees que yo y muchos otros que piensan como yo no lo hemos pensado nunca?

Barrabás sonrió de oreja a oreja.

—Tú mismo lo estás diciendo: hay muchos que ya no soportan a Herodes.

—Lo sé, es cierto. Pero no creo que te sigan. Son sabios, no locos.

—A un loco fue a buscar tu hija para salvarte, Joaquín, no tus amigos sabios.

—Si una revolución no concita la adhesión de todo el país —se irritó Joaquín—, aboca a una masacre. La mano de Herodes es larga y rápida. El Sanedrín está rendido a él y tiene a los rabinos. Su puño es más pequeño que el de Herodes, pero no menos eficaz.

—Siempre la misma excusa —refunfuñó Barrabás—. Una excusa de cobarde.

—¡No pronuncies palabras parecidas! Hace falta tanto valor para sufrir la injusticia como para luchar en vano. E incluso si llegaras a sublevar Galilea, no te conduciría a nada. Habría que sublevar Jerusalén, Judea, todo Israel.

—Bien, ¡vamos, no perdamos tiempo!

—Barrabás no está del todo equivocado, padre —intervino Miriam con calma—. ¿Para qué esperar el próximo golpe de los mercenarios, la próxima visita de los recaudadores? ¿Por qué dejarse humillar siempre? ¿Qué beneficio se saca?

—¡Ah! ¿Así que piensas como él?

—Tiene razón: la gente está cansada de someterse. Y orgullosas de que no dejaras que los recaudadores robaran el candelabro de la vieja Hulda. Tu valor es un ejemplo.

—Un ejemplo inútil como un arrebato —deberías decir.

—No te hagas más débil de lo que eres, Joaquín —gruñó Barrabás—. Invita a tus sabios a casa de tu amigo Yossef. Abdías puede llevarles el mensaje. Y déjame hablarles. ¿Qué arriesgas?

Joaquín buscó la mirada de Miriam, que asintió.

—¿Para qué no haber muerto en la cruz si no sirve de nada, padre? ¡Simplemente para esconderse en Galilea, toda nuestra vida, para nada! Nosotros somos quienes decidimos si somos impotentes ante el rey. Creer que sus mercenarios son siempre más fuertes que nosotros es darles la razón para que nos desprecien.

# CAPÍTULO 5

DESPUÉS DE DAR UN RODEO, SIGUIENDO, AL PIE del monte Tabor, una larga pista, evitando las vías más frecuentadas y la travesía de Nazaret, habían convenido que Miriam se adelantara para prevenir a Halva y Yossef.

Por el sendero flanqueado por acacias y algarrobos, que serpenteaba hacia la cresta de la colina, iba tan rápido que sus pies apenas tocaban el suelo. Al acercarse a la cima, se atenuó la opacidad de los arbustos. Vio los huertos de cidros, la pequeña viña y los dos grandes plátanos que estaban al lado de la casa de Yossef. Sin que tuviera conciencia de ello, una gran sonrisa le iluminó el rostro.

Un balido le hizo levantar la cabeza. Un rebaño de ovejas y corderos deambulaba en el campo que dominaba el camino. Iba a desviarse y correr hasta la casa cuando adivinó una forma que se destacaba entre las alcaparras y las retamas. Reconoció la túnica clara maravillosamente bordada en azul y ocre. Reconoció la opulenta cabellera de ondulaciones púrpuras y gritó:

—¡Halva! ¡Halva!

Sorprendida, Halva se quedó inmóvil, protegiéndose los ojos del sol para distinguir mejor a la que volaba hacia ella.

—Miriam... ¡Dios Todopoderoso! ¡Miriam!

Estallaron las risas y las lágrimas.

—¡Estás viva!

—Mi padre también... Lo salvamos.

—¡Yossef me lo había asegurado! ¡Lo oyó contar en la sinagoga, pero no me atrevía a creerlo!

—¡Qué alegría de verte!

Unos gritos resonaron a sus pies. Halva se apartó de Miriam.

—Shimón, angelito, ¿estás celoso de Miriam?

El pequeño de apenas dos años se calló. Con la boca abierta y la cara terriblemente seria, contempló a Miriam. De repente, sus grandes ojos castaños se abrieron como platos, centelleantes, y tendió los brazos con un balbuceo imperioso.

—¡Eh, me parece que me reconoce!, ¿no? —exclamó Miriam, encantada.

Risueña, se inclinó para cogerlo. Cuando se incorporó, vio a Halva con una mano en la boca, lívida y vacilante.

—¡Halva!, ¿qué te pasa?

Halva trató de sonreír, con una respiración un poco pesada y apoyándose al fin en el hombro de Miriam.

—No es nada —murmuró ella con voz átona—. Un pequeño mareo. Se me pasará.

—¿Estás enferma?

—¡No, no!

Halva recuperó el aliento masajeándose suavemente las sienes.

—Me pasa a veces desde que nació Libna. No te preocupes. Ven, ¡vamos rápido a avisar a Yossef! Va a saltar de alegría al verte.

* * *

Fue una hermosa jornada de reencuentros. Yossef no tuvo suficiente paciencia para esperar a Joaquín. Corrió a su encuentro, bajó el camino a toda velocidad desde que vio la gran silueta de su amigo. Lo abrazó, dando gracias al Eterno entre lágrimas y risas.

Saludó a Barrabás y a Abdías casi con la misma efusividad. Por supuesto, todos ellos podían refugiarse en su casa, gritó mientras penetraban en el patio de su casa. Había sitio suficiente. ¿Y acaso no había construido, siguiendo los consejos de Joaquín, una habitación discreta, casi secreta, detrás de su taller? Extenderían unas esteras para Joaquín y sus compañeros, mientras que Miriam dormiría en la habitación de los niños.

Se sentaron en torno a una mesa instalada a la agradable sombra de los plátanos que protegían la casa de los grandes calores.

—Aquí no corréis ningún peligro —dijo—. Nadie pensará que estáis en mi casa. De todos modos, los mercenarios ya no están en Nazaret.

Ayudada por Miriam, que insistió en que no estaba en absoluto fatigada, Halva llevó bebida y comida para satisfacer el hambre agudizada por la marcha. Abdías bebió con avidez y a penas picó un poco. Sabiendo lo impacientes que estaban Joaquín y Miriam, se propuso ir a avisar discretamente a Hannah de su llegada. Joaquín le indicó cómo llegar al taller y a la casa sin llamar la atención de los vecinos y, mientras el niño salía corriendo como un gamo, Yossef terminaba de ponerlos al día de las noticias de la aldea.

Como era previsible, los recaudadores habían vuelto a Nazaret después de la detención de Joaquín.

—¿Te lo puedes creer, Joaquín? El que tú heriste allí estaba. Tenía el brazo vendado, pero, de todos modos, ¡cuatro días le bastaron para reponerse!

—¡Ah! ¡Qué torpe soy! —comentó Joaquín, divertido—. ¡Qué mal coloqué mi lanzada!

Yossef y Barrabás se partían de risa.

—¡Es cierto!

Esta vez, tres oficiales romanos y una cohorte de mercenarios acompañaban a los recaudadores. Se habían mostrado violentos, pero no más que de ordinario.

—Sobre todo, querían manifestar su satisfacción anunciándonos que ibas a morir en la cruz —explicó Yossef, estrechando el hombro de Joaquín—. Lo repitieron tantas veces que todo el mundo acabó creyéndolo. Tu pobre Hannah lloró sin consuelo, diciendo que el Todopoderoso la había abandonado, ¡que había perdido a su esposo y a su hija!

Una mueca se marcó en su rostro al recordar esto. La desesperación de Hannah había sido tan terrible que Halva se quedó con ella varios días. Sin embargo, no consiguió consolarla ni tranquilizarla. Incluso temieron que se volviese loca.

—Yo estaba convencido de que te las arreglarías para dejar en mal lugar a estos buitres —añadió Yossef, guiñando un ojo a Miriam—. Pero temía que los mercenarios acabasen dándose cuenta de que habías abandonado la aldea para correr a ayudar a tu padre.

—¡Bah! —gruñó Barrabás con desprecio—. Los romanos y los mercenarios están tan seguros de su fuerza que han perdido la imaginación. Además, no entienden nuestra lengua.

—Ellos, quizá —dijo Yossef—, pero los recaudadores son astutos. Aunque desprecien nuestro acento galileo, tienen el oído tan fino como rapaces sus dedos. Por eso, en la sinagoga, aleccioné a la gente para que todos comprendieran que hay que callar. Pero ya sabes cómo son las cosas, Joaquín. Siempre hay alguien de quien no puedes fiarte.

Sin embargo, como no hay mal que por bien no venga, el espíritu de venganza de los recaudadores del Sanedrín no había hecho más que acrecentar la rabia de los aldeanos y acallar las disensiones.

—Nos han dejado sin blanca —suspiró Yossef—. Apenas tenemos con qué sobrevivir hasta la próxima cosecha.

Los recaudadores se llevaron todo lo que pudieron, vaciando las bodegas y los graneros de todos los sacos y vasijas que consiguieron descubrir y ordenando a los mercenarios que cargaran tanto las carretas que las mulas casi no podían tirar de ellas.

—Aquí, pusieron patas arriba toda la casa, buscando unos denarios que no poseo. Acababa de hacer dos pequeños baúles para la ropa de los niños. ¡A la carreta con ellos! Se los llevaron. ¡Y también los higos que Halva acababa de recoger! Se habrán podrido antes de llegar a Jerusalén, seguro, pero querían decomisarlo todo. Por el mero placer de humillarnos.

Yossef suspiró, guiñando el ojo, burlón.

—Solo se les han escapado nuestros rebaños. Habíamos enviado los animales a los bosques con algunos niños.

—¿Y esos imbéciles no se extrañaron de su ausencia? —preguntó Barrabás.

—¡Claro que sí! Pero declaramos que se había acabado, que no queríamos más ganado, ni mayor ni menor. «Porque cada vez que venís os lo lleváis. ¿Qué sentido tiene?» Uno de los recaudadores dijo: «Mentís, como siempre. Vuestro ganado anda por el bosque; estoy seguro». Uno replicó: «Vale. Id al bosque a ver si está allí o si el Todopoderoso ha transformado nuestros animales en leones».

Joaquín y Barrabás asintieron, partiéndose de risa. Yossef sacudió la cabeza.

—Os puedo jurar que los hemos maldecido. Nuestra felicidad fue tanto más grande al saber que Miriam y Barrabás habían tenido éxito. Saber que estabas libre y vivo nos ha limpiado el corazón. Incluso los de la sinagoga pensaron que el Eterno no quería este horror. ¡Incluso ellos, que, desde que nos afecta una desgracia, ven en ella el castigo del Eterno!

Con los ojos empañados, llevado por la exaltación, Yossef se levantó de repente y agarró a Barrabás por los hombros.

—¡Ah! ¡Que el Eterno te bendiga, muchacho! Nos has hecho sentirnos felices y orgullosos. Es lo que más falta nos hacía.

Estuvo a punto de abrazar a Miriam y besarla. La timidez lo retuvo. Le tomó las manos y las besó con ternura.

—¡Tú también, Miriam, tú también! ¡Qué orgullosos estamos de ti, Halva y yo!

Halva estalló en una carcajada burlona y feliz. Agarrándola por la cintura, llevó a Miriam al interior. Los dos niños, alterados por la inusual agitación, comenzaron a gemir.

—¿Tú ves cómo se pone mi Yossef? —cuchicheó, encantada—. Míralo: ¡está más rojo que la flor de un algarrobo! Cuando le domina la emoción, es el hombre más tierno que Dios ha creado. Tan dulce como una borrega. Pero, ¡es tan tímido! ¡Tan tímido!

Miriam unió su mejilla a la de su amiga.

—No puedes saber qué bueno es volver a encontraros a los dos. Y estoy impaciente por volver a ver a mi madre. No pensaba que le causaría tanto dolor al irme de casa.

Mientras el pequeño Yakov agarraba su túnica, Halva se inclinó sobre la cuna para coger a Libna, que lloraba de hambre y de impaciencia.

—¡Bah! Desde que os vea, a tu padre y a ti, se olvidará de su...

Se interrumpió bruscamente; sus mejillas estaban lívidas, sus párpados cerrados y la respiración entrecortada. Miriam le retiró rápidamente a la pequeña de los brazos.

—¿Te encuentras mal? —le preguntó.

Halva respiró profundamente antes de responder:

—No, no te preocupes. ¡Solo son desvanecimientos! Pero son tan repentinos...

—Vete a descansar un rato. Yo me ocupo de los niños.

—¡Vamos! —protestó Halva, esforzándose por sonreír—. Debes de estar mucho más fatigada que yo; has estado andando todo el día.

Miriam acunó dulcemente a Libna, que entremezclaba sus minúsculos deditos con los largos bucles de sus cabellos sueltos. Atrayendo a Shimón hacia ella con una caricia, insistió, preocupada:

—Déjame ayudarte. Vete a descansar. Estás tan pálida que da miedo.

Halva cedió a regañadientes. Se tumbó en una cama, al fondo de la habitación, observando a su amiga. En un instante, Miriam preparó los cereales hervidos de Libna y las galletas de Shimón y de Yossef, dos años mayor, mientras que el mayor, el tranquilo Yakov, ayudaba como podía. Después, se puso a jugar con ellos con tanta sencillez, tanta ternura, que los niños, tan confiados como hubiesen estado con su madre, olvidaron sus caprichos e inquietudes.

\* \* \*

Fuera, con su voz monocorde y dulcemente apasionada, Yossef seguía contando a Barrabás y a Joaquín cómo había llegado la noticia de su hazaña a la sinagoga, divulgada por un comerciante de tinta.

Al principio, unos y otros habían dudado que la información fuese verídica. Los rumores contaban a menudo tantas cosas que se querrían ciertas y que luego resultaban ser falsas. Sin embargo, el día siguiente y el siguiente al siguiente, otros comerciantes, llegados de Caná y de Séforis, lo habían confirmado: el bandolero Barrabás había prendido fuego a Tiberíades para liberar a los ajusticiados del campo del dolor. Y entre ellos, estaba Joaquín.

Todo el mundo lanzó entonces un suspiro de alivio, incluso quienes ya habían hecho su duelo por Joaquín. La alegría se transformó rápidamente en un sentimiento de victoria.

—Si esa noche hubieses entrado en Nazaret, toda la aldea te habría aclamado —concluyó Yossef—. ¡Han olvidado los gritos que dieron cuando Miriam anunció que iba a pedir ayuda a Barrabás para salvarte!

—Atención —murmuró Joaquín, frunciendo el ceño—, es ahora cuando esto podría resultar peligroso para Nazaret.

—Eso es lo que me parece extraño —opinó Barrabás—. Ahí están los días en los que les zurramos la badana a los romanos en Tiberíades. Hoy, los mercenarios deberían estar aquí, para maltratar a la gente de la aldea.

—Bueno, creo que hay una razón muy sencilla —replicó Yossef—. Cuentan que Herodes está tan enfermo que ha perdido la cabeza. Parece que su palacio es peor que un nido de serpientes. Sus hijos, su hermana... el hermano, la suegra, los sirvientes... no hay nadie que no tenga ganas de adelantar su muerte para ocupar su sitio. Rezuman odio, todos los que andan por allí, y el caos reina en la Torre Antonia, en Jerusalén, así como en Cesarea. Los oficiales romanos no están dispuestos a mantener las locuras de esta familia degenerada. Si este loco de Herodes sobrevive a su enfermedad y descubre que han hecho algo sin su consentimiento, van directos al abismo. Nuestro rey está loco, pero es el amo de Israel, desde el primer grano de trigo hasta las leyes impías que salen del Sanedrín. Nosotros, los pobres de Galilea, tememos a sus mercenarios y a sus buitres. Pero ellos lo temen tanto como nosotros. Por eso, mientras esté enfermo y no dé la orden, nadie se aventura a salirse de madre.

—¡He aquí una noticia que me reconforta! —exclamó Barrabás con estrépito—. Y que me hace pensar que tengo razón al querer...

No pudo continuar. Los gritos, las llamadas, los pasos les hicieron levantarse de los bancos. Hannah se precipitaba a la sombra de los plátanos, con las manos levantadas por encima de la cabeza.

—¡Joaquín! ¡Dios Todopoderoso! Bendito sea el Eterno. ¡Estás aquí, te veo! Yo que me negaba a creer a este crío...

Joaquín abrazó a su esposa, apretándola contra él. Hannah lo abrazó con todas sus fuerzas, balbuciendo aún, con la boca mojada por las lágrimas:

—¡Sí, eres tú! No eres un demonio. ¡Reconozco tu olor! ¡Oh, esposo mío!, ¿te han hecho daño?

Joaquín iba a responder cuando Hannah se apartó, con los ojos muy abiertos, la boca muy abierta, las facciones convulsas por el pánico.

—¿Dónde está Miriam? ¿No ha venido contigo? ¿Ha muerto?

—¡No, madre! Aquí estoy.

Hannah se dio la vuelta, la vio que corría desde el umbral de la casa.

—¡La loca de mi hija! ¡Me diste un buen susto!

Bajo el efecto de tantas emociones acumuladas, Hannah respiraba con dificultad y no era capaz de acariciar sus rostros, sus amados ojos. Parecía que, antes de reír un poco, iba a desfallecer.

Abdías, que la había seguido de lejos, enredó un poco más su abundante pelambrera con un gesto de perplejidad.

—¡Joder! Cuando le he dicho que Miriam estaba aquí con el padre Joaquín, ha estado a punto de alborotar todo el pueblo —le confió a Barrabás—. No había manera de que me creyera. Creía que yo era un espía de los mercenarios. Yo le estaba tendiendo una trampa —decía— y cosas así. Imposible cerrarle el pico sin cabrearse. ¡Menos mal que Miriam no se le parece!

\* \* \*

Más tarde, ya anochecido, reunidos todos alrededor de una lámpara y mientras las mujeres y los niños dormían, Barrabás, en voz baja, reveló a Yossef su gran proyecto. Había llegado el momento de desencadenar una rebelión que abarcara Galilea y después todo Israel, derrocando el poder indigno de Herodes y liberando el país del yugo romano.

—¡Vas un poco lejos! —resopló Yossef, con los ojos saliéndosele de las órbitas.

—Si lo que cuentas de Herodes es cierto, no hay mejor momento.

—Herodes está débil, sin duda. Pero débil hasta ese punto...

—Si todo el país se levanta contra él, ¿quién lo sostendrá? Ni siquiera los mercenarios, que tendrán miedo por su sueldo.

—Es una locura —intervino Joaquín—. Tan loca como el mismo Barrabás. Pero es también quien me ha salvado de la cruz. Eso merece que lo discutamos con quienes odian tanto como nosotros a Herodes y a esos corruptos saduceos del Templo: los zelotes, los esenios y ciertos fariseos. Entre ellos, hay sabios que nos escucharán. Si conseguimos convencerlos de arrastrar a sus fieles a nuestra rebelión...

—Cuando el pueblo vea que se alían con nosotros, sabrá que ha llegado el momento de luchar —añadió, fogoso, Barrabás.

Yossef no les contradijo. No dudaba de su voluntad ni de su valor. Como Joaquín y Barrabás, estaba convencido de que padecer pasivamente la locura de Herodes solo llevaba a más sufrimientos.

—Si vuestro deseo es reunir a la gente para hablar, esto se puede hacer aquí, en mi casa —dijo él—. El riesgo no es muy grande. Estamos a las afueras de Nazaret y, a día de hoy, los romanos no sospechan de mí. Quienes invitéis podrán reunirse con nosotros sin miedo. No faltan las desviaciones que conducen aquí. Ni siquiera tendrán que pasar por Nazaret.

Barrabás y Joaquín le expresaron su agradecimiento. La auténtica dificultad era encontrar a hombres de los que pudiesen fiarse. Hombres sabios, pero también valientes y con algo de poder. Hombres capaces de luchar, pero no cabezas locas. Y eso no abundaba.

Rápidamente, los mismos nombres acudieron a los labios de Joaquín y de Yossef. Recayó su elección en dos esenios cuya reputación de independencia y de oposición al Templo de Jerusalén era segura: José de Arimatea, sin duda el más sabio, y Guiora de Gamala. Este dirigió una revuelta en el desierto, cerca del mar Muerto. Después, Joaquín evocó el nombre de un zelote de Galilea al que conocía y en quien confiaba.

Barrabás hizo una mueca. Su desconfianza en los hombres religiosos era grande.

—Están aún más locos con Dios que los esenios.

—Pero luchan contra los romanos en cuanto tienen ocasión.

—¡Son tan intransigentes que asustan a los aldeanos! Dicen incluso que, a veces, pegan a quienes no rezan a su gusto. Con ellos no convenceremos a quienes dudan de nosotros y se resisten a seguirnos.

—Esto no se hará sin ellos. Y esa historia de aldeanos golpeados, no me la creo. Los zelotes son duros y austeros, es cierto, pero son valientes y no retroceden ante la muerte cuando se enfrentan a los mercenarios y a los romanos...

—Lo único que quieren es imponer su idea de Dios —insistió Barrabás, elevando el tono—. Nunca luchan porque la gente tenga hambre o para protegerla contra las humillaciones de Herodes.

—Por eso, hay que convencerlos. Yo conozco, al menos, a dos, que son hombres de bien: Eleazar de Jotapata y Leví, el sicario, de Magdala. Ellos luchan, pero también saben escuchar y respetar opiniones diferentes de la suya...

De mala gana, Barrabás aceptó a los zelotes. Pero la discusión se reanudó, más fuerte, con motivo de Nicodemo. Era el único fariseo del Sanedrín que, hasta entonces, había demostrado humanidad e interés por Galilea. Joaquín era favorable a su venida; Barrabás estaba furiosamente en contra, y Yossef dudaba.

—¿Cómo puedes querer pedir ayuda a un corrupto del Sanedrín, tú que diste una lanzada a un recaudador? —se rebeló Barrabás.

—¡No lo confundas todo! —protestó Joaquín, irritado—. Nicodemo se opone a los saduceos que nos chupan la sangre a la menor ocasión. Él siempre se ha mostrado atento a nuestras quejas. Más de una vez ha venido a las sinagogas de Galilea para escucharnos.

—¡Menudo invento! ¡No le sale muy caro! Viene, bosteza y regresa a Jerusalén tan feliz...

—Te digo que él es diferente.

—¿Y por qué? Abre los ojos, Joaquín: ¡todos son iguales! Unos cobardes y unos vendidos a Herodes. Eso es todo. Si tu Nicodemo no lo fuese, no se sentaría en el Sanedrín. Cuando sepa que preparamos una rebelión, nos denunciará...

—Nicodemo no. Se ha opuesto a Anás, el sumo sacerdote, en plena reunión del Templo. Herodes ha querido encarcelarlo...

—Exactamente, ¡ha evitado la prisión! No se ha encontrado como tú, en la cruz. Puedes estar seguro de que ha doblado la cerviz a base de bien y ha pedido perdón... ¡Te digo que nos traicionará! ¡No lo necesitamos!

—¡Ah, sí! ¡Tú no necesitas a nadie! —Joaquín se irritó de veras—. ¡Tú puedes levantar al pueblo por todo el país sin la sombra de un apoyo en Jerusalén o en el Sanedrín! En ese caso, adelante. ¿Para qué esperar? Adelante, pues...

—¿No vendrá bien un poco de prudencia? —sugirió Yossef con voz apaciguadora—. A Nicodemo, lo escucharemos sin manifestar el fondo de lo que pensamos.

—¿Y para qué escucharlo? —se obstinó Barrabás—. ¿Para estar seguros de que es un traidor, como todos los fariseos?

—¿Para qué discutir? —explotó Joaquín—. Razonas como un crío.

La discusión duró todavía un rato antes de que Barrabás cediera, encerrándose en un mal humor que ya no lo abandonó.

Faltaba escribir y expedir los mensajes invitando a la reunión. Joaquín se encargó de la redacción mientras que Abdías y su banda de *am ha'aretzim* se dividían en pequeños grupos de dos o tres dispuestos a desperdigarse por el país.

—¿No les confiáis una tarea demasiado importante? —preguntó Yossef.

—¡Vamos! —se irritó aún Barrabás—. Se ve que no los conoces. Son más espabilados que los monos. Podrían llevar mensajes hasta el Néguev, si hiciese falta.

Yossef asintió, prefiriendo no reavivar inútilmente la cólera de Barrabás. Solo más tarde, al anochecer y después de la tranquilidad de la comida, dejó traslucir, con voz circunspecta, sus dudas:

—Nos veo aquí, perdidos en esta ladera de una colina de Galilea, y me cuesta creer que podamos, nosotros tres, desencadenar una insurrección que subleve Israel.

—¡Me alegra oír esas palabras! —exclamó Joaquín, burlón—. Habría dudado de tu inteligencia si no las hubieses pronunciado. En realidad, esa es la cuestión: ¿debemos abrazar las locuras de Barrabás para contrarrestar las locuras de Herodes?

Barrabás les dirigió una mirada cargada de reproches, negándose a entrar al trapo.

—Miriam es más astuta y menos timorata que vosotros, los carpinteros —murmuró con acritud—. Ella dice que tengo razón. «Nosotros somos quienes decidimos si somos impotentes ante el rey. Creer que sus mercenarios son siempre más fuertes que nosotros es darles la razón para que nos desprecien». Eso es lo que dijo.

—Es cierto que mi hija habla bien. A veces, pienso que sería capaz de convencer a una piedra para que volase. Pero, ¿está menos loca que tú, Barrabás? Solo Dios lo sabe.

Joaquín sonrió y el afecto dulcificó sus facciones. Barrabás se relajó.

—Quizá seas demasiado viejo para la rebelión —dijo, dando unas palmadas en el hombro de Joaquín.

—Recabar el consejo de algunos sabios no hace daño a nadie —intervino Yossef, prudentemente.

—¡Qué tontería! Nunca se ha visto que una rebelión se haga con «sabios», como tú dices. A los que habría que hacer venir son a tipos como yo: ¡ladrones, canallas con agallas!

\* \* \*

El día siguiente, desde el amanecer, provistos de cartas y de mil consejos dados por Barrabás, Abdías y sus camaradas salieron de la casa de Yossef.

Antes de partir, el pequeño *am ha'aretz* se aseguró de que, a su regreso, Joaquín acabaría de contarle la historia de Abraham y de Sara o la, aun más magnífica, de Moisés y Séfora. Joaquín se lo prometió, mucho más emocionado de lo que parecía.

Con su mano afectuosamente puesta sobre la nuca del chico, le acompañó un rato por el camino. Se separaron al borde del bosque. Abdías dijo que iba a cortar a través del bosque para ganar tiempo.

—¡Cuídate mucho, padre Joaquín! —le dijo con una mímica burlona—. Estaría bueno que te hubiese bajado de la cruz para nada. Cuida también a tu hija. Uno de estos días, quizá te pida su mano.

Joaquín sintió que se ruborizaba. Abdías corría ya entre los helechos. Su risa traviesa resonaba entre los troncos de los árboles. Después de que desapareciera, Joaquín se quedó un momento pensativo.

Las palabras provocativas de Abdías resonaban en el fondo de su alma. Se vio de nuevo en la sinagoga de Nazaret, unos años antes, uno de esos días en los que el rabino predicaba a voz en grito. Por alguna razón sin importancia, estaba encolerizado contra los *am ha'aretzim*. Había que partirlos en dos, aseguraba, tan firmemente como si fuesen pescados. Iracundo, dirigiendo un dedo hacia el cielo, gritaba: «Un judío no debe casarse con una *am ha'aretz*. ¡Y esta calaña aun menos debe tocar a nuestras hijas! ¡No tienen conciencia y pretender que son hombres es ridículo!»

Ahora, en la calma del sotobosque, Joaquín sintió vergüenza de estas palabras que volvían a su memoria. Se sentía sucio.

¿Era posible que los *am ha'aretzim*, estos pobres entre los pobres, a los que despreciaban tanto los doctores de la Ley, no fuesen más que las víctimas del aborrecimiento vicioso de los pudientes? El desprecio de los ricos al indigente, ni siquiera el Eterno mismo había logrado extirparlo del corazón de los hombres.

Sin embargo, Abdías era la flor y nata de los niños. Esto saltaba a la vista. Un chico valiente, ávido de aprender y afectuoso si no se le rechazaba de entrada. ¿Cuántos padres no soñarían con un hijo así?

De repente, Joaquín se preguntó si era una buena idea enviarlo como embajador ante el puntilloso esenio Guiora, que predicaba tanto la pureza. En realidad, ni Barrabás ni él lo habían pensado. Esto podría comprometer la reunión antes incluso de que tuviese lugar.

No obstante, reflexionando durante el camino de regreso a la casa de Yossef, Joaquín decidió confiar en la sabiduría suprema del Todopoderoso, callar su inquietud y no atizar la impaciencia, bastante recelosa ya, de Barrabás.

# Capítulo 6

URANTE ALGUNAS SEMANAS, OLVIDARON EL drama que los reunía y la batalla que les esperaba. Los días transcurrieron, agradables y tranquilos, salpicados de pequeñas alegrías engañosas, como el silencio antes de la tormenta.

Miriam se encargó del cuidado de los niños. Halva se concedió al fin el descanso que necesitaba. Sus mejillas recobraron el color, sus vértigos se espaciaron y, a diario, su risa resonaba a la sombra de los grandes plátanos.

Joaquín no salía del taller de Yossef. Rozaba con la mano las herramientas, se acercaba las virutas a la nariz, acariciaba la madera pulida como, en el éxtasis de su juventud, había esbozado sus primeras caricias amorosas.

Lisanias, discretamente prevenido por Hannah, acudió, balbuciendo de alegría, bendiciendo a Miriam y a él le besó en la frente. Trajo buenas noticias de la anciana Hulda. Ya no se resentía de los golpes que había recibido y había recuperado su empuje e incluso su mal carácter.

—Me trata como a un viejo marido —bromeó emocionado—. Tan mal como si siempre hubiésemos vivido juntos.

Echaba tanto de menos el trabajo en común que se puso manos a la obra con Yossef y Joaquín. En unas semanas, ellos tres, hicieron el trabajo de cuatro meses.

Cada noche, ordenando sus herramientas, como tenía por costumbre de lustros, Lisanias declaraba con satisfacción:

—¡Bueno!, te he hecho ganar un pico.

Yossef, que normalmente lo aprobaba con una sonrisa de agradecimiento, antes de invitar a comer a todo el mundo, un día declaró:

—Esto no puede seguir así. Yo pago su salario a Lisanias, pero tú, Joaquín, trabajas sin aceptar un salario. Eso es tanto más injusto ahora que me hacen más pedidos porque tu taller está cerrado. Me da vergüenza. Tenemos que llegar a un acuerdo.

Joaquín rio con ganas.

—¡Venga ya! El escondite, el refugio, el placer de la amistad y la paz: ese es nuestro acuerdo, Yossef. Eso me basta. No te preocupes, amigo mío. El riesgo que asumes al acogerme aquí con Miriam ya es bastante grande.

—¡No hables de Miriam! Trabaja tanto como una sirvienta.

—¡Que no! Ella alivia a tu esposa. Paga a Lisanias como se debe, Yossef. Por lo que a mí respecta, no tengas ningún escrúpulo. La alegría de trabajar contigo me basta. Solo Dios sabe cuando podré recuperar mi taller y nada me satisface más que poder zascandilear en el tuyo.

Yossef protestó sin abandonar su aire serio. Joaquín no era prudente. Debía pensar en el mañana, pensar en Miriam y en Hannah.

—De ahora en adelante, quieras o no, por cada pedido pagado, apartaré el dinero para ti.

Lisanias interrumpió la discusión.

—Sobre todo, Yossef, impón plazos a tus clientes y retrasos también. Si no, ¡van a creer que has pactado con el diablo para trabajar tan rápido!

Solo Barrabás seguía de mal humor. Impaciente, alerta, estaba seguro de que los mercenarios caerían sobre Nazaret para vengarse de la desaparición de Joaquín. Le preocupaba que se abstuvieran y se temía un golpe terrible. Para que no lo cogieran por sorpresa, decidió hacerse pastor.

De la mañana a la noche, envuelto en una vieja túnica de lino tan oscura como la tierra, se aventuraba por las pendientes de hierba que rodeaban la casa, en medio de las cabezas del ganado menor que Yossef había conseguido sustraer a la rapacidad de los recaudadores. Se alejaba lo suficiente para vigilar los caminos y sendas en torno a la aldea. Disfrutaba tanto con esta libertad, con estas largas caminatas entre los perfumes de las colinas exaltados por el calor del final de la primavera, que más de una vez se quedó a dormir al raso.

Su impaciencia, su afán por pelearse con los mercenarios atenuaron su nivel de alerta. Tanto que ni siquiera se percató del regreso de Abdías, más discreto que una sombra.

\* \* \*

Faltaba poco para anochecer. Miriam acababa de besar a los niños después de haberles contado un último cuento. Halva ya estaba dormida. Desde el taller, detrás de la casa, llegaban voces de júbilo. De nuevo, Joaquín, Lisanias y Yossef manifestaban su alegría por estar trabajando juntos, pensó ella. Como de costumbre, se sentarían en torno a la mesa, tan hambrientos de comida como de palabras.

Sus discusiones podían durar horas cuando Barrabás estaba presente. Sin embargo, ella no llegaba a tomarlos realmente en serio.

—¿No son como niños, que quieren rehacer el mundo que el Todopoderoso ha creado? —le había dicho a Halva.

Las dos se reían en secreto, cómplices, de este espectáculo que ofrecía el orgullo de los varones. Todavía divirtiéndose con este pensamiento, Miriam entró en la estancia principal de la casa. Ya estaba oscuro. El aroma de un tilo, llevado por la brisa de la tarde, lo envolvía todo.

Fue a buscar las lámparas y una alcuza para rellenarlas. A su vuelta, creyó percibir un hálito, una presencia detrás de ella. Escrutó la penumbra del crepúsculo a su alrededor. Esta no escondía nada sospechoso. Ninguna silueta se apreciaba en el umbral, recortada sobre el cielo enrojecido.

Ella reanudó sus faenas. Pero, cuando raspaba el pedernal, unos dedos muy ligeros le quitaron la piedra de las manos. Miriam se apartó y dio un grito, soltando la mecha de yesca. Se oyó un murmullo:

—Soy yo, Abdías. ¡No tengas miedo!

—¡Abdías! ¡Majadero! Me has asustado, ¡Vaya modales de ladrón!

Ella se rio, estrechando al niño contra ella. Abdías se abandonó, estremeciéndose con su abrazo, antes de apartarse, no sin brusquedad.

—¡No quería asustarte! —susurró emocionado, encendiendo la mecha—. Me apetecía mirarte después de todo este tiempo. Estoy tremendamente contento de verte.

Las llamas de las mechas crecieron lo suficiente para disipar la sombra. Miriam adivinó la repentina vergüenza del chico después de esta confesión. Con un gesto maternal, le revolvió su cabellera salvaje.

—Yo también estoy muy contenta de verte, Abdías... ¿Has venido solo?

—No.

Abdías señaló descuidadamente el taller de Yossef con el pulgar.

—Allí están. Los dos grandes sabios esenios, como dice tu padre. El de Damasco, sin problemas. Quizá sea un auténtico sabio. Pero el otro, Guiora de Gamala, es un loco. Ni siquiera quería verme. ¡Mucho menos escucharme y coger la carta de Joaquín, claro! Había llegado a Gamala blanco de polvo y con la lengua fuera. ¿Crees que me dieron un poco de agua? Nada de nada.

Abdías gruñó enfadado.

—Los colegas querían volver a empezar, porque había un gran mercado y podíamos encontrar algo de comer y hacer nuestros asuntos.

Miriam levantó una ceja acusadora.

—¿Quieres decir robar?

Abdías hizo un gesto magnánimo.

—Después de todo el camino y una acogida así, tenían que divertirse. Yo no fui. Me las arreglé a mi manera para hacer llegar el mensaje de Joaquín a este viejo peludo.

El orgullo iluminó su rostro, atenuando la rareza de sus rasgos. La brasa oscura de sus pupilas centelleaba.

—Durante tres días y tres noches, no me he movido de delante de la especie de granja en la que vive con quienes le siguen —explicó—. Todos con la misma túnica blanca y una barba tan larga que podrían andar por encima. Siempre con un aire furioso como si fuesen a cortarte en trocitos. Siempre yendo a lavarse y a rezar. ¡Rezan, rezan, rezan! Nunca vi a gente que rezara tanto. Pero, al menos, en tres días, han tenido todo el tiempo del mundo para verme. Y eso los sacaba de sus casillas. ¡El cuarto día, sorpresa! Ya no estaba. Ya no había ningún *am ha'aretz* que les ensuciara la vista. Corrieron a contar la buena noticia a Guiora. Pero, por la noche, ¡nueva sorpresa! Cuando Guiora entra en su habitación, ¿qué ve? ¡A mí, sentado en su cama! ¡Qué salto dio!, ¡qué grito pegó!, el sabio esenio...

Abdías se partía de risa al recordar la escena.

—Me hubiera gustado que lo oyeses, alborotando a toda su camarilla. Y yo tranquilo mientras estaban todos a mi alrededor para reprenderme. Tuve que esperar a que se cansaran para poder contarles. Todavía le hicieron falta dos o tres días para decidirse. Al menos, aquí estamos. El regreso nos ha llevado su tiempo porque nos parábamos veinte veces al día para las oraciones... Si hay que hacer la rebelión con Guiora, no será muy divertido.

Cuando, a su vez, descubrió a Guiora, Miriam pensó que Abdías no estaba equivocado. A ella también le impresionó el aspecto y el carácter del sabio de Gamala.

El hombre era tan bajito, tan barbudo, que no se podía saber su edad. Su silueta parecía frágil. Sin embargo, poseía una energía formidable. Recalcaba cada una de sus frases con un movimiento de las manos, mientras que su voz modulaba las palabras con una gravedad escalofriante. Sus ojos, cuando captaban tu mirada, no te dejaban, obligándote a bajar los párpados como para protegerte de un fuerte resplandor.

La misma tarde de su llegada, exigió que ni ella ni Halva ni Abdías compartieran su comida. Eso hubiese sido impuro —explicaba— porque las mujeres y los niños incitan, por naturaleza, a la flaqueza y a la infidelidad. Solo Yossef y Joaquín pudieron partir el pan a su mesa, así como, por supuesto, el otro recién venido, que se llamaba José de Arimatea y había hecho el camino desde Damasco. También él dirigía allí una comunidad de esenios. Sin embargo, aunque llevara la misma túnica de un blanco inmaculado que Guiora, era todo lo contrario.

Alto y ancho, con la barba corta, calvo, de facciones agradables y maneras acogedoras y dulces. No tuvo ninguna mirada desagradable para Abdías. Miriam se sintió atraída hacia él por una simpatía inmediata, sin otra razón que la serenidad luminosa que emanaba de su persona. Su presencia apacible pareció moderar, como por arte de magia, la virulencia de Guiora.

La cena fue, sin embargo, un momento insólito. El sabio de Gamala reclamó silencio absoluto. A José de Arimatea, que sugería que, de viaje, la palabra podía tolerarse, le replicó, con la barba temblorosa:

—¿Mancillarías tú nuestra Ley?

José de Arimatea cedió sin ofenderse. Un extraño silencio invadió la casa. No se oían más que los ruidos de las cucharas de madera en las escudillas y el de las mandíbulas.

Disgustado, asustado quizá, Abdías atrapó una bolita de alforfón y unos higos. Se fue a tomarlos bajo los árboles del patio, arrullado por los chirridos nocturnos de los grillos y el murmullo de las hojas.

Por suerte, la cena no se prolongó. Guiora anunció que, después de sus abluciones, Yossef y Joaquín debían reunirse con él para una larga oración. José de Arimatea, fatigado por el viaje, supo ahorrarles hábilmente esta tarea. Convenció al sabio de Gamala de que la soledad de su oración sería más agradable al Eterno.

* * *

El día siguiente no fue menos rico en sorpresas. Al alba, llegó Barrabás, guiando su rebaño. Lo acompañaban tres hombres cubiertos de polvo.

—Los encontré al caer la noche, perdidos en las cañadas —le anunció, burlón, Barrabás a Joaquín.

Joaquín esbozó una sonrisa apresurándose a avisar a Yossef para recibir a los recién llegados. Uno de ellos, achaparrado y de tez mate, llevaba un gran puñal en el cinturón de su túnica.

—Soy Leví, el sicario —anunció con fuerte voz.

Tras él, Joaquín reconoció a Jonatán de Cafarnaúm. El joven rabino inclinó tímidamente la cabeza. El mayor de los tres, Eleazar, el zelote de Jotapata, se precipitó para abrazar a Joaquín, balbuciendo su alegría por verlo vivo.

—¡Dios es grande por no haberte hecho subir a su lado demasiado pronto! —exclamó emocionado—. ¡Bendito sea!

Los otros dos asintieron ruidosamente mientras Barrabás, burlón, contaba que los había descubierto en el bosque. Agotados, se dirigían hacia Samaria, al otro de la aldea, por miedo a encontrar a los mercenarios en Nazaret.

—Los he dejado dormir unas horas antes de ponernos en camino, guiándonos por las estrellas. Para unos futuros combatientes, no es una mala experiencia.

José de Arimatea, atraído por el ruido, apareció en el patio. Su reputación de sabiduría y de gran saber médico, unido a la fama de los esenios de Damasco, a los que él dirigía, le precedía en todo lugar. Sin embargo, ninguno de los recién llegados había tenido ocasión de verlo.

Joaquín se lo presentó. José de Arimatea envolvió sus manos con las suyas con una sencillez que enseguida les hizo sentirse cómodos.

—La paz esté contigo —fue diciéndoles, uno a uno, a Leví, Eleazar y Jonatán—. Bendito sea Joaquín por haber querido celebrar este encuentro.

Un momento después, Yossef los invitó a sentarse alrededor de la gran mesa, bajo los plátanos. Comenzó una larga charla en la que cada uno narró las aventuras de su vida y las desgracias de su región, desgracias de las que Herodes era siempre el responsable.

Mientras tanto, Halva y Miriam se afanaban, cubriendo la mesa con vasos de leche cuajada, de frutas y de galletas que Abdías, con las mejillas coloradas, despegaba hábilmente de las ardientes piedras del horno.

—Pasé medio año en casa de un panadero —confió, orgulloso, a Halva, que se asombraba de su destreza—. Me gustaba mucho.

—¿Y por qué no te hiciste panadero?

La risa de Abdías era más burlona que amarga.

—¿Has visto tú algún *am ha'aretz* panadero?

Miriam había oído la conversación. Cruzó la mirada con Halva. Ninguna de ellas consiguió no ruborizarse. Halva iba a dirigir una palabra amistosa a Abdías cuando una brusca explosión de voz en el patio la hizo volverse. El sabio Guiora estaba delante de los recién llegados, tan envarado y tan tenso que hacía olvidar su pequeña talla.

—¿Por qué ese estrépito? ¡Oigo vuestros gritos desde detrás de la casa y no me dejáis estudiar! —exclamó gesticulando.

Todos lo contemplaron estupefactos. José de Arimatea se irguió y se acercó lo bastante a Guiora para que su diferencia física resultase impresionante. Sonrió. Una sonrisa amable, divertida y curiosamente glacial. En sus facciones, Miriam adivinó una fuerza difícil de quebrantar.

—Nuestros gritos expresan nuestra alegría por estar reunidos, querido Guiora. Estos compañeros han llegado aquí tras una dura marcha por el bosque. Dios los ha guiado hasta nuestro amigo, que los ha conducido hasta nosotros orientándose por las estrellas.

—¡Orientarse por las estrellas!

La barba de Guiora se agitó. Sus hombros temblaron de furor.

—¡Qué estupidez! —gritó—. ¿Tú, un seguidor de los sabios, te atreves a repetir semejantes cuentos?

La sonrisa de José de Arimatea se acentuó, sin dejar de ser glacial.

Abdías había dejado su horno y se mantenía al lado de Miriam. Ella adivinó que se estaba aguantando una pulla. Abajo, los recién llegados se habían levantado, incómodos por la cólera de Guiora. Si Joaquín parecía divertido por la situación, Yossef observaba a los dos esenios con inquietud. Sin responder a la agresión de Guiora, José de Arimatea indicó un lugar libre en el banco.

—Guiora, amigo mío —dijo con tranquilidad—, únete a nosotros. Siéntate a la mesa y toma un vaso de leche. Es bueno que nos conozcamos.

—Es inútil. El único conocimiento que debemos cultivar es el de Yahveh. Yo vuelvo a mi oración para perfeccionarla.

Bruscamente, se dio la vuelta, dirigió una mirada furiosa hacia Miriam, Abdías y Halva, que se encontraban en su camino, se volvió una vez más, bruscamente.

—A menos que comencemos esta reunión para la que hemos venido aquí y acabemos de una vez.

Joaquín sacudió la cabeza.

—Nicodemo no ha llegado todavía. Será mejor que le esperemos.

—¿El Nicodemo del Sanedrín? —gruñó Guiora con disgusto.

Joaquín asintió con la cabeza.

—Viene de Jerusalén. El camino es largo; debe seguirlo con prudencia.

—¡Así son estos fariseos! Harían esperar al mismo Dios.

—Dejémosle el día para que se reúna con nosotros antes de comenzar nuestras conversaciones —intervino José de Arimatea, pasando por alto, como de costumbre, las invectivas de Guiora—. Además, nuestros amigos deben descansar. El pensamiento solo es claro en un cuerpo en paz.

—¡Descanso! ¡Un cuerpo en paz! —se burló Guiora—. ¡Pamplinas de Damasco! Orad y estudiad, si queréis tener el espíritu claro. He ahí lo que es útil. El resto no son más que tonterías y simplezas!

Esta vez, desapareció detrás de la casa sin volverse. Abdías lanzó un gruñido, satisfecho. Rozó la mano de Miriam.

—Quizá he juzgado mal a este Guiora. No hacen falta batallas ni rebeliones. Bastará ponerlo delante de Herodes. En menos de un día, ese loco de Herodes estaría aún más loco y más enfermo de lo que está. ¡Deberíamos llamarlo: «Guiora, nuestra arma secreta»!

Había dicho esto en voz alta y con una seriedad tan cómica que Halva y Miriam rompieron a reír a carcajadas.

Abajo, en torno a la mesa, los hombres los observaban frunciendo el ceño y con el reproche en los labios. El mismo Barrabás fulminó a Abdías con la mirada. Pero José de Arimatea, que lo había oído como los demás, también se echó a reír, aunque con mesura. Al final, todos acabaron con un ataque de risa que les vino muy bien.

\* \* \*

A primera hora de la tarde, mientras el sol del final de la primavera hacía sentir su calor, los camaradas de Abdías, desperdigados en distintos puestos de vigía sobre los caminos, irrumpieron en el patio.

—¡Se acerca alguien por el camino del Tabor!

—¿El sabio del Sanedrín?

—No lo parece. A lo mejor va disfrazado. Parece más bien una sombra.

En compañía de Barrabás y de los hijos de Yossef, Joaquín fue al encuentro de quien se acercaba. Desde que vio la silueta, comprendió que tenían razón. No era Nicodemo. Vestido con un manto de lino oscuro y con una capucha tapándole el rostro, el hombre avanzaba rápido y su sombra parecía correr tras él como un fantasma.

—¿Quién puede ser este tipo? —murmuró Joaquín—. ¿Crees que le habremos invitado?

Barrabás se contentó con seguir con la vista al desconocido. En el momento en que este echó atrás la capucha, exclamó:

—¡Matías de Guinchala!

El hombre dio un grito equino, agitó las manos centelleantes de sortijas de plata. Barrabás le agarró los hombros y se abrazaron con fuerza, con grandes muestras de amistad.

—Joaquín, te presento a mi amigo, un hermano más bien. Matías dirigió la rebelión de Guinchala el año pasado. Si hay alguien en Galilea capaz de enfrentarse valerosamente con los mercenarios de Herodes, es él.

En realidad, ese valor le había esculpido el rostro, pensó Joaquín al saludarle. La frente de Matías estaba surcada por dos grandes cicatrices que dibujaban un vacío pálido y feo en su cuero cabelludo. Bajo su barba grisácea, se adivinaban unos labios llenos de cicatrices y unas encías con escasos dientes. En conjunto, era un rostro terrible que explicaba por qué Matías prefería esconderlo bajo una capucha.

—Me llegó la noticia de que andabas por aquí —le dijo a Barrabás—. ¡Estaba deseando venir a felicitarte por tu hazaña de Tiberíades! Y participar en vuestra rebelión...

Barrabás se rio con excesiva jovialidad que disimulaba mal su apuro, mientras Joaquín preguntaba, asombrado:

—¿Lo supiste? ¿Y cómo?

—Yo sé todo lo que pasa en Galilea —bromeó Matías.

Agarró la mano de Barrabás con sus dedos cubiertos de anillos.

—Habrías podido invitarme con un buen mensaje, como a los demás.

—¿Sabes también de los mensajes? —dijo, fríamente asombrado, Joaquín—. En efecto, nada puede pasarte desapercibido.

—Atrapaste a uno de los chicos, ¿no? —murmuró Barrabás, con una mueca ofendida, aunque poco convincente.

—Al que iba a llevar tu mensaje a Leví, el sicario —dijo Matías con un guiño intenso—. No hay que tenérselo en cuenta. Ante mí, el pobre crío se quedó acojonado. Delante de cualquier otro hubiese cerrado la boca. Pero, bueno, le di una buena bolsa como precio por su benevolencia. Quería darte la sorpresa.

Joaquín los observaba, entre irónico y enfadado. La comedia que representaban los dos compañeros de fatigas no consiguió confundirle. Ni por un instante dudó que Barrabás se las hubiese apañado para prevenir a Matías... Y sin confiar a nadie esta invitación, por miedo a que Joaquín se opusiera. No lo habría hecho, porque no era mala idea.

—Una sorpresa que debería complacer a nuestros amigos —aprobó él con un tono socarrón que dio a entender a los dos ladrones que le habían engañado.

* * *

Sin duda, la entrada de Matías en el patio de la casa tuvo su efecto, Abdías no escondió su entusiasmo.

—Aquí tienes a un auténtico guerrero —susurró, muy excitado, a Miriam—. Dicen que se ha batido el solo contra treinta y dos mercenarios. Todos muertos y él... ¿Has visto su cara? ¡Es todo un costurón!

Yossef, Eleazar y Leví recibieron a Matías sin prejuicios. José de Arimatea se mostró amable y, sobre todo, curioso con respecto a las cicatrices. Jonatán parecía desconcertado por estar cara a cara con dos auténticos bandidos acerca de los que corrían rumores poco halagüeños. Todos, sin embargo, esperaban con algo de ansiedad la reacción de Guiora. Pero Matías, a quien Joaquín y Barrabás habían puesto en antecedentes con respecto al carácter puntilloso del sabio esenio, se inclinó ante él con un respeto que pareció magníficamente sincero.

Guiora lo miró un momento. Después, se encogió de hombros y se contentó con exhalar un suspiro de impaciencia entre sus secos labios.

—Uno más —murmuró en dirección a Joaquín y a José de Arimatea—. No es aún vuestro fariseo de Jerusalén. ¿A qué esperamos? No vendrá. Nunca hay que fiarse de las serpientes del Sanedrín; deberíais saberlo.

Barrabás asintió con un calor que complació a Guiora. Sin embargo, Joaquín, apoyado por José de Arimatea, volvió a pedirles paciencia.

Finalmente, cuando la luz anunciaba el crepúsculo, los jóvenes vigías *am ha'áretzim* avisaron que se acercaba un grupito.

—¿Un grupo? —preguntó, asombrado, Barrabás.

—Un tipo gordo en una mula clara y un esclavo persa que trota tras él. El oro de la túnica y los collares bastarían para pagarnos una decena de buenos caballos.

Sin duda, Nicodemo, el fariseo del Sanedrín, estaba llegando.

Cuando Nicodemo entró en el patio, todos, incluso Guiora, le esperaban. Era un hombre cuya corpulencia lo hacía afable y sin edad. Llevaba su túnica bordada de seda con soltura y sin afectación. Llevaba en los dedos tantas sortijas de oro como Matías de plata.

Sin embargo, sus maneras no tenían nada de arrogantes y su voz poseía un encanto confortable que hacía agradable escucharlo. Recibía con sencillez el respeto que le era debido. Al cubrir a Guiora de elogios por sus virtudes y sus oraciones, antes incluso de que este último pudiera pronunciar palabra, dio prueba tanto de su habilidad como de su sabiduría. Siguió contando que había tenido que detenerse por el camino en numerosas sinagogas.

—En todas repito esta verdad: que nosotros, los del Sanedrín, en Jerusalén, no vamos con frecuencia suficiente a los pueblos de Israel con el fin de respirar el aire de nuestro pueblo. Y así —añadió con una sonrisa—, todo el mundo puede ver que solo me conduce a Galilea un motivo ordinario. Esa es la razón, amigos míos, por la que tengo que viajar con un esclavo y una mula; si no, parecería sospechoso. Además, no voy a quedarme mucho tiempo en tu casa, Yossef. He prometido al rabino de Nazaret que dormiré en su casa. Me reuniré con vosotros mañana por la mañana y podremos hablar tanto como queráis.

Apenas estuvo el tiempo necesario para beber un vaso antes de reanudar su camino hacia la aldea, lo que, en el fondo, alivió a todos. En particular, a Halva y a Miriam, que temían que, además del creciente número de bocas que alimentar, tendrían que afrontar unos modales de los que ignoraban todo.

No obstante, cuando Nicodemo, su mula y su esclavo hubieron dejado el patio, se hizo un embarazoso silencio. Matías lo rompió con un pequeño gruñido divertido:

—Si mañana están aquí los mercenarios para detenernos, sabremos por qué.

Los demás lo miraron con insistencia, alarmados.

—Siempre me he opuesto a su venida —intervino Barrabás, dirigiendo a Joaquín una mirada de reproche.

El joven rabino Jonatán protestó:

—No tenéis razón al decir eso. Conozco a Nicodemo. Es honrado y más valiente de lo que hace suponer su aspecto. Además, no está mal oír la opinión de un hombre que conoce los entresijos del Sanedrín.

—Si lo crees así... —suspiró Barrabás.

\* \* \*

Bien entrada ya la noche, mientras Halva y ella caían rendidas después de haber arreglado y limpiado la casa a la escasa luz de las lámparas, Miriam, incapaz de explicar con claridad su intuición, tuvo de repente la convicción de que todas las palabras que se pronunciarían al día siguiente no conducirían a nada.

Tumbada en la oscuridad al lado de los niños, cuya respiración regular era como una caricia, se reprochó duramente ese pensamiento. Su padre, Joaquín, había tenido razón al convidar a aquellos hombres. José de Arimatea tenía razón al defender la presencia de Nicodemo. Incluso la presencia «del Guiora», como lo llamaba Abdías, estaba bien. Barrabás se equivocaba. Cuanto más diferentes fueran los hombres, más debían hablar.

Pero, de estas palabras, ¿qué sacarían?

¡Ah! ¿Por qué tantas preguntas?, pensó. Era demasiado pronto para forjarse una opinión.

Le pareció que era muy pretenciosa al hacer juicios sobre las cosas, el poder, la política o la justicia, que, después de todo, eran desde siempre cosas de hombres. ¿De dónde sacaba ella su seguridad? Desde luego, sabía reflexionar tan bien como su padre o como Barrabás. Pero de forma diferente. Ellos tenían la experiencia. Ella no tenía más que su intuición.

Ella debía mostrarse modesta. Además, dudar en un momento como aquel equivalía a traicionar a Barrabás y a Joaquín.

Se durmió prometiéndose que, en adelante, se quedaría en su sitio, sonriendo en la oscuridad con el pensamiento de que el Guiora de Gamala sabría, sin ninguna duda, obligarla a ello.

# Capítulo 7

Terminadas las abluciones y las oraciones de la mañana, Joaquín observó los rostros que lo miraban.

—Alabado sea el Dios Eterno, Rey del mundo, que nos ha dado la vida, nos ha mantenido con buena salud y nos ha permitido llegar a este momento —declaró con emoción.

—¡Amén! —respondieron los demás.

—Sabemos para qué estamos aquí —continuó Joaquín, pero Nicodemo, levantando su mano cubierta de oro, le interrumpió.

—Yo no estoy muy seguro, amigo Joaquín. Tu carta no decía nada claro, sino que querías reunir a algunos sabios con el fin de afrontar el porvenir de Israel. Eso es muy vago. Alrededor de esta mesa hay rostros que son para mí nuevos; otros, me son conocidos. Con respecto a mis hermanos esenios, conozco un poco su forma de pensar e incluso sus reproches con respecto a mí.

Se inclinó con una sonrisa divertida hacia Guiora y José de Arimatea. El encanto de su voz operaba sus efectos. Todo el mundo comprendió que, si Nicodemo había sabido labrarse una reputación frente a los saduceos de Jerusalén, era porque sabía manejar el lenguaje.

Joaquín no pudo ocultar su apuro y, por instinto, buscó la ayuda de José de Arimatea. Barrabás, cuyos ojos brillaban de cólera, fue más rápido:

—La razón de esta reunión, puedo decírtela yo, pues responde a mi voluntad —anunció—. Es sencilla. Nosotros, en Galilea, ya no soportamos el puño de Herodes sobre nuestras vidas. No soportamos ya sus injusticias ni la deshonra que sus mercenarios infligen a Israel. No soportamos ya que Roma sea su ama y, por tanto, la nuestra. Esto dura ya demasiado tiempo. Hay que ponerle fin. Desde ahora mismo.

Guiora emitió una risita sarcástica, el único sonido que turbó el perfecto silencio que siguió a las palabras de Barrabás. Ahora, todos acechaban la reacción de Nicodemo. Este movió la cabeza, con los dedos juntos bajo el mentón.

—¿Y cómo piensas ponerle fin, querido Barrabás?

—Por las armas. Por la muerte de Herodes. Por el levantamiento del pueblo que sufre. Por una rebelión que lo arrastre todo. Así. Yo no estaba de acuerdo con tu asistencia. Pero, ahora, lo sabes todo. Puedes denunciarnos o unirte a nosotros.

Al pronunciar esta última frase, Barrabás había puesto la mano sobre el hombro de Joaquín, que estaba incómodo. No por esta manifestación de amistad, sino porque le parecía que Barrabás iba demasiado deprisa y demasiado lejos. La brutalidad es una mala estrategia. Sin duda, no era así como había que llevar el asunto para convencer a Nicodemo ni quizá tampoco a los otros.

Además, ya se estaba viendo el resultado. Si Leví, el sicario, y Matías aprobaban a Barrabás con murmullos entusiastas, los demás bajaban prudentemente los ojos. A excepción de José de Arimatea, que permanecía tranquilo y atento.

En cuanto a Guiora y a Nicodemo, coincidían en una misma mueca desdeñosa.

Joaquín, temiendo el efecto sobre Barrabás, se apresuró a intervenir:

—Barrabás dice esto a su modo. No es falso. Yo le debo mucho, a este modo. Le debo la vida...

Un chirrido agudo lo interrumpió, sobresaltando al joven rabino Jonatán.

—¡Ah, no!, ¡desde luego que no!

Guiora señaló con el dedo hacia el pecho de Joaquín.

—¡Desde luego que no! Tú solo le debes la vida a la voluntad de Yahveh. Conozco tu historia de Tiberíades. Tu violencia aquí, en Nazaret, y tu crucifixión. Tú no fuiste descendido de esa cruz porque un crío te descolgase, sino ¡porque Yahveh lo ha querido! Sin su voluntad, te hubieras podrido allí.

El dedo acusador y la mirada incendiaria de Guiora se posaron sobre Barrabás como una amenaza:

—¿A qué viene que estés tan orgulloso de tus hazañas, bandido? ¡No has sido más que el instrumento del Eterno! Así son nuestros destinos: ¡la voluntad de Dios!

Rojo, Barrabás se irguió.

—¿Quieres decir que Dios desea la locura de Herodes y su influencia sobre Galilea, sobre Israel?, ¿que desea que sus mercenarios nos humillen y nos maten?, ¿que desea que los recaudadores del Templo nos roben y nos arrastren por el barro?, ¿que desea todas esas cruces en las que se pudren unos judíos como tú? Si es así, Guiora —rugió Barrabás—, en la cara te lo digo: puedes guardarte a tu Yahveh. ¡Lo combatiré tanto como a Herodes y a los romanos!

Los gritos hicieron temblar el follaje de los plátanos por encima de sus cabezas.

—¡No blasfemes! —se interpuso Nicodemo—. O tendré que irme. Guiora exagera. Sus palabras superan su pensamiento. Dios no tiene nada que ver con nuestras desgracias...

—¡Sí! —vociferó Guiora—. Mis palabras son justas, ¡y tú me has entendido muy bien, fariseo! Todos gemís: ¡Herodes! ¡Herodes! ¡Todo es por culpa de Herodes! No. Todo sería por culpa del pueblo testarudo. Es lo que decía Moisés y tenía razón. Pueblo testarudo que vaga por el desierto porque no merece Canaán. Dolor y vergüenza. ¡Eso es lo que somos!

Las protestas aumentaron de nuevo, pero sin que impresionaran a Guiora, cuya seca voz se impuso:

—¿Quién sigue en este país las leyes de Moisés, como lo exige el Libro? ¿Quién reza y se purifica como prescribe la Ley? ¿Quién lee y aprende la palabra del Libro para construir el Templo en su corazón, como lo ordenara el profeta Esdrás? Nadie. Los judíos de hoy fingen su amor a Dios. ¡Lo que les gusta es asistir a carreras de caballos, como los romanos, ir a ver representar obras de teatro, como los griegos! Cubren de imágenes las paredes de sus casas. ¡Sacrilegio de los sacrilegios, hacen cosas los días de *shabbat*! Y hasta en el seno del Sanedrín, donde el comercio supera la fe.

Guiora concluyó con furor:

—Este pueblo es impío. Merece cien veces su castigo. ¡Herodes no es la causa de vuestras desgracias: es la consecuencia de vuestras faltas!

Siguió un breve silencio tenso, que rompió una voz profunda, la de Eleazar, el zelote de Jotapata:

—Te lo digo desde el fondo del corazón, sabio de Gamala: te equivocas. Dios desea el bien de su pueblo. Nos ha elegido en su corazón. A nosotros y a nadie más. Respeto tus oraciones, pero soy tan piadoso como cualquier esenio. Si hay alguien que blasfeme aquí, me temo que seas tú.

—¡Tú no eres más que un fariseo, como el otro! —se obstinó Guiora, con la barba erizada de furor—. Vosotros, los zelotes, queréis que se os considere superiores porque asesináis a los romanos. Pero, por vuestro pensamiento, solo sois unos fariseos...

—¿Es un insulto ser fariseo? —preguntó, ofendido, Nicodemo, perdiendo su calma.

Antes de que Guiora replicara, José de Arimatea, que aún no había dicho nada, le puso una mano muy firme en el brazo y declaró con una autoridad que sorprendió a todo el mundo:

—Esta disputa es vana. Conocemos nuestras divergencias. ¿Qué sentido tiene ahondarlas? Tratemos de hablar con amistad.

El zelote le dio las gracias con una inclinación de cabeza.

—Nadie está más sometido que un zelote a las leyes de Moisés. Para nosotros también, el comportamiento de Herodes es una afrenta. El águila de oro de los romanos que ha permitido erigir sobre el templo de Jerusalén quema nuestros ojos de vergüenza. Nosotros también reprochamos al pueblo que no sea sabio ni pío, como quiere Yahveh. Pero, te lo repito, Guiora, el Eterno Todopoderoso no puede querer la desgracia de su pueblo. Barrabás y Joaquín tienen razón: el pueblo sufre y no puede aguantar más. Esa es la verdad. Nuestros hijos son crucificados; nuestros hermanos, llevados al circo, y nuestras hermanas, vendidas como esclavas. ¿Hasta cuándo vamos a soportarlo?

—Yo no estoy muy alejado de tu pensamiento, amigo Eleazar —dijo Nicodemo, ignorando las protestas de Guiora—. Pero, ¿significa esto que tengamos que responder con las armas y la sangre? Vosotros, los zelotes, ¿cuántas veces os habéis enfrentado a los romanos o a los mercenarios de Herodes?

—¡Miles, tenlo por seguro! —respondió Leví, el sicario, levantando el puñal. Y convéncete de que todavía les escuece...

—¿Qué os creéis? —objetó fríamente Nicodemo—. ¿Que no me doy cuenta? Roma es el ama de Herodes. ¡Vamos!, un poco de sentido común. Una rebelión no os lleva a ningún sitio. ¡Si nunca habéis sido capaces de llevarla a cabo!

Sacudió la cabeza, como expresión de sus dudas.

—¿Y por qué estás tan seguro de ti mismo? —preguntó Matías, con un atisbo de desprecio—. No es precisamente el Sanedrín quien puede juzgar lo que pueda hacerse con lanzas y espadas.

Se quitó la capucha, descubriendo su rostro, que una sonrisa hacía aún más terrorífico.

—Un careto como el mío no se pasea por ahí. Sin embargo, míralo bien, porque dice que podemos luchar contra los romanos y los mercenarios y... vencerlos.

Escrutó a unos y otros, disfrutando con su efecto.

—Para mí, está bien —añadió—. Si Barrabás parte a la guerra contra Herodes, nosotros estamos dispuestos.

—Dispuestos a dejaros cortar a trozos, como el año pasado, cuando tratasteis de tomar Tiberíades —intervino el joven rabino Jonatán.

—Hoy no es ayer, rabino. Nos faltaban armas. La lección nos ha servido. Hace menos de una luna, en la bahía del Carmelo, cerca de Ptolemaida, nos hemos apoderado de dos barcas romanas cargadas de lanzas, dagas e incluso una máquina de asedio. En adelante, si el pueblo tiene el valor necesario, podemos armar a doce mil hombres.

Barrabás dio su aprobación con un gruñido deliberado.

—Hay un tiempo para la paz y un tiempo para la guerra. El tiempo de la guerra ha llegado.

—¿Quieres decir: el tiempo de morir tú? —insistió Nicodemo, mientras Guiora le daba ruidosamente su aprobación.

Matías y Barrabás hicieron el mismo gesto de exasperación.

—¡Si hay que morir, moriremos! Mejor que vivir de rodillas.

—¡Cuentos y más cuentos! —murmuró Leví, el sicario—. La cuestión no es morir. Yo no tengo miedo de morir en el nombre del Eterno, *al kiddusch ja-Schem*[1]. La cuestión es: ¿podemos abatir a Herodes, podemos vencer a Roma? Porque las cosas van a discurrir así: si debilitamos a este loco, él pedirá ayuda a Augusto, el romano. Y en ese momento, tenemos que admitirlo, empezará otra historia.

—¡El romano se ríe de Herodes! —saltó Barrabás, irritado—. Los mercaderes cuentan que todas las legiones del imperio se amontonan en las fronteras del norte, donde los bárbaros las atacan sin cesar. Se dice incluso que, en Damasco, el gobernador Varrón ha tenido que desprenderse de una legión...

Barrabás buscaba la aprobación de José de Arimatea. Este lo hizo de mala gana:

—Eso se cuenta, sí.

Barrabás dio un puñetazo en la mesa.

—Os lo aseguro: nunca ha habido un momento mejor para abatir a Herodes. Es viejo y está enfermo. ¡Sus hijos, sus hijas, su esposa, toda su pandilla se disputan el poder y solo sueñan con traicionarle para arrebatarle el poder! Cuando su enfermedad le da un respiro, Herodes envenena a algunos para tranquilizarse. En su palacio, todo el mundo tiene miedo. Desde los cocineros hasta las putas. Incluso los oficiales romanos de quién

---

[1] Expresión hebrea que significa: «Santificado sea el Nombre [de Dios]». (*N. del T.*).

tienen que recibir las órdenes. Los mercenarios tienen miedo de que no les paguen... Os lo repito: ¡la casa de Herodes es un caos! Tenemos que aprovecharnos de ello. La ocasión no volverá a repetirse en mucho tiempo. El pueblo de Galilea solo tiene que perder sus miedos y su timidez. Matías y yo podemos llevar con nosotros a miles de *am ha'aretzim*. Vosotros, los zelotes, tenéis a vuestros partisanos. Vuestra influencia en los pueblos de Galilea es grande. Os admiran por los golpes que asestáis al tirano. Si lo proponéis, os seguirán. Y tú, Nicodemo, podrías reunir en Jerusalén a gentes que están a nuestro favor. Si Judea se subleva al mismo tiempo que nosotros, todo es posible. El pueblo de Israel solo espera nuestra determinación para reunir todo su valor y seguirnos...

—¿Tú crees? Crees en una locura —le interrumpió Nicodemo sin el menor asomo de afabilidad en su voz—. No se inventa un ejército ni una guerra. Unos pobres diablos no se convierten de la noche a la mañana en soldados capaces de vencer a unos mercenarios aguerridos por años de combate. Tu rebelión nos cubrirá de sangre, para nada.

—¡Dices eso porque odias a los *am ha'aretzim!* —explotó Barrabás—. Como todos los fariseos, como todos los pudientes de Jerusalén y del Templo, no tenéis en vuestro corazón más que desprecio por los pobres. Sois unos traidores a vuestro propio pueblo...

—¿Cuál es tu propuesta, Nicodemo? —preguntó Joaquín, con el fin de moderar la exasperación de Barrabás.

—Esperar.

Los gritos de Matías y de Barrabás, del sicario y del zelote taladraron el calor que empezaba a rodear la sombra en la que se encontraban.

Nicodemo elevó las manos con autoridad.

—Queríais mi consejo. He venido hasta aquí para dároslo. Por lo menos, podríais escucharme.

De mala gana, los otros le concedieron el silencio que reclamaba.

—La casa de Herodes es un caos, tienes razón, Barrabás. Pero, precisamente, ¿para qué tratar de adelantar la obra de Dios? ¿Para verter la sangre y derramar dolor sobre dolor, mientras el Todopoderoso castiga a Herodes y su familia? Debéis creer en la clarividencia del Eterno. Es Él quien decide el bien y el mal. En lo que atañe a Herodes y su familia de impíos, su justicia ya está en marcha. Pronto, ya no lo serán. Entonces, será el momento de presionar al Sanedrín.

—Te comprendo, Nicodemo —dijo Joaquín—. Pero temo que solo sea un sueño. Herodes morirá y otro loco ocupará su lugar; eso es lo que pasará...

—¡Qué ignorantes sois! —gritó Guiora, con la mirada exaltada, que ya no podía contenerse—. ¡Qué malos judíos sois! ¿Ignoráis que solo hay uno que os salvará? ¿Habéis olvidado la palabra de Yahveh? ¡A quien esperáis para que os salve, pandilla de ignorantes, es al Mesías! A Él solo, ¿me oís? Solo Él salvará al pueblo de Israel del barro en el que se hunde. Estúpido Barrabás, ¿ignoras que el Mesías se ríe de tu espada? Quiere tu obediencia y tus oraciones. Si quieres el fin del tirano, ven con nosotros al desierto a seguir la enseñanza del maestro de Justicia. Ven a sumar tu oración a nuestras plegarias para adelantar la venida del Mesías. Ese es tu deber.

—¡El Mesías, el Mesías! ¡Tú y tus semejantes solo tenéis esa palabra en la boca! Sois como bebés, esperando el pecho de su madre. ¡El Mesías! Ni siquiera sabéis si existe vuestro Mesías. Ni siquiera si lo veréis algún día. Por todas partes, ¡nuestros caminos están llenos de locos que berrean que son el Mesías! ¡El Mesías! No es más que una palabra que disimula vuestro miedo y vuestra cobardía.

—¡Barrabás, esta vez has ido muy lejos! —gritó Nicodemo, con las mejillas escarlatas.

—Nicodemo tiene razón —recalcó el rabino Jonatán, ya de pie—. Yo no he venido aquí para aguantar tu impiedad.

—Dios ha prometido la venida del Mesías —aprobó Eleazar, el zelote, apuntando con un dedo acusador sobre el pecho de Barrabás—. Guiora tiene razón. Nuestra pureza adelantará su venida.

—Pero nuestra espada también, porque se abate sobre el impío como una oración —añadió Leví, el sicario.

Los gritos retumbaron.

—Bien, lo he comprendido —suspiró Matías, poniéndose la capucha sobre la frente y levantándose.

Como todos lo observaran con una repentina inquietud, le dio una amistosa palmada en el hombro a Barrabás.

—Has reunido una asamblea de llorones, amigo mío. Herodes tiene razón al despreciarlos. Con ellos, todavía puede reinar durante mucho tiempo. Y yo no tengo nada más que hacer aquí.

Se volvió sobre los talones. Nadie oyó los chirridos de los grillos y de las cigarras que llenaban el aire; solo el roce de sus sandalias mientras abandonaba el patio de Yossef sin más despedidas.

\* \* \*

En el frescor de la cocina, Miriam y Halva acechaban el menor ruido procedente del exterior. Tras la partida de Matías y el largo silencio que siguió, los hombres reanudaron su discusión. Esta vez con tanta contención que se hubiera creído que les asustaban sus propias palabras.

Miriam se acercó a la puerta. Percibió la voz de José de Arimatea, tranquila, pero tan baja que había que esforzarse para entenderla. También él creía en la venida del Mesías, decía. Barrabás se equivocaba al ver en esta fe una debilidad. El Mesías era una promesa de vida y solo la vida engendraba vida, al contrario que Herodes, que engendraba muerte y sufrimiento.

—Creer en la venida del Mesías es estar seguro de que Dios no nos abandona. Que merecemos su atención y que somos lo bastante fuertes para apoyar y defender su palabra. ¿Por qué querrías robar esta esperanza y esta fuerza a nuestro pueblo, Barrabás?

Barrabás puso mala cara, pero las palabras de José de Arimatea incitaban a responder y todos los que estaban alrededor de la mesa asentían.

—Sin embargo, tienes razón en un punto —añadió el sabio de Damasco—. No podemos esperar de brazos cruzados ante el sufrimiento. Hay que rechazar el mal que extiende Herodes. Hay que hacer que el bien se convierta en nuestra ley, hacer todo lo que podamos nosotros, los hombres, para conseguir que la vida sea más justa. Es eso y no solo la oración, como cree Guiora, lo que permitirá la venida del Mesías. Sí, debemos unirnos contra el mal...

—Habla bien —murmuró Halva, tomando los brazos de Miriam—. Mejor aún que tu Barrabás.

Miriam estuvo a punto de replicar que Barrabás no era «su» Barrabás, pero, al volverse hacia Halva, descubrió lágrimas en sus ojos.

—Mi Yossef no ha abierto la boca, el pobre. Pero quizá sea él quien tenga la razón —añadió con una sonrisa triste—. Todas esas hermosas frases no sirven para nada, ¿no te parece?

La angustia atenazó a Miriam. Halva tenía razón. Mil veces razón. Y eso era terrible. Estaba asistiendo a la insoportable locura de los hombres.

Su padre, como Barrabás, lo sabía, eran buenos y fuertes. Barrabás hablaba bien, sabía convencer y dirigir a los hombres. José de Arimatea era, sin duda, el más sabio de todos y los demás, incluso Guiora, no tenían otro deseo que hacer el bien y comportarse como hombres honrados. Hacían alarde de su saber y de su poder, pero era su impotencia lo que enfrentaba a unos contra otros en un espectáculo insoportable...

—¡Estamos buenos! ¡Se ha ido de veras!

Era Abdías. Venía sofocado por haber corrido detrás de Matías.

—Le he llamado. Le he pedido que volviera, pero solo ha levantado la mano para decirme adiós.

También él tenía un nudo en la garganta y lágrimas en los ojos. También él descubría la impotencia de quienes admiraba y la vergüenza le atenazaba el corazón.

Allá abajo, Nicodemo, con algo de amargura, le preguntaba a José de Arimatea si había perdido la cabeza. ¿También él quería empuñar las armas? El esenio le respondía que no, que la violencia no le parecía nunca una buena solución. Unas palabras que, de nuevo, desencadenaron las duras declaraciones de Barrabás. Intervino

Guiora, reanudando con su agria voz su letanía sobre la oración y la pureza y gritando que la única violencia válida era la querida por Dios.

—¿Van a volver a empezar? —suspiró Halva.

—Si siguen discutiendo —pronosticó Abdías, agobiado—, Barrabás se irá. Lo conozco. Me pregunto cómo ha podido aguantar tanto tiempo a Guiora y al gordo del Sanedrín.

Sin embargo, Joaquín trataba de apaciguar la discusión con una voz pausada.

—Esta reunión ha sido un fracaso —afirmó, no sin amargura—. Hay que admitirlo.

Discutir como lo hacían solo servía para poner de manifiesto sus debilidades y reconocer la fuerza de Herodes y de los romanos. Sentía haberlos obligado a hacer un viaje largo e inútil...

José de Arimatea protestó con calma:

—Nunca es inútil buscar la verdad, aunque nos resulte desagradable. Y hay un punto en el que todos estamos de acuerdo: el peor enemigo del pueblo de Israel no es Herodes; es nuestra propia desunión. Por eso son fuertes Herodes y los romanos. ¡Debemos unirnos!

—¿Pero cómo? —exclamó Joaquín—. Judea, Samaria y Galilea están desunidas, como nosotros estamos desunidos en el Templo y ante la lectura del Libro. Si somos sinceros, discutimos. Acabas de verlo con tus propios ojos.

¿Era la tristeza en la voz de su padre, las lágrimas de desánimo de Halva o la decepción de Abdías, o quizá el mutismo obstinado de Yossef, cuyo rostro veía abrumado? Miriam no lo supo nunca.

Fue más fuerte que ella. Agarró un gran cesto de albaricoques que acababa de preparar y se lanzó al patio. Avanzó hasta los hombres, con el pecho y el rostro ardientes. El vigor de su paso les hizo callar. Hizo frente al asombro y el reproche que endurecían ya sus rasgos. Sin tenerlos en cuenta, puso el cesto de frutas encima de la mesa y se volvió hacia su padre.

—¿Me permites decir lo que pienso? —preguntó ella.

Joaquín no supo qué responder y consultó a los demás con la mirada. Guiora levantaba ya la mano para echarla, pero Nicodemo cogió un albaricoque del cesto con una sonrisa condescendiente y lo aprobó con un gesto.

—¿Por qué no? Dinos lo que piensas.

—¡No, no, no! —protestó Guiora—. ¡No quiero oír nada de esta chica!

—Esta chica es mi hija, sabio de Gamala —dijo Joaquín, ofendido, con la frente enrojecida—. Ella y yo conocemos el respeto que se te debe, pero yo no la he educado en la ignorancia y la sumisión.

—¡No, no! —repitió Guiora, levantándose—. No quiero oír nada de los infieles...

—Habla —dijo amablemente José de Arimatea, ignorando el furor de su hermano esenio—. Te escuchamos.

Con la garganta seca, Miriam se sentía a la vez de fuego y de hielo. Confusa y, sin embargo, incapaz de retener las frases que le quemaban el corazón. Con la mirada, suplicó a su querido padre que la perdonara y declaró:

—Os encantan las palabras, pero no sabéis serviros de ellas. Habláis interminablemente. Sin embargo, vuestras palabras son tan estériles como las piedras. Las echáis a la cara de los demás para no oír nada de lo que se diga. Nada puede uniros, porque ninguno reconoce a nadie más sabio que sí mismo...

Guiora, que ya se había apartado, se volvió de un salto que hizo volar su larga barba.

—¿Olvidas a Yahveh, hija? —tronó—. ¿Olvidas que cada palabra viene de Él?

Con un coraje doloroso, Miriam negó con la cabeza.

—No, sabio de Gamala, no lo olvido. Pero la palabra de Dios, que tú amas, es la que estudias en el Libro. Ella te hace sabio, pero no sirve para unirnos —declaró ella con una resolución que los dejó pasmados.

Miriam vio sus expresiones estupefactas, adivinó en ellas la cólera o la incomprensión. Temió haberlos ofendido cuando solo quería ayudarlos. Con un tono más suave, añadió:

—Todos vosotros sois sabios y yo solo soy una ignorante, pero os escucho y compruebo que vuestro saber solo sirve para discutir. ¿Quién de vosotros sabría escuchar a los demás? Y si consiguierais vencer a Herodes, ¿qué pasaría? ¿Discutiríais como antes y lucharíais unos contra otros, los fariseos contra los esenios, todos contra los saduceos del Sanedrín?

—Entonces, ¡tú también esperas al Mesías! —se burló Barrabás.

—No... No lo sé... Tienes razón: hay muchos que se levantan y gritan: «Yo soy el Mesías». Sin embargo, no hacen nada. Solo son el fruto infecundo de su sueño. ¿Qué sentido tiene empujar a la gente a que se subleve contra Herodes si ninguno de vosotros sabe hacia qué llevarla? Herodes es, sin duda, un mal rey; extiende el mal sobre nosotros. Pero, ¿quién de entre vosotros sabría ser nuestro rey de justicia y de bondad?

Bajó la voz, como si quisiera confiarles un secreto.

—Solo una mujer que conozca el precio de la vida puede dar la vida a ese ser. ¿No dijo el profeta Isaías que el Mesías nacerá de una mujer?

La miraban fijamente en silencio. El estupor paralizaba sus facciones.

—Te hemos entendido —se burló Guiora—. Quieres ser la madre del Libertador. Pero, ¿quién será el padre?

—Poco importa el padre...

El tono de Miriam se tornó fascinante; su mirada, ausente.

—Yahveh, santo, santo, santo es su nombre, decidirá.

Nadie dijo nada hasta que Barrabás se levantó de un salto. El furor desfiguraba su rostro. Se acercó a Miriam con un paso tan resuelto que ella retrocedió.

—Creía que estabas conmigo. ¡Decías que querías esta rebelión, que de nada servía esperar! Pero eres como todas las chicas: ¡un día das a entender una cosa y el día siguiente, la contraria!

Todos oyeron la risa sarcástica de Guiora. Joaquín puso la mano sobre la muñeca de Barrabás.

—Por favor —dijo, obligándose a hablar bajo.

Barrabás liberó secamente el brazo para golpearse el pecho con un rictus de hastío.

—Tú, que eres tan inteligente —le espetó a Miriam—, deberías saberlo: ¡yo, Barrabás, seré el rey de Israel!

—No, Barrabás, no. Solo el hombre que no conozca a otro padre, otra autoridad que el Eterno, el padre que está en el Cielo, tendrá el valor de hacer frente al orden impuesto por la maldad de los hombres y cambiarlo.

—¡Estás loca! Soy yo, Barrabás. Soy el único de los que estamos aquí que nunca ha conocido a un padre. ¡Barrabás, el rey de Israel! Lo veréis...

Dio media vuelta y se alejó a grandes zancadas hacia el camino que salía del patio. Gritó:

—¡Barrabás, el rey de Israel! Lo veréis...

Miriam vio a Abdías que saltaba tras él. Antes de desaparecer, dirigió una mueca afligida a Miriam.

Los gritos de Barrabás habían disipado la estupefacción de los otros. Nicodemo y Guiora se unieron en una misma risa despreciativa.

—Este chico está loco. Sería muy capaz de hundir el país en sangre y fuego.

—Es bueno y valiente —replicó Joaquín—. Y es joven. Sabe hacer vivir una esperanza que nosotros no somos capaces de mantener.

Había pronunciado estas últimas palabras cruzando la mirada con la de su hija. Sus ojos proyectaban una sonrisa triste en la que Miriam creyó leer un reproche.

El silencio de los demás la condenaba con más seguridad que las palabras. Ella se dirigió a la cocina, llena de vergüenza.

# CAPÍTULO 8

LA NOCHE ERA PROFUNDA. SOLO EL CHIRRIDO REgular de un grillo incansable rompía el silencio alrededor de la casa de Yossef. El alba no debía de estar lejos.

Incapaz de dormir, Miriam se había levantado de su cama, al lado de los niños. Acechaba la luz del día, temiéndola y esperando que la oscuridad que la envolvía no cesara jamás.

No podía dejar de revivir la locura que la había llevado a hablar delante de los hombres. La vergüenza que había causado a su padre no la abandonaba. ¡Y Barrabás! Hubiera querido correr tras él y pedirle perdón.

¿Por qué estaba tan lleno de orgullo? Ella lo admiraba y siempre le estaría agradecida por lo que había hecho. ¡Dios sabe que no había querido herirlo! Sin embargo, se había marchado convencido de que ella lo había traicionado. Y a Abdías con él...

La mueca que le había dirigido Abdías antes de seguir a Barrabás todavía le quemaba el corazón.

Los demás habían dejado la casa de Yossef con el mismo abatimiento, el mismo rostro afligido.

Eleazar, el zelote, el rabino Jonatán, Leví, el sicario... Nicodemo y Guiora habían añadido el malhumor a sus despedidas.

Solo José de Arimatea se había quedado. Amablemente, le había pedido a Halva una cama para pasar la noche. El camino de Damasco era largo y prefería descansar antes de regresar.

Miriam no había sabido, no había tenido el valor de excusarse ante ellos. De repente, le habían faltado las palabras; sobre todo, no había querido abrir la boca por miedo a pronunciar unas palabras aun más hirientes.

Ni siquiera había tenido valor para aparecer en la cena, a pesar de las exhortaciones de Halva. Halva, que la había abrazado con toda la ternura de la que era capaz, repitiendo que ella había tenido razón, mil veces razón al decirles esa verdad que no sabían escuchar.

Pero Halva hablaba con un corazón desbordante de amistad y su confianza en Miriam la cegaba hasta el desatino.

¡No! La verdad había salido de la boca de Guiora: ella no era más que una chica llena de orgullo que se metía en lo que no le importaba. El malestar que había sembrado entre ellos había caído como una losa. ¡Qué estupidez! ¡Cuando lo único que quería era unirlos!

¡Oh! ¿Por qué no se podía hacer retroceder el tiempo para reparar sus errores?

* * *

Ahora, la noche iba palideciendo sobre Nazaret. Un frescor, húmedo de rocío, había entumecido a Miriam sin darse cuenta, absorta como estaba en sus pensamientos, sus reproches y sus dudas.

Solo en el último momento oyó unos pasos detrás de ella. Yossef se acercaba con una gran manta en las manos y una sonrisa en los labios.

—Me estaba preparando para ir a cuidar los animales, porque Barrabás ha abandonado su papel de pastor.

La miró, frunciendo el ceño, observando sus ojos rojos, sus labios temblorosos, la carne de gallina que cubría sus brazos desnudos.

—Supongo que no estarás tan loca como para haber pasado la noche aquí.

La cubrió con la manta, añadiendo, lleno de ternura:

—Caliéntate; si no te vas a poner mala. El alba es muy traidora.

—Yossef, me siento culpable —murmuró Miriam cogiéndole la mano.

—¿Y de qué te sientes culpable, Dios mío?

—Estoy muy avergonzada... Nunca hubiera debido hablar como lo hice ayer delante de todos vosotros. ¡Qué vergüenza, sí! A vosotros, a mi padre y a ti, os avergoncé.

—¿Estás loca? ¿Vergüenza? Todo lo contrario. Yo, que no decía una palabra porque nunca sé expresar mis pensamientos, sobre todo delante de un Guiora, ¡estaba encantado de escucharte! Era miel que se deslizaba por mis oídos. ¡Ah, sí! Dijiste lo que hacía falta que oyésemos...

—¡Yossef! No piensas lo que dices.

—¡Pero si es cierto! Lo pensábamos todos: tu padre, Halva, incluso el sabio de Damasco. Nos lo dijo ayer noche. Si no te hubieras escondido, lo habrías escuchado.

—Pero los demás se marcharon...

—Por vergüenza, sí. Estaban avergonzados. Sabían que tus palabras eran justas. No tenían nada que añadir. Tienes razón. No sabemos unir nuestras voluntades. Mesías o no, el que sea capaz de unirnos y de guiarnos no ha nacido. Para personas como Guiora o Nicodemo, no es una verdad fácil de admitir.

Yossef suspiró y movió la cabeza.

—Sí... Cada uno debe interrogar a su conciencia.

—Barrabás no piensa precisamente así —murmuró Miriam, estremecida.

Yossef exclamó, burlón:

—¡Barrabás!... Tú lo conoces mejor que nosotros. ¡Tiene tal deseo de luchar! Es muy impaciente. Y, sobre todo, quiere deslumbrarte. ¡Quién sabe si no será capaz de convertirse en el rey de Israel solo para conquistarte!

La ironía de Yossef se transformó en risa.

Miriam bajó la frente, tambaleándose de fatiga, aturdida por lo que acababa de oír. ¿Decía la verdad Yossef? ¿Estaría ella equivocada con respecto a las reacciones de unos y otros?

Yossef añadió:

—Has perdido por nada una buena noche de sueño. Ven a casa. Halva se ocupará de ti.

* * *

Yossef decía la verdad.

Mientras tomaba un tazón de leche caliente, Joaquín se le acercó. Con los ojos brillantes, murmuró a su oído:

—Estoy orgulloso de ti.

José de Arimatea apareció, sonriente. Bajo su benevolencia se adivinaba una atención aguda y seria.

—Joaquín me había confiado que su hija no era corriente. Creo que no se equivoca y que su orgullo de padre no es vano.

Miriam desvió la mirada, apurada.

—Soy una chica como las demás. Simplemente, tengo peor carácter. No hay que tomar en serio mis palabras de ayer. Habría hecho mejor callándome. Además, no sé por qué me vino este pensamiento. Quizá porque Guiora me exasperaba o porque Barrabás...

No acabó la frase. Los tres hombres y Halva rompieron a reír.

—Tu padre me ha explicado que aprendiste a leer y a escribir aquí, en Nazaret —dijo José de Arimatea.

—Muy poco...

—¿Te gustaría ir a pasar algún tiempo en casa de unas mujeres amigas, en Magdala? Allí podrías aprender más.

—¿Aprender? ¿Pero aprender qué?

—A leer obras griegas y romanas. Libros que hacen reflexionar, como la Torá, aunque de un modo diferente.

—¡Yo soy una chica! —exclamó Miriam, que no creía lo que oían sus oídos—. Una chica no aprende en los libros...

Su réplica divirtió mucho a Yossef, pero no a Joaquín, que murmuraba que si empezaba a hablar como Hannah, su madre, lo avergonzaría de veras.

—Ocurre que el cerebro de una mujer vale más que el de muchos hombres —declaró el sabio de Damasco—. Esas mujeres de Magdala son como tú. Más que la voluntad de ser sabias, están ávidas por comprender y ser útiles por su pensamiento.

—Y además, debes pensar en los días que vienen —intervino Joaquín—. No podremos volver a nuestra casa de Nazaret durante mucho tiempo...

Miriam dudó, miró a los niños que se aferraban a la túnica de su amiga.

—Precisamente, Halva me necesita aquí. No es el momento de dejarla sola...

Halva iba a protestar cuando unos gritos, fuera, la interrumpieron. Reconocieron la voz de Abdías antes de que apareciese en el marco de la puerta.

—¡Ahí están! —gritó el pequeño *am ha'aretz*, jadeante—. ¡Están en Nazaret!

—¿Quiénes?

—¡Los mercenarios, coño! Barrabás tenía razón. ¡Esta vez vienen a buscarte, padre Joaquín!

Hubo un momento de confusión. Urgieron a Abdías a que hablase. Él contó que, por el camino de Séforis, mientras estaba durmiendo bajo las ramas bajas de una acacia en compañía de Barrabás y de sus compañeros, lo había despertado un ruido de soldados. Una cohorte romana, seguida por una centuria, al menos, de mercenarios, se dirigía hacia Nazaret. Se anticipaban al alba y todavía llevaban las antorchas con las que habían iluminado el camino por la noche. Les seguían las mulas, que tiraban de unas carretas cargadas de gavillas y de vasijas de aceite.

—¡Gavillas y aceite! —exclamó asombrado José de Arimatea—. ¿Y para qué?

—Para incendiar la aldea —respondió Joaquín con voz átona.

—La aldea no —corrigió Abdías, moviendo la cabeza—. Tu casa y tu taller de carpintero.

—¡Ah!, ¿estás seguro?

—Barrabás nos ha pedido que fuésemos a despertar a todo el mundo en las casas para que los romanos no sorprendieran a nadie en pleno sueño, pero, cuando los mercenarios han llegado, han ido directamente a tu casa...

—¡Señor Dios!

Yossef apretó el hombro de su amigo. Joaquín se zafó y se lanzó hacia la puerta. Abdías lo retuvo.

—¡Escucha! No hagas el tonto, padre Joaquín, o te detendrán.

—Mi esposa está allá abajo. ¡Van a maltratarla! —gritó Joaquín, empujándolo.

—Te digo que no hagas el burro —gritó Abdías, con sus menudas manos haciendo fuerza contra el pecho de Joaquín.

—Voy a ir yo —intervino Yossef—. Yo no tengo nada que temer...

—¡Ah! ¿Me escucharéis de una vez? —gritó Abdías—. ¡No le va a pasar nada a tu esposa, padre Joaquín, viene de camino con los amigos! La hemos sacado de la casa y me he adelantado corriendo para avisarte. Y también para no oírla gritar, porque me rompe los oídos de una manera increíble...

Abdías esbozó una sonrisa como para hacerse perdonar la indirecta.

—¿Dónde está Barrabás? —preguntó Miriam—. Si se queda en la aldea, se arriesga a que lo detengan.

Abdías bajó la cabeza, evitando mirarla.

—No, no... Él... Él no ha venido con nosotros. Ha dicho que tú no lo necesitabas para nada. A esta hora, no debe de estar muy lejos de Séforis.

Hubo un breve silencio. Joaquín, con el rostro lívido, murmuró:

—Esta vez, se acabó. Ya no tengo casa. Ni herramientas...

—No se podía hacer nada —murmuró Abdías—. Barrabás lo había previsto: los mercenarios volverían un día u otro.

—¿Y Lisanias? —preguntó de repente Yossef.

—¿El viejo que trabajaba con vosotros? Ha estado a punto de dejarse matar. No quería abandonar el taller. Gritaba aún más fuerte que la esposa de padre Joaquín. Los vecinos casi le pegan para que se callase.

—No es prudente que nos quedemos aquí —intervino José de Arimatea.

—Eso seguro —aprobó Abdías—. Los mercenarios no tardarán en meter la nariz en cada rincón, para meter miedo a toda la aldea.

—Podéis esconderos en el taller —propuso Yossef.

—No. Tú ya has corrido demasiados riesgos —dijo firmemente Joaquín, acercándose a la puerta—. José de Arimatea tiene razón. En cuanto Hannah llegue, partiremos hacia Jotapata. Mi primo Zacarías, el rabino, nos acogerá.

—Yo te acompaño hasta allá abajo con mis compañeros, padre Joaquín.

Por toda respuesta, mientras aguardaba la llegada de Hannah por el camino, Joaquín puso su mano sobre la nuca de Abdías, como lo habría hecho un padre. La emoción nubló la mirada de Miriam. A su lado, José de Arimatea declaró con mansedumbre:

—Tus padres están en buenas manos, Miriam. Sería más conveniente que me siguieras a Magdala.

SEGUNDA PARTE

# LA ELECCIÓN DE DAMASCO

# Capítulo 9

Miriam gritó:

—¡Mariamne! No te alejes demasiado nadando...

Era una advertencia inútil. Lo sabía. La alegría de vivir de Mariamne era contagiosa. La hija de Raquel era guapa. Nadaba con todo el vigor, toda la ansiosa despreocupación de su edad. El agua se deslizaba como un aceite transparente sobre su cuerpo delgado. Con cada uno de sus movimientos, unos reflejos de cobre ondeaban sobre sus largos cabellos, desplegados a su alrededor como algas animadas.

Hacía dos años que José de Arimatea había llevado a Miriam a la casa de Raquel, en Magdala. Desde su llegada, Raquel había dicho que la recién llegada se parecía a su hija Mariamne como una hermana. Las numerosas mujeres que la rodeaban asintieron y exclamaron:

—Verdaderamente, es extraordinario; ¡os parecéis tanto como vuestros nombres: Mariamne y Miriam!

Lo decían con ternura, pero no era cierto.

Sin duda, las dos chicas tenían en común ciertos rasgos, así como sus siluetas. Sin embargo, Miriam solo percibía entre ellas diferencias, que no se debían solo a la edad, aunque Mariamne, cuatro años más joven, todavía poseía toda la fogosidad y la inconstancia de la infancia.

No había nada, ni siquiera el arduo aprendizaje de lenguas y saberes, que Mariamne no consiguiera transformar en un placer. Esta avidez de placeres provocaba un contraste permanente con la austeridad de Miriam. La hija de Raquel había nacido para amar todo lo que había en el mundo y Miriam le envidiaba esa capacidad de entusiasmo.

Si buceaba en sus recuerdos, no encontraba nada parecido. Durante los primeros meses de su estancia a la sombra de la exuberancia de su joven compañera, su propia sabiduría, su voluntad y su obstinación le habían parecido a menudo pesadas. Pero Mariamne había demostrado que ella poseía alegría suficiente para las dos. Miriam deseaba cada vez más estar con ella. Rápidamente, había nacido entre ellas una amistad que, aún hoy, le ayudaba a Miriam a soportar mejor el carácter un poco desconfiado que el Todopoderoso le había otorgado.

Así, fueron transcurriendo unos días felices, plácidos y de estudio en esta bella residencia cuyos patios y jardines se extendían hasta la orilla del lago de Genesaret.

Raquel y sus amigas no eran mujeres ordinarias. No mostraban nada de la reserva que se exigía habitualmente a hijas y esposas. Hablaban de todo, se reían de todo. Gran parte de su tiempo estaba consagrado a lecturas y a conversaciones que hubiesen horrorizado a los rabinos, convencidos de que las mujeres solo eran buenas para el cuidado del hogar, para tejer y, cuando eran afortunadas, como Raquel, para una ociosidad tan arrogante como carente de sentido.

Viuda desde hacía diez años de un comerciante propietario de varios buques que navegaban entre los grandes puertos del Mediterráneo y que el carro de un oficial romano había herido mortalmente del modo más estúpido. Raquel era rica, y utilizaba su fortuna de una manera imprevisible.

Se negó a habitar en las lujosas mansiones de Jerusalén y de Cesarea heredadas de su marido y se había instalado en Magdala, una ciudad de Galilea, a dos jornadas de marcha de Tiberíades. Allí, podía olvidarse de las muchedumbres y del ruido de las grandes ciudades y de los puertos. Incluso los días más calurosos, una suave brisa se alzaba desde el lago, cuya resaca regular podía oírse durante todo el día, bajo el gorjeo de los pájaros. Según las estaciones, los almendros, los mirtos y los arbustos de alcaparras creaban una explosión de color. Al pie de las colinas, los campesinos de Magdala cultivaban asiduamente grandes extensiones de mostaza silvestre y viñas opulentas flanqueadas por setos de sicómoros.

Dispuesta alrededor de tres patios, la casa de Raquel poseía la sobriedad y la sencillez de las construcciones judías de antaño. Libre de la opulenta confusión que, de ordinario, sobrecargaba las casas sometidas a la influencia romana, varias estancias habían sido transformadas en salas de estudio. Las bibliotecas estaban llenas de obras de filósofos griegos y de pensadores romanos del tiempo de la República, de rollos manuscritos de la Torá, en arameo y en griego, y de textos de los profetas que databan del destierro en Babilonia.

Siempre que era posible, Raquel invitaba al lago a los autores que más le gustaban. Permanecían en Magdala durante una estación, trabajando, enseñando e intercambiando sus pensamientos.

José de Arimatea, desafiando la tradicional desconfianza de los esenios hacia las mujeres, se presentaba a veces por allí. Raquel apreciaba mucho su presencia. Ella lo recibía con cariño. Miriam había descubierto que, en secreto, ella apoyaba económicamente la comunidad de Damasco, en la que José difundía su sabiduría y su conocimiento de la Torá. También enseñaba allí la ciencia de la medicina y aliviaba cuanto podía los sufrimientos de la gente.

Pero, sobre todo, Raquel había abierto sus puertas a las mujeres de Galilea deseosas de instruirse, y esto con una gran discreción. Si había que temer las sospechas y a los espías de Herodes y de los romanos, la estrechez de miras de los rabinos y de los maridos no era una amenaza menos terrible. Muchas de las que franqueaban el umbral de la casa de Magdala, la mayoría esposas de mercaderes o de ricos propietarios, lo hacían a escondidas. Al abrigo del aborrecimiento de los hombres a las mujeres instruidas, se entregaban encantadas al aprendizaje de la escritura y la lectura, transmitiendo con mucha frecuencia a sus propias hijas el gusto por el saber y la pasión por la reflexión.

Así, Miriam había aprendido lo que, habitualmente, estaba reservado en Israel a pocos hombres: la lengua griega, la filosofía y la política. Con sus compañeras de estudios, había leído y discutido las leyes y reglas que regían la justicia de una república o la fuerza de un reino, se había interrogado acerca de las virtudes y las debilidades de tiranos y sabios.

Tanto como ella, Raquel y sus amigas sufrían el yugo de Herodes. La humillación moral y material, así como la decrepitud del pueblo de Israel se agravaban. Esta violencia, este tormento, se convertían en un tema obsesivo de debate y, con demasiada frecuencia, engendraba una constatación terrible de impotencia. Ellas solo tenían su inteligencia y su obstinación para oponerse al tirano.

Según los rumores, la enfermedad hundía a Herodes en una demencia cada vez más mortífera. Ahora, trataba de arrastrar a su infierno al pueblo de Israel. Cada día, sus mercenarios se mostraban más crueles; los romanos, más despreciativos y los saduceos del Sanedrín, más rapaces. Sin embargo, Raquel y sus amigas temían la muerte de Herodes. ¿Cómo impedir, entonces, que otro loco, más joven, portador de su sangre corrompida, se haga con el poder?

Era cierto que Herodes parecía querer asesinar a toda su familia. La de su esposa ya había sido diezmada. Pero el rey había distribuido con larguesa su semilla en el decurso de su existencia y eran muchos quienes podían proclamarse de su linaje. Así, aunque el tirano recibiera al final su castigo, el pueblo de Israel corría el grave peligro de no ser liberado del mal.

Miriam había contado que Barrabás había esperado engendrar una rebelión que derrocara al tirano, pero que también liberara Israel de Roma y cercenara la gangrena saducea del Templo, pero fracasó.

Si les entristecían las estúpidas disputas que oponían a los zelotes, los fariseos y los esenios, las mujeres de Magdala no podían, sin embargo, recurrir a la violencia para lograr la paz. ¿No enseñaban acaso Sócrates y Platón, a quienes admiraban, que las guerras conducían a más injusticia, a más sufrimientos para los pueblos y a la grandeza efímera de los vencedores cegados por su fuerza?

Sin embargo, ¿tenían que entregarse a la imprevisible intervención de Dios? ¿Debían contentarse con esperar que el Eterno y solo Él, por medio del Mesías, las liberase de las desgracias de las que los hombres y las mujeres de Israel no conseguían liberarlas?

La inmensa mayoría lo creía. Otras, como Raquel, estimaban que solo una justicia nueva, nacida del espíritu humano y de la voluntad humana, una justicia fundada en el amor y el respeto, podía salvarlas.

—La justicia enseñada por la ley de Moisés es grande e incluso admirable —explicaba Raquel con una convicción provocadora—. Pero sus debilidades las conocemos bien nosotras, las mujeres. ¿Por qué establece una desigualdad entre la mujer y el hombre? ¿Por qué Abraham puede ofrecer a su esposa Sara al Faraón, sin que esta falta lo abrume? ¿Por qué la esposa es siempre polvo en manos del esposo? ¿Por qué nosotras, las mujeres, contamos menos que los hombres en la humanidad, cuando, por número y por trabajo, valemos tanto como ellos? Moisés escogió a una negra para que fuera la madre de sus hijos. Entonces, ¿por qué su justicia no recoge en una misma igualdad a todos los hombres y todas las mujeres de la tierra?

A las que protestaban que eso era un pensamiento impío, que la justicia de Moisés solo podía dirigirse al pueblo escogido por Yahveh en su Alianza, Raquel les respondía:

—¿Creéis que el Todopoderoso solo desea la felicidad y la justicia de un solo pueblo? ¡No! Es imposible. Eso lo rebajaría al rango de las divinidades grotescas que adoran los romanos o al de los ídolos perversos que veneran los egipcios, los persas y los bárbaros del norte.

Surgían las protestas. ¿Cómo se atrevía Raquel a pensar una cosa parecida? Desde los orígenes, ¿acaso la historia de Israel no consagraba la relación entre Dios Todopoderoso y su pueblo? ¿No había dicho Yahveh a Abraham: «Yo te he escogido y estableceré una Alianza con tu descendencia»?

—¿Pero no había dicho Yahveh que no otorgaría su justicia, su fuerza y su amor a ningún otro pueblo?

—¿Quieres que dejemos de ser judías? —murmuró, espantada, una mujer de Tiberíades—. Nunca podría seguirte. Es inconcebible...

Raquel negaba con la cabeza, explicando aún:

—¿No habéis pensado nunca que el Eterno hubiera podido querer la Alianza con nuestro pueblo como una primera etapa? ¿Para que tendiésemos la mano a todos los hombres y a todas las mujeres? Eso es lo que yo creo. Sí, yo creo que Yahveh espera de nosotros más amor hacia los hombres y las mujeres de este mundo, sin excepción.

Discutiendo largo y tendido, hasta bien entrada la noche, cuando se agotaba el aceite de las lámparas, Raquel trataba de demostrar que la obsesión de los rabinos y de los profetas por conservar su sabiduría y su justicia en beneficio exclusivo del pueblo de Israel quizá fuese el origen de su desgracia.

—¿Quieres, acaso —se mofaba otra—, que todo el universo se haga judío?

—¿Y por qué no? —respondía Raquel—. Cuando un rebaño se escinde y la más pequeña de sus partes se queda al margen, esta se debilita y se arriesga a que la devoren las fieras. Así nos va a ocurrir a nosotros. Los romanos lo han entendido, ellos que quieren imponer sus leyes a los pueblos del mundo entero para seguir siendo fuertes. Nosotros también deberíamos tener la ambición de convencer al mundo de que nuestras leyes son más justas que las de Roma.

—¡Menuda contradicción! ¿No dices que nuestra justicia no es suficientemente justa, porque nos aparta a las mujeres? En tal caso, ¿por qué vamos a querer imponerla al resto del mundo?

—Tienes razón —admitía Raquel—. Ante todo, deberíamos cambiar nuestras leyes...

—¡Bueno, no te falta imaginación! —lanzó otra, risueña, distendiendo la atmósfera—. Cambiar el cerebro de nuestros esposos y de nuestros rabinos: todo un reto que se anuncia aún más difícil que acabar con Herodes, os lo aseguro.

\* \* \*

Durante bastantes días, Miriam las había oído discutir, alternando su humor entre la máxima seriedad y la risa. Ella raramente intervenía, prefiriendo dejar a otras, más experimentadas, el placer de afrontar el agudo espíritu de Raquel.

No obstante, los debates nunca se trocaban en disputas ni en enredos estériles. Muy al contrario, las oposiciones eran una escuela de libertad y de respeto. La regla impuesta por Raquel, siguiendo el modelo de las escuelas griegas, era que nadie debía reprimir sus opiniones y nadie debía condenar las palabras, las ideas e incluso los silencios de sus compañeras.

Sin embargo, después de haber entusiasmado a Miriam, estas ricas conversaciones terminaron entristeciéndola irremediablemente. Cuanto más apasionadas y brillantes, menos escondían una verdad lacerante: ni Raquel ni sus amigas encontraban solución para vencer la tiranía de Herodes. Ignoraban el medio de unir el pueblo de Israel en una sola fuerza. Al contrario, mes tras mes, las noticias que llegaban a Magdala indicaban que el temor de los días por venir agobiaban a los más indefensos: los campesinos, los pescadores, quienes el comercio o el trabajo les daba lo justo para vivir.

Sin otro recurso, despreciados por los ricos de Jerusalén y por los sacerdotes del Templo, ponían su fe en los oradores, los falsos profetas y charlatanes impotentes que pululaban por las ciudades y las aldeas. Lanzando discursos terroríficos, en los que las amenazas alternaban con la promesa de acontecimientos sobrenaturales, estos voceadores se pretendían profetas de los tiempos nuevos. Desgraciadamente, sus profecías se parecían como gotas de agua. No eran sino emanaciones de odio contra los hombres y anuncios apocalípticos pintados por imaginaciones desaforadas, ávidas de castigos odiosos. Parecía que la voluntad de estos hombres, que se anunciaban como puros, piadosos y ejemplares, no consistiera más que en añadir pavor a la desesperación que ya anidaba en el pueblo. Nadie se preocupaba de aportar el menor remedio a las plagas que denunciaban todos.

A pesar de la dulzura de la vida en Magdala, a pesar de la alegría comunicativa de Mariamne y la ternura de Raquel, cuanto más tiempo pasaba, más impregnaba los pensamientos de Miriam este caos destructor. Sus silencios se prolongaban, sus noches eran malas, turbadas por razonamientos sin salida. Los debates en torno a Raquel acabaron pareciéndole vanos y las risas de las compañeras, ligeras.

Pero, ¿acaso su propia impotencia no era un defecto? ¿No se había equivocado por completo? En vez de permanecer en el lujo de esta casa, ¿no hubiera debido seguir a Barrabás y a Matías en un combate que, al menos, no se quedaba solo en palabras? Sin embargo, cada vez que pensaba estas cosas, su razón le decía siempre que no eran más que ilusiones. La elección de la violencia era, más que cualquier otra, la de la impotencia. Era actuar como los falsos profetas: añadir dolor al dolor.

Sin embargo, ella no podía quedarse sin hacer nada.

De un tiempo a esta parte, estaba madurando en ella una decisión: dejar Magdala.

Tenía que reunirse con su padre, ser útil a su prima Eliseba, en cuya casa habían encontrado refugio Joaquín y Hannah. O volver a casa de Halva, que tenía que soportar la pesada carga de los días y de los niños. Sí, eso es lo que tenía que hacer: contribuir al desarrollo de la vida, en vez de permanecer aquí, en este lujo en el que los saberes, por brillantes que fuesen, se eclipsaban bajo el efecto de la realidad como el humo dispersado por el viento.

Todavía no se había atrevido a anunciarlo. Raquel se había ausentado, para recibir personalmente en el puerto de Cesarea los barcos que fletaba para Antioquía y Atenas. Además de los tejidos, las especias de Persia y la madera de Capadocia, en los que comerciaba, como antes había hecho su esposo, esta flota debía traerle unos libros que esperaba desde hacía tiempo. Además, este día era el decimotercero cumpleaños de Mariamne. Miriam no quería estropear la fiesta de su joven amiga. Sin embargo, ya contaba con impaciencia los días hasta el momento de su partida.

\* \* \*

—¡Miriam! ¡Miriam!

Las llamadas de Mariamne la sacaron de sus pensamientos.

—¡Ven! ¡El agua está estupenda!...

Ella rehusó con la mano.

—No seas tan seria —insistió Mariamne—. Hoy no es un día como los demás.

—Yo no sé nadar...

—No tengas miedo. Yo te enseño... ¡Vamos! Es mi cumpleaños. Concédeme ese regalo: ven a nadar conmigo.

¿Cuántas veces había tratado Mariamne de convencerla de que fuese con ella al lago? Miriam ya había perdido la cuenta.

—Mi regalo —replicó ella riéndose— ya lo tienes.

—¡Pff! —refunfuñó Mariamne—. ¡Un cacho de la Torá! Te parecerá divertido...

—No es un «cacho de la Torá», tonta. Es la hermosa historia de Judit, la que salvó a su pueblo gracias a su valor y su pureza. Una historia que deberías conocer desde hace mucho tiempo. Y copiada de mi puño y letra. Deberías estarme muy agradecida.

Por toda respuesta, Mariamne se dejó hundir en el agua. Con la facilidad de una náyade, nadó a lo largo de la orilla. Su cuerpo desnudo ondeó con gracia sobre el fondo verde del lago.

La misma impudicia de Mariamne era hermosa. Así quizá hubiese sido la de Judit, que había declarado ante todos: «¡Escuchadme! Voy a llevar a cabo algo cuyo recuerdo se transmitirá de generación en generación en nuestro pueblo». Y que lo realizó tan bien que Dios salvó al pueblo de Israel de la tiranía de Holofernes, el asirio.

Pero, hoy día, ¿quién podría ser Judit? ¡La belleza de una mujer, por extraordinaria que fuese, no apaciguaría los demonios que actuaban en el palacio de Herodes!

En un crujido líquido, el rostro de Mariamne surgió bruscamente a la superficie del lago. La joven salió del agua, saltó a la orilla. Antes de que Miriam pudiese reaccionar, se lanzó sobre ella con un rugido de fiera.

Gritando y riendo, rodaron sobre la hierba, enlazadas, luchando. Mariamne trataba con todas sus fuerzas de arrastrar a Miriam al agua, mojando con su cuerpo desnudo la túnica de su amiga.

Sin aliento, sacudidas por la risa, son sus dedos entrecruzados, se dejaron caer de espaldas. Miriam cogió la mano de Mariamne para besarla.

—¡Estás como una cabra! ¡Mira cómo está mi túnica!

—Te está bien empleado. Solo tenías que venir a nadar...

—No me gusta el agua tanto como a ti... Ya lo sabes.

—Eres demasiado seria.

—No es muy difícil ser más seria que tú.

—¡Vamos! No tienes porqué ser tan silenciosa. Ni tan triste. Pensando siempre en vete a saber qué. Estos últimos tiempos, estás peor que nunca. Antes, nos divertíamos juntas... Podrías ser tan alegre como yo, pero no quieres.

Mariamne se enderezó sobre un codo y puso el índice sobre la frente de Miriam.

—Tienes un pliegue que se te forma entre las cejas. ¡Aquí! Hay días en que lo veo desde la mañana. Sigue así y pronto tendrás arrugas, como las viejas.

Miriam no contestó. Permanecieron en silencio un rato. Mariamne hizo una mueca y preguntó en un susurro inquieto:

—¿Estás enfadada?

—Claro que no.

—Yo te quiero mucho. No quiero que estés tan triste a causa de mis burradas.

Miriam le respondió, bajando la vista con dulzura:

—No estoy triste; dices la verdad. Yo soy «Miriam de Nazaret, la seria». Todo el mundo lo sabe.

Mariamne rodó sobre su costado, temblando con la brisa. Con la agilidad de un animal joven, se acurrucó en los brazos de Miriam para calentarse.

—Es cierto: las amigas de mi madre te llaman así. Se equivocan. No te conocen como te conozco yo. Tú eres seria, pero de una forma rara. En realidad, no haces nada como las demás. Para ti, todo es importante. Incluso dormir y respirar, no lo haces como nosotras.

Con los párpados cerrados, feliz al sentir sus cuerpos que se calentaban mutuamente, Miriam no replicó.

—Y tú no me quieres tanto como yo te quiero; también lo sé —continuó Mariamne—. Cuando te vayas, porque te irás de esta casa, seguiré queriéndote. Tú, no lo sé.

La sorpresa se adueñó de Miriam. ¿Había adivinado Mariamne sus pensamientos? Pero, antes de que pudiera responder, Mariamne se incorporó bruscamente, estrechando su mano con fuerza.

—¡Escucha!

El crujido de las ruedas de un carro resonaba cerca de la casa.

—¡Mi madre está de vuelta!

Mariamne se levantó de un salto. Sin preocuparse por las perlas de agua que todavía cubrían su piel, agarró su túnica suspendida de las ramas de un tamarisco y se la puso, corriendo al encuentro de su madre.

\* \* \*

Las sirvientas ya estaban ayudando a Raquel a descender del carro de viaje. Cerrado y cubierto con una gruesa tela verde, necesitaba un tiro de cuatro mulas que solo sabía llevar Recab, el cochero y único servidor varón de la casa.

Mariamne se precipitó para besar a su madre con efusión.

—¡Sabía que estarías de vuelta para mi cumpleaños!

Raquel, que era un poco más alta que su hija y cuyas curvas de la edad quedaban disimuladas bajo la sencilla elegancia de una túnica a franjas bordadas, le respondió con ternura. Sin embargo, Miriam se dio cuenta de que Raquel estaba angustiada. Su alegría por estar de vuelta no era tan franca como aparentaba.

Solo más tarde, después de haber regalado a su hija un collar de coral y de cuentas de vidrio que provenía de más allá de Persia y después de haber cuidado de que abrieran correctamente los preciosos baúles de libros bajados del carro, hizo una discreta indicación a Miriam. La llevó a una terraza que daba a los huertos que descendían hacia el lago. Al abrigo del viento, los bálsamos, los manzanos de Sodoma y las higueras exhalaban dulces aromas. A Raquel le gustaba detenerse allí. A menudo, escogía este lugar para conversar discretamente.

—No quiero aguarle la fiesta a Mariamne... ¡A veces, es tan cría!

—Es bueno que conserve con tanta fuerza la inocencia de su edad.

Raquel asintió y dirigió la mirada más allá de las tupidas franjas de juncos olorosos y de papiros que avanzaban en el agua. Las velas de las barcas de pesca salpicaban la superficie lisa. El rostro de Raquel se ensombreció.

—Todo va mal, y más aún de lo que imaginamos aquí. Cesarea está llena de rumores. Se dice que Herodes ha hecho asesinar a sus dos hijos, Alejandro y Arquelao.

Ella dudó, bajó la voz.

—Todo el palacio tiembla. Él teme tanto que lo envenenen que mata y encarcela a la menor duda. Sus mejores servidores y grandes oficiales han sido sometidos a tortura. Ellos reconocen lo que sea para salvar la vida, pero sus embustes refuerzan la locura del rey y acaban pudriéndole el cerebro.

Contó que Salomé, hermana del rey, y su hermano, Feroras, que muchos sospechaban que quería hacerse con el poder, se escondían en una de las fortalezas de Judea. Inundado de odio hacia su familia y al pueblo judío, Herodes había dejado que se situara a su lado un lacedemonio, de nombre Euricles. Hombre de una bellaquería prodigiosa y de una rapacidad ilimitada, se había introducido en la corte ofreciendo a Herodes unos regalos fastuosos robados en Grecia. Alternando halagos repugnantes con calumnias feroces, había tendido la trampa que condujo al rey a matar a sus hijos.

—Alcancé a verlo en el puerto, donde se exhibía en un brillante carro dorado —prosiguió Raquel con asco—. Encarna la arrogancia servil.

Una se lo imagina sin dificultad enfangado en la ignominia. Pero lo peor no es eso. Nos daría igual que el rey y su familia se mataran entre ellos, si esta pandilla apestosa no nos arrastrara a las tinieblas con ella. Herodes y todos los que bullen a su alrededor solo tienen de humanos la apariencia. Los vicios del poder los han corrompido hasta la médula.

Ella suspiró con hastío.

—No entiendo qué espera el Eterno de nosotras... ¡Incluso lo que hacemos aquí me parece inútil! ¿De qué sirven los libros que acabo de traer, estas bibliotecas en la casa, lo que aprendemos, lo que hablamos? No hace mucho, estaba convencida de que cultivar nuestro espíritu nos ayudaría a cambiar el curso de este mundo. Yo me decía: hagámonos diferentes, nosotras, las mujeres. Así podremos poner freno a la locura de los hombres. Hoy, ya no me lo creo. Desde que salgo de Magdala, desde que paso un día en las calles de Tiberíades, me parece que nos estamos haciendo tan sabias como inútiles...

—¡Tú no puedes decir eso, madre! —gritó Mariamne detrás de ella—. Tú no...

—¡Oh!, ¿estabas ahí?

—Sí, y te he oído todo. Aunque reserves tus conversaciones serias para Miriam —gritó Mariamne.

Ella se acercó con la mirada cargada de reproches, levantó el collar que adornaba su pecho.

—Venía a enseñarte lo bien que me quedaba. Pero supongo que esto te parecerá una tontería.

—Al contrario, Mariamne. ¿Te lo habría regalado si no? Y es verdad, te queda perfectamente...

Mariamne desechó el cumplido con un gesto de la mano.

—Te estás haciendo como Miriam: austera, obsesionada con Herodes —gritó ella con ganas de pelea—. Pero tú, tú no tienes derecho a dudar. Tú misma se lo has dicho a cada una de las que entran aquí: «Conque haya una sola mujer o un solo hombre para defender el saber, la razón, recordar la sabiduría de los ancianos, ella o él salvará el mundo y el alma de los humanos ante el juicio de Dios».

—Tienes buena memoria —aprobó Raquel, sonriendo.

—Excelente. Y en contra de lo que piensas, siempre te escucho con atención.

Raquel tendió la mano para acariciarle la mejilla. Mariamne evitó la caricia. Raquel hizo una mueca y bajó la frente con hastío.

—Tú hablas con el fervor de la juventud. A mí, todo me parece muy feo a nuestro alrededor.

—Te equivocas completamente —contestó nerviosa Mariamne—. Además, la edad no tiene nada que ver: Miriam solo tiene cuatro años más que yo. Y ninguna de las dos sabéis ya mirar la belleza. Sin embargo, existe.

Con rabia, Mariamne señaló el esplendor que las rodeaba.

—¿Qué hay más bello que este lago, estas colinas, las flores del manzano? Galilea es bella. Nosotras somos bellas. Tú, Miriam, nuestras amigas... El Todopoderoso nos da esta belleza. ¿Por qué iba a querer que la ignorásemos? Al contrario, debemos alimentarnos de la alegría y la felicidad que nos concede, ¡no solo de los horrores de Herodes! Él solo es un rey, y morirá pronto. Un día lo olvidaremos. Pero lo que dicen los libros de esta casa solo desaparecerá si dejamos que muera.

La sonrisa había vuelto al rostro de Raquel. Tierna, un poco burlona, pero que revelaba su satisfacción y su asombro.

—¡Bien! Veo que mi hija ha crecido en razón y en sabiduría sin que yo me diese cuenta...

—¡Seguro, porque siempre me consideras como una cría!

Raquel acarició de nuevo el rostro de su hija. Esta vez, Mariamne no se apartó; al contrario, se hundió en los brazos de su madre.

—Te prometo que nunca volveré a tratarte como a una niña —declaró Raquel.

Con una risita traviesa, Mariamne se separó.

—Pero no esperes que me haga una persona seria, como Miriam. Eso no lo seré nunca...

Ella giró sobre sí misma y anunció, como prueba de lo que acababa de decir:

—Voy a cambiar de túnica. El color de esta no pega de ninguna manera con este collar.

Se alejó, viva y ligera. Cuando desapareció en el interior de la casa, Raquel hizo con la cabeza un leve gesto de asentimiento.

—Así es como los niños crecen y se convierten en unos extraños. Pero, ¿quién sabe si no tiene razón?

—Tiene razón —aprobó Miriam—. La belleza existe y seguro que Dios no quiere que la olvidemos. Es bueno, es incluso maravilloso que existan seres como Mariamne. ¡Y tiene razón cuando dice que me encuentra demasiado seria! Me gustaría...

Se interrumpió, buscando el modo de anunciar a Raquel su deseo de abandonar su casa, de regresar a Nazaret o al lado de su padre. Unos pájaros pasaron sobre ellas piando ruidosamente. Ella levantó la cabeza para seguir su vuelo. Por el otro lado de la casa se oía la risa de Mariamne con las sirvientas, el movimiento del carro de viaje que ponían bajo techo. Antes de que Miriam tomara de nuevo la palabra, Raquel, cogiéndole la muñeca, la llevó más abajo de la terraza, a los huertos.

—Hay otras noticias que quería darte antes de que Mariamne nos interrumpa —dijo ella con voz apremiante.

Sacó un trozo de pergamino del estuche del cinturón de su túnica.

—He recibido una carta de José de Arimatea. Ya no podrá venir a visitarnos porque sus estancias con nosotras, «las mujeres», han sido causa de escándalo en su comunidad. Se le han unido nuevos hermanos para estudiar medicina con él. Pero refunfuñan, exigen que José se muestre más distante con nosotras... No lo dice, pero creo que se puede ver ahí la mano de Guiora. Debe de temer la influencia de José sobre los esenios, cuando él y sus condiscípulos de Gamala cultivan un odio salvaje a las mujeres.

—No solo a las mujeres, ¡a los *am ha'aretzim*, a los extranjeros, a los enfermos! —dijo Miriam, indignada—. En realidad, odia a los débiles y solo respeta la fuerza y la violencia. No es un hombre agradable. En mi opinión, tampoco un sabio. Conocí a Guiora en Nazaret, con mi padre, José de Arimatea y Barrabás. Solo él tenía la razón...

Raquel asintió, divertida.

—También hay otra persona de la que quería hablarte: Barrabás. Su nombre corría de boca en boca en Cesarea, en Tiberíades, por mi camino de vuelta.

Un estremecimiento de angustia recorrió la nuca de Miriam. La tensión le invadió. Raquel percibió su inquietud y sacudió la cabeza.

—No, no traigo malas noticias. Se dice que ha reclutado una banda de más de quinientos o seiscientos bandoleros. Y que se ha aliado con otro bandolero...

—Matías, seguro... —murmuró Miriam.

—No he oído su nombre, pero, entre los dos, reúnen a un millar de combatientes. Se dice que han derrotado a la caballería dos o tres veces, aprovechando que Herodes, en su demencia, ha encarcelado a sus propios generales.

Miriam sonreía. Aunque no quisiera reconocerlo, estaba aliviada, feliz, envidiosa incluso.

—Sí —dijo Raquel, respondiendo a su sonrisa—, es agradable oírlo. Por supuesto, en Cesarea o en Tiberíades, e incluso en Séforis, hay quienes temen por sus posesiones y riquezas. Claman contra el «bandido», el «bribón», tratan a Barrabás de «secuaz del terror». Pero me han asegurado que los valientes aldeanos de Galilea cantan y rezan por él. Y que él siempre encuentra el medio de esconderse entre ellos cuando lo necesita. Está muy bien...

Se calló, con la mirada perdida.

—Voy a marcharme —dijo de repente Miriam.

—¿Quieres reunirte con él? —dijo enseguida Raquel—. Sí, claro. Me lo imaginé en cuanto oí estas noticias.

—Había decidido marcharme antes de que me lo dijeses. Quería esperar a que regresases y el cumpleaños de Mariamne.

—Va a pasarlo mal sin ti.

—Volveremos a vernos.

—Claro...

Los ojos de Raquel brillaban.

—Os quiero de todo corazón a las dos —prosiguió Miriam con cierto temblor en su voz—. En esta casa he pasado unos momentos que nunca olvidaré. He aprendido tanto de ti...

—Pero ya es hora de que te vayas —la interrumpió Raquel sin resentimiento—. Sí, te comprendo.

—Mi alma ya no está en paz. Me despierto por la noche y me repito que no debería dormir. ¿No sé ya bastante ahora? Aquí estoy bien, aprendo y recibo muchas cosas, tu cariño y el de Mariamne... ¡pero doy tan poco a cambio!

Raquel la abrazó con ternura, sacudiendo la cabeza.

—No lo creas. Tu presencia es un don y para Mariamne y para mí es bastante. Pero comprendo lo que sientes.

Permanecieron en silencio, unidas por la misma tristeza y el mismo cariño.

—Ya es hora de que ocurra algo, ¿pero cómo? No sabemos lo que queremos. A veces, me parece que ante nosotras se levanta un muro, más alto cada día, más infranqueable. Las palabras, los libros, incluso nuestros pensamientos más justos parecen ensancharlo. Tienes razón en volver al mundo. ¿Te reunirás con Barrabás?

—No. Dudo que me necesite para luchar.

—Quizá nos equivoquemos y tenga él razón. Quizá haya sonado la hora de la rebelión.

Miriam dudó antes de anunciar:

—No tengo noticias de mi padre y de mi madre desde hace mucho tiempo. Voy a encontrarme con ellos. Después...

—Concédenos todavía el día de mañana. Que Mariamne pueda despedirse de ti como es debido. Puedes llevarte mi carro de viaje...

Miriam iba a protestar. Raquel puso la punta de sus dedos en sus labios.

—No, déjame ofrecerte esta ayuda. Las carreteras no son tan seguras para que una chica joven se aventure sola por ellas.

# CAPÍTULO 10

LA NOCHE SIGUIENTE, COMO OTRAS TANTAS AN-
tes, Miriam se despertó en plena oscuridad. Abrió los ojos. Cerca de ella, Mariamne dormía, con una respiración regular. Una vez
más, envidió el apacible sueño de su amiga.

¿Por qué, apenas abría los párpados, la invadía
el sentimiento culpable de no tener derecho al
descanso? La angustia le oprimía. Tenía la sensación de haberse tragado un trapo mojado que se
le hubiese atascado en la garganta.

Sentía haberle prometido a Raquel que se quedaría un día más en Magdala. Hubiera sido mejor
tomar el camino de Nazaret o de Jotapata a las
primeras luces del alba.

Silenciosa, se levantó de la cama. En la habitación de al lado, rodeó la cama en la que dormían dos sirvientas para llegar al gran vestíbulo.

Descalza, con un chal grueso sobre su túnica,
salió de la casa y pisó sin dudarlo la hierba húme-
da de la noche. La luna en cuarto recortaba unas
siluetas imprecisas sobre la orilla del lago. Ella se

acercó con prudencia. Aquellas últimas semanas, sus noches habían estado marcadas tan a menudo por este paseo nocturno que podía orientarse solo con la fricción del follaje con la brisa y con el murmullo de las olas.

Se dirigió hacia el muelle en el que atracaban las barcas de la casa. Con la mano, rozó las piedras, encontró una más grande y se sentó. Ante ella, los juncos levantaban unos muros opacos, entrando en el lago a modo de pasillo. El cielo, en cambio, aparecía claro. A la otra orilla, se adivinaba esa tonalidad azulada que colorea la noche antes de la llegada del alba.

Inmóvil, se tranquilizó. Como si la inmensidad del cielo poblado de estrellas la liberara del peso que oprimía su pecho. Los pájaros aún permanecían silenciosos. Solo se oían las olas que llegaban hasta los guijarros de la orilla o se deshacían entre los juncos.

Permaneció así largo rato. Inmóvil. Sombra entre las sombras. Su angustia, sus dudas e incluso sus reproches la abandonaron. Pensó en Mariamne. Ahora, estaba feliz por pasar el día que empezaba junto a ella. Su despedida estaría llena de ternura. Raquel tenía razón al haberle impedido que se marchara de un modo demasiado brusco.

Se estremeció. Un ruido regular resonaba en la superficie del lago. El golpe sordo de madera contra madera. El choque de una rama contra la falca de una barca, eso era. Un movimiento regular, potente pero discreto. Ella escudriñó las aguas.

¿Quién podía llegar en una barca a esas horas? Los pescadores, que aprovechaban la brisa que levantaban los primeros rayos del sol, nunca se aventurarían en el lago antes del alba.

Inquieta, dudó si despertar a las sirvientas. ¿Habría enviado algún marido celoso a unos canallas para que trataran de dar un golpe? Eso ya había ocurrido. Más de una amenaza habían proferido contra Raquel y su «casa de mentiras» algunos hombres que habían descubierto su influencia sobre sus esposas.

Con prudencia, Miriam retrocedió a lo largo del muelle, ocultándose entre las ramas de un tamarisco. No tuvo que esperar mucho. Bien visible sobre la superficie del lago en el que se reflejaba el cielo que clareaba por el este, apareció una barca estrecha.

La barca se deslizaba sin dificultad. Un solo hombre, a proa, manejaba el largo remo. Llegado al centro del pasillo de juncos que conducía al muelle, se detuvo. Miriam supuso que trataba de localizar el pontón.

Con un hábil golpe, más violento, más largo, hizo girar el barco, dirigiéndolo directamente hacia Miriam.

Una vez más, ella pensó en huir. Pero el miedo la inmovilizó. Mientras trataba de distinguirlo mejor, algo en su silueta, en su cabellera, en su forma de echar la cabeza atrás le pareció familiar. Sin embargo, era imposible...

Pronto, el hombre dejó de impulsar la barca, guiándola solo con el remo. Un golpe indicó que la proa había tocado el muelle. La sombra hizo desaparecer al hombre. Después, se incorporó de repente antes de inclinarse para atar un cabo a la argolla de cubierta. La barca cabeceó. Hizo un movimiento vivo, ágil, para mantenerse. Su perfil se dibujó en el alba naciente. Miriam comprendió que no se equivocaba.

¿Cómo era posible?

Salió de su escondite y avanzó.

Él percibió la ligera zancada de sus pasos. De un brinco, saltó sobre el muelle. El brillo de una hoja de metal arañó la penumbra. Ella sintió miedo, ahogando un grito, temiendo haberse equivocado. Permanecieron inmóviles un instante, desconfiando cada una de la otra persona.

—¿Barrabás? —preguntó ella con una voz apenas audible.

Él no se movió. Estaba tan cerca que ella oía su aliento.

—Soy yo, Miriam —dijo ella, tratando de tranquilizarse un poco.

Él no respondió, se volvió hacia la barca, se agachó para verificar el nudo que la retenía. De nuevo, el pálido resplandor del cielo aclaró su perfil. Ella ya no tuvo duda alguna.

Avanzó con las manos tendidas.

—¡Barrabás! ¿Eres tú realmente?

Esta vez, él la miró de frente, cuando ella estuvo bastante cerca para tocarlo, él, con voz ronca, cansada, exclamó cómicamente:

—Pero, ¿qué haces aquí en plena noche?

Esto le hizo reír. Una risa nerviosa y llena de alegría. Un gozo desaparecido tanto tiempo atrás que la arrastró. Lo atrajo hacia ella, besándole la mejilla y el cuello.

Ella se dio cuenta de que temblaba y se mostraba temeroso de sus caricias. Se estiró, la rechazó y dijo antes de que ella pudiera preguntarle nada:

—Necesito tu ayuda. Abdías está conmigo.

—¿Abdías?

Él señaló la barca. Ella distinguió dos paquetes negros en el fondo del barco, una forma bajo una piel de cordero.

—Duerme —dijo ella, sonriendo.

Barrabás se dejó deslizar en la embarcación.

—No duerme. Está herido. Y mal.

La alegría que había inundado a Miriam desapareció. Barrabás levantó el cuerpo inerte del pequeño *am ha'aretz*.

—¿Qué le ha pasado? ¿Es muy grave? —preguntó ella.

Barrabás rechazó la pregunta con un gesto irritado.

—Ayúdame.

Ella se agachó, deslizó las manos bajo la espalda de Abdías. Una humedad cálida impregnó sus manos y sus dedos.

—¡Dios! Está lleno de sangre.

—Hay que salvarlo. Por eso he venido.

* * *

No pasó mucho tiempo hasta que la casa se despertara. Llevaron lámparas y antorchas para iluminar mejor la habitación en la que Barrabás acababa de depositar a Abdías.

Raquel, Mariamne, las sirvientas, incluso el cochero Recab, se arremolinaban alrededor de la cama. El cuerpo lívido del *am ha'aretz* parecía tan frágil como el de un niño de diez años, aunque su curioso rostro, paralizado por la inconsciencia o el dolor, era más viejo y más duro que de costumbre. Ennegrecido de sangre, manchado de polvo coagulado, una venda improvisada le atravesaba el pecho.

—Hemos hecho lo que hemos podido para que no se vaciara como un cordero —murmuró Barrabás—. Pero la herida se abre sin cesar. Yo no sé nada de emplastos. Donde estamos, nadie podía ayudarnos. No está lejos de aquí...

No acabó la frase, esbozó un movimiento inseguro. Raquel asintió. Le aseguró que había hecho bien, empujó a las sirvientas que miraban insistentemente al bandido del que tanto habían oído hablar. El rostro de Barrabás, ahora que las lámparas alumbraban, estaba gris de fatiga, atormentado por la tristeza. Su mirada no encerraba nada del fuego y de la rabia que Miriam había contemplado tantas veces. Largas costras, debidas a heridas mal cicatrizadas, recubrían sus brazos y, cuando podía, aliviaba de su peso una de las piernas.

—¿Tú también estás herido? —se interesó Raquel.

—No es nada.

Las sirvientas trajeron agua caliente y paños limpios. Miriam dudó al deshacer el vendaje. Le temblaban los dedos. Raquel se arrodilló y deslizó la hoja de un cuchillo bajo el tejido sucio. Con pequeños tijeretazos, deshizo el vendaje que Miriam apartaba, revelando poco a poco la herida.

Bajo la caja torácica, encima del vientre, la herida era lo bastante grande para dejar ver las entrañas. La lanzada que un mercenario había retorcido para agravar la herida. Las sirvientas gimieron, tapándose los ojos y cubriéndose la boca. Raquel las mandó fuera. Valerosamente, Mariamne se puso al lado de Miriam, con los labios temblando. Humedeció un paño en el agua y se lo tendió a su amiga, que, con el rostro duro, sin lágrimas, comenzó a limpiar el contorno de la herida.

Cuando acabó de retirar los vendajes sucios, Raquel miró de frente a Barrabás.

—Es peor de lo que pensaba. Ninguna de nosotras sabe lo bastante para curar una herida tan profunda.

Barrabás la interrumpió con un quejido salvaje.

—¡Hay que salvarlo! Hay que cerrar la herida, poner emplastos...

—¿Cuánto tiempo hace que está en este estado?

—Dos noches. No estaba tan mal, al principio. El dolor lo mantenía despierto. Debería haber venido antes. Pero tenía miedo de agrandar la herida. Hay que salvarlo. He visto a otros que han sobrevivido a heridas peores...

Las palabras le salían mecánicamente, como si las hubiese repetido miles de veces, a cada golpe de remo que lo había acercado a Magdala.

Raquel vio que esbozaba un gesto hacia el hombro de Miriam mientras que, sin una palabra, lavaba el rostro de Abdías. Dejó caer el brazo, con la boca amarga.

—Ve a descansar —le dijo ella con dulzura—. Tú también necesitas cuidados. Vete a comer y a dormir. Aquí no nos eres útil para nada.

Barrabás se volvió hacia Raquel como si no comprendiera nada. Ella le sostuvo la mirada. Unos ojos atormentados por los horrores de una matanza. Ella dominó el temblor que le atravesaba la nuca y encontró la fuerza para esbozar una sonrisa.

—Vete —insistió ella—. Vete a descansar. Nosotras cuidaremos a Abdías.

Él dudó, lanzó aún una mirada hacia Miriam. Salió de la habitación sin que ella le dirigiera siquiera un gesto.

\* \* \*

Durante todo el tiempo en el que ellas se estuvieron ocupando del niño, Abdías permaneció sin conocimiento. Su extraño rostro no dejaba traslucir ningún sufrimiento, sino, más bien, un gran desvalimiento. Varias veces, Miriam acercó su mejilla a la boca del niño para asegurarse de que respiraba. Mientras ella le lavaba las manchas coaguladas por el sudor, sus gestos se parecían cada vez más a caricias.

El cuerpo del niño estaba cubierto de golpes. Los hematomas le ennegrecían los muslos y la piel de las caderas estaba desgarrada. Sin duda, lo habían arrastrado por el suelo, quizá desde un caballo, y durante un gran trecho.

Sin reconocerlo, Miriam temía que le hubiesen roto igualmente los huesos. Raquel hizo el mismo razonamiento. En silencio, con una dulzura extrema, palpó las piernas y los brazos de Abdías. Mirando a Miriam, movió la cabeza. Nada parecía roto. En cambio, era imposible saber cómo estaba la cadera.

Las sirvientas regresaron con gran cantidad de paños limpios, el cochero había ido a despertar a una mujer de la vecindad, conocida por su conocimiento de las plantas, que, en cada parto, hacía el oficio de comadrona.

Cuando ella vio a Abdías, tuvo un sobresalto y empezó a gemir. Con sequedad, Raquel le impuso silencio y le preguntó si era capaz de fabricar unos emplastos para curar las heridas y, sobre todo, para impedir la hemorragia.

La mujer se tranquilizó. Mariamne le tendió una lámpara, que ella acercó a la herida. Examinó al niño con cuidado, sin rastro de temor.

—Naturalmente que puedo hacer un emplasto —murmuró ella incorporándose—. E incluso un vendaje que impida que eso se pudra demasiado rápido. Y también elaborar un brebaje que sostenga a este pobre crío, si sois capaces de hacérselo beber. Pero no me aventuraría a jurar que todo eso lo sane y lo cure.

Con la ayuda de Mariamne y de las sirvientas, la comadrona preparó un emplasto compuesto por arcilla, mostaza negra molidas con pimientos y polvo de clavo. Envió a las sirvientas a cocer una buena cantidad de hojas aterciopeladas de consuelda y de llantén que bordeaban las sendas del jardín. Las añadió al preparado, amasándolo todo hasta obtener una pasta de textura viscosa.

Mientras tanto, siguiendo sus indicaciones, Mariamne hervía ajo y una raíz de serpol, tomillo y granos de cardamomo en leche de cabra con vinagre. Con esta mezcla se mantenía de ordinario a las personas ancianas cuyo corazón apenas latía.

Con la ayuda de Raquel, Miriam se la hizo beber con dificultad a Abdías, después de que la comadrona le hubiera recubierto las heridas con el emplasto y vendado de nuevo la llaga. En su inconsciencia, regurgitaba sin cesar el líquido. Ellas siguieron haciéndosela tomar pacientemente gota a gota.

¿Produjo esto algún efecto? Mientras ellas le daban la vuelta para vendarlo mejor, Abdías dio unos gemidos tan fuertes que se quedaron paradas. Sin atreverse a hacer un gesto más, vieron que se agitaban sus dedos, como si tratara de agarrar algo. Cuando volvieron a ponerlo delicadamente sobre la espalda, su respiración se aceleró. Abrió los párpados. Al principio, parecía que sus ojos no veían nada. Después, se dieron cuenta de que estaba recuperando la conciencia.

Sus ojos se deslizaron sobre los rostros desconocidos de Mariamne y Raquel. La sorpresa, el dolor, el temor se mezclaban en su rostro de rasgos marcados y prematuramente envejecidos. Descubrió a Miriam. Un tenue suspiro se deslizó entre sus labios. Se relajó, aunque su respiración era difícil.

Acercando mucho su cara a la suya, Miriam le agarró dulcemente la mano. Ella le susurró:

—Soy yo, Miriam. ¿Me reconoces?

Movió los párpados. El esbozo de una sonrisa iluminó sus pupilas. Parecía tan débil que ella temía que perdiera la conciencia de nuevo. Pero él luchó, encontró la fuerza para murmurar:

—Barrabás me había prometido... te vería antes...

Parecía que las palabras se desgarraban sobre sus labios. No logró acabar la frase. Pero sus ojos decían lo que no podía pronunciar.

—No te fatigues —dijo Miriam, poniéndole los dedos en su boca—. Es inútil hablar. Guarda tus fuerzas: te vamos a curar.

Abdías hizo una señal de negación.

—No es posible... Yo sé...

—No digas tonterías.

—No es posible.. El agujero es demasiado grande... He visto...

En un sollozo, Mariamne se levantó y salió de la estancia. Miriam cogió el cántaro que contenía el brebaje.

—Tienes que beber.

Abdías no protestó. Miriam humedeció sus labios agrietados con un paño; después, le puso con delicadeza el borde de un vaso entre los dientes. Él bebió un poco, temblando por el esfuerzo. Pero apenas absorbía un poco de la mixtura, tenía que recobrar el aliento.

Tras unos sorbos, Miriam apartó el vaso y le acarició con ternura la mejilla. Abdías buscó su mano y la agarró con sus dedos secos.

—Le prometí al padre Joaquín... Le prometí...

Extrañamente, la ironía brillaba en su mirada.

—... que sería tu esposo...

—¡Sí! —exclamó Miriam con fervor—. ¡Vive, Abdías! ¡Vive y serás mi esposo!

Esta vez, una auténtica sonrisa se deslizó sobre los labios de Abdías. Sus párpados se movieron de nuevo. Sus dedos agarraron un poco más los de Miriam. Después, sus ojos se cerraron. Solo quedó en sus labios una mueca.

—¿Abdías? —preguntó dulcemente Miriam.

No obtuvo respuesta.

—¿Vive todavía?

Era Barrabás, de pie, en el umbral de la habitación, quien había hecho la pregunta. Miriam, acurrucada al pie de la cama, apretando los dedos de Abdías contra sus labios, no respondió. Raquel se inclinó al lado de ella y puso la mano en el pecho del niño.

—Sí —dijo—. Su corazón late como un martillo, Que el Todopoderoso lo tenga en su misericordia.

\* \* \*

A mediodía, Abdías todavía vivía. Presa de la fiebre, con el cuerpo ardiendo, ni un instante había recobrado el conocimiento. Miriam lo velaba sin descanso.

La comadrona preparó nuevos emplastos, una nueva mixtura, hizo cocer paños en una infusión de menta y de clavo, con el fin de que los apósitos no pudriesen la llaga, según explicó. Pero, cuando Mariamne le preguntó si Abdías sobreviviría, ella se contentó con un suspiro. Señaló a Barrabás, que mantenía un aire arrogante, y declaró:

—A este también hay que curarlo.

Barrabás protestó con desprecio. La mujer no se dejó intimidar.

—A los demás, puedes escondérselo, pero yo lo veo: tienes fiebre. Ocultas una herida. Te corroe. En un día o dos, no estarás mejor que este pobre crío.

Barrabás, obstinado, la tachó de loca. Raquel los empujó fuera de la habitación.

—Evitad hacer tanto ruido al lado de Abdías —les exigió, antes de insistir para que Barrabás aceptara los cuidados de la comadrona. Vamos a necesitarte para salvar a tu compañero. Así que no te quedes en el mismo estado que él.

De mala gana, Barrabás se levantó la túnica. Un trozo de trapo desgarrado cubría su pierna derecha. La comadrona lo levantó e hizo una mueca de asco ante la llaga. La punta de una flecha había atravesado la carne del muslo. Era una herida leve al principio, pero tan mal cuidada que supuraba un humor amarillento y maloliente.

—Más mugriento que un piojo, ¡así estás! —suspiró ella.

Con un gesto seco, cogiéndolo por sorpresa, retiró la túnica de Barrabás, dejando a la vista su torso lleno de cicatrices y sembrado de costras.

—¡Mira esto!: cuchilladas, llagas y bultos... ¿Y desde cuándo no te lavas?

Barrabás la empujó hacia atrás con ira, y con insultos. Pero la mujer le agarró la nuca con fuerza y lo obligó a escucharla; sus caras estaban tan cerca que cualquiera hubiera creído que iban a besarse en la boca.

—¡Cállate, Barrabás! Sé quién eres: tu nombre ha llegado hasta aquí. Sé lo que haces y por qué luchas, no hace falta que me demuestres tu valor. También es inútil morir por estupidez, porque te rompa el corazón ver a tu pequeño compañero a las puertas de la muerte. Sé inteligente. Déjate curar, descansa unas horas y podrás ayudarle.

La tensión que mantenía rígidos los músculos de Barrabás cedió de golpe. Lanzó una mirada hacia la habitación en la que estaban Miriam y Abdías. Sus hombros se hundieron. Aunque no derramara ninguna lágrima, Raquel y la comadrona comprendieron lo que significaba el temblor de sus labios. Púdicamente, volvieron la cabeza.

Un poco más tarde, él se hundía en el baño preparado por las sirvientas y se dormía, completamente destrozado. La comadrona sonrió y le susurró al oído a Raquel que la aplicación de su medicina podía esperar.

Si Miriam había oído la disputa, las protestas de Barrabás, no lo demostró en absoluto. Tampoco se preocupó por el estado del guerrero.

A su lado, Mariamne observaba su rostro y no lo reconocía. Los rasgos serios pero acogedores habían dado paso a una cara dura y violenta, llena de una cólera que la marcaba tanto como la tristeza. La mirada fija parecía no ver el cuerpo de Abdías. Bajo los pliegues de la túnica, se adivinaba la extrema tensión de la espalda. La respiración era tan tenue como la del niño inconsciente.

Desconcertada, Mariamne no se atrevía a decir palabra. Sin embargo, ardía en deseos de saber quién era el pequeño *am ha'aretz* que tanto trastornaba a su amiga. Miriam nunca le había hablado de él, aunque se habían reído juntas, y más de una vez, de Barrabás, de cuyo valor y determinación, así como de su enorme orgullo, le gustaba hablar a Miriam.

Aún dudando, acabó por rozarle la mano.

—Vete a descansar tú también. Apenas has dormido esta noche. Yo me quedaré a su lado. No tienes nada que temer. Si abre los ojos, te llamo al instante.

Miriam no reaccionó inmediatamente. Mariamne creyó que no la había oído. Iba a repetirlo cuando Miriam levantó la cabeza y la miró. Curiosamente, sonrió. Una sonrisa sin alegría, pero de una ternura inmensa, que rompió la dureza de sus rasgos como se rompe una cerámica demasiado fina.

—No —dijo ella con esfuerzo—. Abdías me necesita. Sabe que yo estoy aquí y me necesita. Saca sus fuerzas de mi corazón.

Barrabás se despertó cuando el sol todavía no estaba muy alto. Enseguida se preocupó por saber si Abdías había recobrado la conciencia. La comadrona negó con la cabeza y no le dio tiempo a que hiciese otra pregunta antes de curarlo. Cuando hubo terminado, envolviéndole el muslo en un grueso vendaje que le dejaba rígida la pierna, se acercó a Miriam.

Ella ni siquiera hizo ademán de percatarse de su presencia. Con un gesto, que nunca era maquinal, de vez en cuando enjugaba la frente de Abdías o depositaba unas gotas de brebaje en sus labios. En otros momentos, le acariciaba las manos, la mejilla o la nuca. Sus labios se movían como si pronunciara unas palabras que ni Raquel ni Mariamne, acurrucadas al otro lado de la cama, lograban comprender.

De repente, la voz de Barrabás se elevó, seca y áspera. Con el rostro vuelto hacia Miriam, como si se dirigiera únicamente a ella, comenzó a contar.

—Matías, el que se reunió con nosotros en Nazaret, en casa de José, llegó un día cerca de Gabara, donde se escondía de los mercenarios. Me preguntó: «¿Hasta cuándo piensas esconderte como una rata? Necesitamos gente para luchar contra Herodes y hacerle mucho daño. Tú tienes mil hombres dispuestos a seguirte. Yo, solo la mitad, pero tengo muchas armas. Sobre todo, yo no he cambiado de opinión. Hay que luchar. Y, si hay que morir, ¡que sea plantando una espada en la panza de esos puercos!». Tenía razón y yo estaba cansado de esconderme. Y también de pensar sin cesar en tus reproches, Miriam. Es muy posible que tengas razón y que nos haga falta un nuevo rey. Pero no llegará solo porque lo desees. Por eso, estreché la mano de Matías y le dije que sí. Así empezó todo.

Al principio, la sorpresa había sido su mejor arma. Eran lo bastante numerosos para organizar ataques simultáneos en distintos lugares. En un camino, al paso de una columna de soldados, contra los campamentos o los pequeños fuertes levantados en las inmediaciones de las ciudades... Los mercenarios de Herodes, que no esperaban sus asaltos, se defendían mal y huían, dejando muchos muertos sobre el terreno. Si, superiores en número, resistían, Matías y Barrabás ordenaban unas retiradas demasiado rápidas para que sus enemigos pudieran perseguirlos. Lo más frecuente era que saqueasen las reservas o las incendiasen.

En pocos meses, la inquietud había comenzado a hacer mella en las tropas de Herodes. Los mercenarios temían desplazarse en pequeño número. Ningún campamento de Galilea era lo bastante seguro para ellos. Los robos y los incendios de los almacenes desorganizaban la intendencia de las legiones. Los oficiales romanos, tan altivos, que mandaban las plazas fuertes también manifestaban inquietud.

—Pero en la casa de Herodes reina la locura. Los romanos lo temen y no se atreven a decirle la verdad. En los palacios, nadie sabe distinguir la verdad de la mentira. Todo ha pasado exactamente como yo lo había previsto. No había mejor momento para la rebelión.

Todos los días llegaban hombres para unirse a ellos y luchar a su lado. En las aldeas de Galilea y del norte de Samaria, los recibían con los brazos abiertos. Los campesinos no se hacían de rogar para darles comida y, si era preciso, esconderlos. A cambio, cuando los golpes contra el tirano y sus secuaces rendían un botín suficiente, se compartía con alegría entre todos, combatientes y aldeanos.

Estimulados por su nueva fuerza, Barrabás y Matías decidieron llevar sus ataques cada vez más lejos, fuera de Galilea. Nunca grandes batallas, sino combates rápidos, mortíferos. Al principio, en Samaria; después, en el puerto de Dora, en el país de los fenicios, donde habían capturado un hermoso cargamento de armas forjadas al otro lado del mar. Habían aprovechado para liberar a un millar de esclavos. Eran bárbaros del Norte, algunos de los cuales se habían quedado con ellos. Atacaron Siquem y Acrabeta, a las puertas de Judea, burlándose de los hijos de Herodes supervivientes, refugiados en la fortaleza de Alexandrion.

—No tuvimos necesidad de combatir contra ellos, porque Herodes, en la pasada luna, ¡los asesinó él mismo!

Después de cada victoria, el entusiasmo aumentaba en las aldeas.

—Incluso los rabinos dejaron de denigrarnos en las sinagogas —añadió Barrabás con una voz sin matices—. Y cuando entrábamos en las villas no vigiladas por los mercenarios, los habitantes nos acogían cantando y bailando. Quizá eso sea lo que nos jugara una mala pasada.

Hablaba, y hablaba, como si necesitara limpiar su alma de sus vivencias intensas y extraordinarias de los últimos meses. Miriam, sin embargo, no quitaba la vista de Abdías. No mostraba ningún indicio de escuchar, mientras que, con el rostro levantado hacia Barrabás, Raquel y Mariamne no perdían una sola palabra.

Él señaló a Abdías con un gesto de dolor, casi acariciador.

—También a él le gustaba. Siempre le gustó luchar. En los combates, cuando nos sacudimos unos contra otros, con el cuchillo en la mano, cortando y gritando a diestro y siniestro, está en su salsa. Aprovecha su pequeñez, su aspecto de niño. Pero no hay que fiarse. Es más astuto que un mono y más valiente que todos nosotros. Sí, le encanta luchar. Se toma la revancha...

Barrabás se calló. Siguió en silencio la mano de Miriam que acariciaba el brazo de Abdías, le humedecía las sienes. Sacudió la cabeza.

—La idea de volver a Galilea para atacar la fortaleza de Tiberíades es suya. Quería realizar una hazaña. No por orgullo, sino para demostrar al fin a todos que tanto los legionarios de Roma como los mercenarios de Herodes estaban a nuestra merced. Incluso allá donde se creían más fuertes. Había que encontrar un lugar considerado invencible. Habíamos pensado en las fortalezas de Jerusalén o de Cesarea. Pero Abdías me dijo: «Podemos tomar Tiberíades. Casi lo hicimos ya».

Era cierto. El ataque durante el que habían liberado a Joaquín había puesto de manifiesto los puntos débiles de la fortaleza. Los romanos eran demasiado estúpidos y estaban demasiado seguros de sí mismos para haberlos corregido. Habían reconstruido tontamente las barracas del mercado y los edificios de madera que rodeaban los muros de piedra. Como la primera vez, se trataba de prenderles fuego.

Pero esta vez, en vez de aprovechar la confusión producida por el incendio para huir, forzarían las puertas. Pensaban tener bastantes hombres para sitiar el lugar.

Además, Barrabás y Matías no dudaban que, una vez entablados los combates y ante el debilitamiento de los mercenarios y los legionarios, la gente de Tiberíades tomaría las mazas, las guadañas, las hachas para luchar a su lado.

—La única dificultad —continuó Barrabás— era no levantar las sospechas de los espías de Herodes. No se podía meter en la ciudad a más de mil de la noche a la mañana.

Por eso, las dos bandas se distribuyeron en pequeños grupos de tres o cuatro. Disfrazados de mercaderes, campesinos, artesanos e incluso de mendigos, los rebeldes habían encontrado refugio en las aldeas de las colinas, en los pueblos de pescadores entre Tiberíades y Magdala. Esto llevó su tiempo: casi un mes entero.

—Sin duda, algunos se lo imaginaron —suspiró Barrabás—. Pero pensábamos...

Hizo un gesto de hastío.

¿Quién se había dejado sobornar: un traidor de la banda de Matías o de la suya, un pescador, un campesino demasiado asustado o un infame que quería ganar unos dineros a cambio de sangre?

—No lo sabremos nunca, pero creo que es uno de los nuestros. Si no, ¿cómo iban a saber dónde dormíamos, Matías y yo? Abdías estaba con nosotros. Es lo que el traidor ha contado sin duda: que estábamos en aquel pueblo, Matías y yo. Que bastaba detenernos para que los demás no se atrevieran a luchar.

Dos noches antes del ataque, a las primeras luces del amanecer, mientras el pueblo todavía dormía, un diluvio de fuego se abatió sobre las chozas. En la noche, una gran barca de guerra se había situado en el lago, a la altura del pequeño puerto. Las balistas instaladas a bordo habían proyectado decenas de jabalinas inflamadas sobre los tejados. Mientras las familias huían aterrorizadas, una cohorte de soldados romanos de caballería habían entrado en el pueblo por el norte y por el sur. Niños, mujeres, ancianos o combatientes, los soldados mataban sin distinción.

—Para ellos, era fácil —prosiguió Barrabás—. El pánico era enorme. Los niños y las mujeres gritaban, corrían en todos los sentidos antes de que los cascos de los caballos los atropellaran. Los romanos estaban entusiasmados. Apenas podíamos luchar. Y solo éramos cinco: Matías y dos de los suyos, Abdías y yo. Matías murió inmediatamente. Abdías me ayudó a huir...

Barrabás no pudo decir más. Su mano se deslizó sobre su rostro, en una vana tentativa de borrar lo que aún veía.

El silencio que siguió era tan intenso, tan terrible, que se percibía la respiración ronca del pequeño *am ha'aretz*.

Mariamne, sin darse cuenta, llevaba un rato aferrada a la mano de su madre. Se dejó deslizar contra la pared, llorando sin ruido, acurrucada.

Como si fuese de piedra, Miriam no se movía en absoluto. Raquel se dio cuenta de hasta qué punto esperaba Barrabás una palabra de ella. Pero no ocurrió nada. Simplemente, declaró con una voz seca:

—En nuestras manos, Abdías no vivirá.

Raquel se estremeció.

—¿Qué quieres hacer? La comadrona dijo que ella no podía hacer nada más. Y aquí, en Magdala, nadie sabe curar mejor que ella.

—Solo hay una persona que pueda devolverle la vida. Es José. En Bet Zabdai, cerca de Damasco. Él sabe curar.

—¡Damasco está demasiado lejos! A tres días, por lo menos. Ni lo sueñes.

—Sí, es posible. Día y medio, como máximo, debería bastar si no nos detenemos por la noche y si las mulas son buenas.

La voz de Miriam era cortante, fría. Estaba claro que, durante todo el discurso de Barrabás, solo había estado pensando en una única cosa: el medio de llegar a Damasco lo más rápidamente posible. Levantó el rostro hacia Raquel.

—¿Quieres ayudarme?

—Por supuesto, pero...

No había tiempo para dudar. Era evidente: si hacía falta, Miriam llevaría a Abdías en sus brazos hasta Bet Zabdai. Raquel se levantó sin prestar atención a la mirada estupefacta de Barrabás.

—Sí... Puedes coger mi carro. Voy a pedirle a Recab que lo prepare.

—Hay que hacerlo más cómodo —dijo Miriam—. Hay que preparar vendas, agua, emplastos. Y también una segunda persona para conducir las mulas. Cambiaremos en marcha. Tenemos que partir de inmediato...

Las frases sonaban como órdenes, pero Raquel bajó la cabeza sin ofenderse. Mariamne se levantó, enjugando sus lágrimas con un pliegue de su túnica.

—Sí, hay que darse prisa. Voy a ayudarte. Voy a ir contigo.

—No —dijo Barrabás—. Soy yo quien tiene que acompañarla. Hace falta un hombre para conducir las mulas.

Como antes, Miriam no le dirigió la mirada, sin aprobar ni rechazar su ayuda.

# Capítulo 11

Salieron de Magdala poco antes de que el sol alcanzara su cénit; no se concedieron descanso alguno. Habían duplicado el tiro de mulas y Recab, el cochero de Raquel, se había instalado al lado de Barrabás en el pescante. Alternándose con las riendas, debían mantener el ritmo más intenso que pudieran aguantar las mulas.

Unas vasijas de agua y de brebaje nutritivo, unos botes de ungüento, un frasco de vinagre de cidra estaban al alcance de la mano, en grandes serones atados a los bancos del carro. Mariamne y Raquel habían añadido vendajes limpios y paños de recambio. La velocidad acrecentaba el caos, aunque las sirvientas, como había reclamado Miriam, hubiesen forrado el interior del carro de gruesos colchones de lana. Abdías descansaba, con el cuerpo sacudido entre almohadones, inconsciente.

Miriam vigilaba su rostro y su respiración. Con regularidad, humedecía un paño en agua y acariciaba el rostro del pequeño *am ha'aretz*, con la esperanza de refrescarlo.

Nadie decía una sola palabra. El sordo rumor de las ruedas encubría todos los ruidos. Únicamente, de vez en cuando, Barrabás o Recab gritaban para que la gente se apartara a su paso.

Por el camino, en las aldeas y los pueblos que atravesaban, los pescadores, los campesinos, las mujeres de vuelta de los pozos se paraban un momento, metiéndose precipitadamente en las cunetas. Sorprendidos, desconfiados, veían pasar estas mulas y este carro, que levantaban tanto polvo como una tempestad.

Atravesaron así Tabgá, Cafarnaúm y Corozaín. Antes de anochecer, llegaron al extremo sur del lago Merom, donde se efectuaba la travesía del Jordán.

Allí, Barrabás tuvo que discutir para que los bateleros aceptaran, a la luz incierta del crepúsculo, cargar el carro y los animales en su pesada barcaza. Uno tras otro, los hombres se acercaron a levantar las cortinas de yute que disimulaban el interior del carro. Intuyendo la silueta inclinada de Miriam, la masa confusa de Abdías entre los almohadones, retrocedían, horrorizados, ante el olor de la enfermedad. El puñado de denarios que Barrabás sacó de la bolsa que le entregó Raquel los decidió. Reclamaron el triple del precio habitual y prepararon sus remos y jarcias.

La noche era casi total cuando llegaron a la orilla de la Traconítide. Allí, los caballeros árabes del reino de Haurán se acercaron a inspeccionar con antorchas. Además, reclamaron un peaje.

Una vez más, perdieron tiempo con los regateos. Cuando retiraron las colgaduras del carro y descubrieron a Miriam a la luz escarlata de las antorchas, ella se volvió hacia ellos. Apartó el cobertor que cubría a Abdías y dijo:

—Va a morir si no llegamos pronto a Bet Zabdai.

Vieron sus ojos brillantes, el cuerpo vendado del niño, su rostro pálido y se retiraron sin demora.

Se dirigieron a Barrabás y a Recab:

—Vuestras mulas ya no pueden más. Y además, de noche; así no llegaréis a Damasco. A unas dos millas de aquí, hay una granja. Alquilan animales. Allí podréis cambiar vuestro tiro, si tenéis suficientes denarios para ello.

Barrabás asintió con alivio. Los caballeros se situaron a ambos lados del carro, blandieron sus antorchas y los escoltaron entre las sombras de las pitas y los nopales que flanqueaban el camino.

Hubo que despertar a los granjeros, vencer su aturdimiento y contar los denarios. Cuando, al fin, los yugos estuvieron colocados sobre las testuces de los animales frescos, Recab dispuso antorchas sobre los arneses y linternas alrededor del carro. Colgó una en el interior.

Hecho esto, dijo a Miriam:

—Por la noche, no podremos ir tan deprisa. Nos arriesgaríamos a que las mulas se hicieran daño en una carrilera.

Miriam se contentó con responder:

—Vete lo más rápido que puedas y, sobre todo, no te detengas.

\* \* \*

Cuando el alba coloreó el horizonte, allí donde empezaba el desierto, Damasco solo estaba a cincuenta millas. Hacía mucho tiempo que se habían apagado lámparas y antorchas. Bajo el cuero de los arneses, el pecho de las mulas estaba blanco de sudor.

Barrabás y Recab luchaban por mantener los ojos abiertos, aunque se fueron relevando una decena de veces. En el interior del carro, Miriam había permanecido sentada, con los músculos agarrotados, meciéndose a la par de los vaivenes.

Cuando se apagó la lámpara, sumergiéndola en la negrura e impidiéndole ver el rostro de Abdías, ella le había cogido la mano, apretándola contra su pecho. Desde entonces, no la había soltado ni un instante. Sus dedos entumecidos ni siquiera sentían la presión que ejercía Abdías en su coma.

Desde que intuyó que se acercaba el día, levantó la cortina del carro. El aire fresco de la noche le golpeó el rostro, eliminó su torpor al mismo tiempo que los nauseabundos olores de los que ni siquiera tenía conciencia.

Delicadamente, separó los dedos de Abdías de su mano, mojó un paño en un cántaro y se humedeció la cara. Con el espíritu más claro, humedeció de nuevo el paño. Iba a pasarlo sobre el rostro de Abdías cuando detuvo su gesto, ahogando un grito.

El niño tenía los ojos abiertos de par en par. La miraba. Por un instante, se preguntó si vivía todavía. Pero no cabía duda. Entre las ojeras oscuras del dolor y de la enfermedad, los ojos de Abdías le sonreían.

—¡Abdías! ¡Dios Todopoderoso, vives! Vives...

Ella acarició el rostro macilento, lo besó en la sien. El niño recibió sus caricias con un escalofrío que le recorrió todo el cuerpo. No tenía fuerzas para hablar ni siquiera para levantar la mano.

Miriam le humedeció los labios, le dio un poco de beber, procurando mantener el vaso cerca de su boca mientras los sacudían los vaivenes. La mirada de Abdías no se apartaba de ella. Sus pupilas parecían inmensas, más negras y más profundas que la noche. En ellas podía sumergirse en una dulzura, una ternura, que se ofrecían sin límites.

Subyugada, Miriam depositó en él su mirada. Le parecía percibir la extraña felicidad de Abdías. Su corazón y su alma no hablaban de dolor ni de reproche. Ni siquiera de lucha ni de lástima. Al contrario, le ofrecía la extraña paz de la vida.

Ella no sabía cuánto tiempo permanecerían así unidos. Quizá el tiempo de un vaivén o el tiempo que tardara el día en llegar a su plenitud.

Abdías le manifestaba su amor y su felicidad por estar en sus manos. Con él, ella recordó su encuentro en Séforis, cómo la había conducido hasta Barrabás y cómo había salvado a Joaquín. Creyó oírlo reír. Le contaba lo que ella ignoraba. La vergüenza de ser un *am ha'aretz* cuando se mira a una chica como ella. Le contaba la felicidad y la esperanza de la felicidad. Había querido luchar para que ella estuviera orgullosa de él.

Ella no tenía que estar triste, porque, gracias a ella, él había conseguido lo que engendraba la alegría: luchar para que la vida sea más justa y el mal, más débil. Y ella estaba tan cerca de él, tan cerca que él podía disolverse en ella y no abandonarla jamás. Sería su ángel, como el que decían que Yahveh, el Todopoderoso, enviaba a veces a los humanos.

Sin darse cuenta siquiera, ella le sonreía, mientras un alarido de dolor se hinchaba en su pecho. La mirada de Abdías se hundía en ella tanto como él la acogía. Le inflamaba el corazón con un amor posible e imposible, resplandeciente de esperanza. Ella respondía con todas las promesas de vida de las que era capaz.

Después, un vaivén más brutal que los demás hizo bascular la cabeza de Abdías de costado. Su mirada se eclipsó como un hilo que se rompe. Miriam supo que había muerto.

Ella gritó su nombre en un alarido. En un trance terrible, se echó sobre él.

Recab tiró de las riendas de un modo tan brutal que una de las mulas se atravesó, a punto de romper su arnés. El carro se inmovilizó y se desencadenó la confusión. Miriam se desgañitaba gritando. Barrabás saltó del pescante y comprendió de inmediato lo que ocurría.

Saltó al carro para coger a Miriam por los hombros y apartarla del cuerpo de Abdías, que sacudía como si fuese un saco. Ella lo rechazó con una violencia asombrosa. Él se desequilibró, pasando por encima de la barandilla del carro y cayendo pesadamente sobre el polvo y los guijarros del camino.

Miriam se incorporó para gritar más fuerte, levantar al cielo el cadáver de Abdías y mostrarle la inmensidad de la injusticia y el dolor en el que estaba sumida. Pero sus piernas, entumecidas por la larga inmovilidad, no la sostenían. Bajo el peso de Abdías, se desequilibró también y cayó al suelo. Se quedó inerte, con el cuerpo del niño enrollado en una bola informe a su lado.

Barrabás se precipitó, con el miedo en el vientre. Pero Miriam no estaba inconsciente. Ningún miembro, ningún hueso de su cuerpo se había roto. Cuando la tocó, ella lo rechazó de nuevo. Lloraba, deshecha en sollozos. Las lágrimas transformaban en barro el polvo que cubría sus mejillas.

Barrabás retrocedió, perdido, aterrorizado. Cojeaba un poco. La herida del muslo se había abierto de nuevo. Recab se acercó para sostenerlo.

Ambos se quedaron atónitos cuando Miriam se incorporó, amenazando a Barrabás con el puño, gritando como loca:

—¡No me toques! ¡No me vuelvas a tocar nunca! Tú no eres nada. ¡Ni siquiera eres capaz de resucitar a Abdías!

* * *

Un silencio sorprendente, en el que se oía rechinar el viento sobre la arena y en los matorrales espinosos, siguió a los gritos.

Recab esperó un momento antes de acercarse al cuerpo de Abdías para cogerlo en brazos. Las moscas ya estaban acudiendo, atraídas por el olor de la muerte. Bajo la vigilancia helada de Miriam, lo depositó en el carro, lo cubrió con cuidado, con gestos tan tiernos como los de un padre.

Barrabás no hizo ademán de ayudarle. Sus ojos estaban secos, pero sus labios temblaban. Se diría que buscaba las palabras olvidadas de una oración.

Cuando Recab volvió a bajar del carro, Barrabás miró de frente a Miriam. Hizo un gesto de impotencia, de fatalidad. Quizá quisiera levantarla, porque ella permanecía agachada en el suelo, acurrucada como si le hubiesen pegado. Pero no se atrevió.

—Sé lo que piensas —dijo él, hosco—. Que tengo la culpa. Que ha muerto por mi causa.

Hablaba demasiado fuerte en el silencio que los rodeaba. Miriam, sin embargo, no rechistó, como si no le hubiese oído. Barrabás se revolvió, giró sobre sí mismo, buscó el apoyo de Recab. Pero el cochero bajó la cabeza, inmóvil, al lado del tiro de mulas, con las riendas en la mano.

Barrabás se acercó cojeando a una rueda; se apoyó en ella.

—Tú me condenas, ¡pero lo mató la lanza de un mercenario!

Con los músculos tensos, agitó los puños.

—¡A Abdías le encantaban los combates! Le gustaba eso. Y me quería, a mí, tanto como yo a él. Sin mí, no hubiera sobrevivido. Cuando lo recibí en mis brazos, solo era un niño pequeño, un mocoso que no levantaba un palmo del suelo.

Se golpeó el pecho con violencia.

—¡Yo lo libré de las garras de los traidores del Sanedrín, mientras que las buenas gentes como tú habían dejado morir de hambre a sus padres! Yo le di todo. ¡De beber, de comer! Un techo para protegerse de la lluvia y del frío. Robar para vivir, esconderse, conmigo lo aprendió. Cada vez que íbamos al combate, temía por él como un hermano teme por su hermano. Pero somos guerreros. ¡Sabemos a lo que nos arriesgamos! ¡Y por qué lo hacemos!

Esbozó una risa desagradable, angustiada.

—Yo no he cambiado mi forma de pensar. No tengo miedo. ¡No necesito meter la nariz en los libros para saber si hago el bien o el mal! ¿Quién salvará Israel si no luchamos? ¿Tus amigas de Magdala?

Miriam no dijo absolutamente nada, insensible a las palabras que le lanzaba como piedras.

Incrédulo, impotente, observó esta indiferencia. El dolor arruinaba sus facciones. Dio unos pasos, cojeando; alzó los brazos al cielo:

—¡Abdías! ¡Abdías!...

A su alrededor, se callaron los saltamontes. De nuevo, el silencio solo se vio roto por el paso del viento a través de los arbustos.

—¡Ya no hay Dios para nosotros! —gritó Barrabás—. Se acabó. Ya no hay Mesías al que esperar. ¡Hay que luchar, luchar, luchar! Hay que destrozar a los romanos o ser masacrados por ellos...

Por fin, Miriam levantó la cabeza. Ella lo miró, fría y tranquila. Con un gesto casi maquinal, cogió un puñado de polvo y se lo echó sobre la cabellera, en señal de duelo. Se arregló los pliegues de la túnica y se puso en pie, tambaleándose.

Más adelante, al lado del tiro de mulas, Recab hizo un gesto, temiendo que ella se cayera de nuevo. Pero ella se acercó al carro. Antes de subir, se volvió hacia Barrabás. Sin levantar la voz, dijo:

—Eres un estúpido y un mentecato. No solo ha muerto Abdías por tu culpa. También mujeres, niños. Toda una aldea. Y tus compañeros y los de Matías. ¿Para qué? ¿Para qué victoria? Ninguna. Muertos por tu obstinación. Muertos por tu orgullo. Muertos porque Barrabás quiere ser lo que no será nunca: rey de Israel...

Ante estas palabras, él vaciló. Pero lo que lo anonadaba era el desprecio helado que cubría el rostro de Miriam.

—Es fácil condenarme a mí, que me atrevo a luchar.

—Nunca serás el más fuerte. Solo añadirás sangre y dolor adonde ya hay sangre y dolor.

—¿No fuiste tú la que viniste a buscarme para que yo salvara a tu padre? ¡No te preocupaba entonces que matáramos o nos dejáramos matar! ¡Te olvidas muy pronto de que también tú querías la rebelión!

Ella asintió con la cabeza.

—Sí. Yo también soy culpable. Pero ahora lo sé. Ese no es el camino. No es así como impondremos la vida y la justicia.

—¿Y cómo, entonces?

Ella no respondió. Saltó al carro y se acurrucó al lado del cuerpo de Abdías. Poniendo la cara sobre la manta que lo cubría, lo abrazó.

Barrabás y el cochero seguían estupefactos. Al fin, Recab preguntó:

—¿Qué quieres que hagamos, que volvamos a Magdala, a casa de Raquel?

—No —murmuró Miriam, con los párpados cerrados—. Hay que ir a Bet Zabdai, a casa de José, donde están los esenios. Ellos saben curar y resucitar.

Recab creyó haber oído mal. O quizá Miriam estuviera un poco trastornada por la fatiga. Miró a Barrabás, dispuesto a hacerle una pregunta. Pero las lágrimas corrían por las mejillas del bandido al que admiraba toda Galilea.

Recab bajó la vista y subió a su sitio en el pescante del carro. Esperó un momento a que Barrabás subiera a su lado.

Como este no se movía, Recab arreó con las riendas a las mulas y puso en marcha el tiro.

* * *

Entraron en Damasco poco antes de anochecer. En varias ocasiones, Recab se había detenido para dejar que descansaran las mulas. En cada parada, había aprovechado para comprobar cómo estaba Miriam.

Parecía dormida, pero mantenía los ojos abiertos. Sus brazos seguían aferrados al cuerpo de Abdías. Recab había llenado un vaso con agua de una vasija.

—Debes beber; si no, vas a enfermar.

Miriam lo miró como si apenas lo viera. Como ella no cogía el vaso, él se atrevió a pasarle la mano bajo la nuca y acercarle el vaso a los labios, obligándola a beber, como ella misma lo había hecho, durante la noche y el día anteriores, con Abdías. Ella no protestó. Al contrario, se dejó hacer con una sorprendente docilidad, cerrando los ojos y agradeciéndolo con un esbozo de sonrisa.

A Recab le sorprendió su rostro. Por primera vez, las facciones de Miriam eran las de una chica joven y no la de una mujer joven austera, de mirada intimidante.

A la entrada de los opulentos jardines que rodeaban Damasco y la sumergían en un entorno espléndido de verdor en el que se afanaba la muchedumbre de los barrios bajos, Recab se detuvo de nuevo. Esta vez, cerró con cuidado las cortinas del carro.

—Es mejor que no te vean —murmuró, a modo de explicación.

En realidad, pensaba sobre todo en el cadáver de Abdías. Si alguno de los campesinos se percatara de su presencia, habría provocado una aglomeración de personas a las que sería difícil darles una explicación.

Pero Miriam no pareció oírle. Solo un poco más tarde, preguntó por la aldea de Bet Zabdai. Se lo indicaron sin dificultad, a dos leguas de los suburbios. Todo el mundo la conocía como la aldea en la que sanaban. Y, por fortuna, el camino que conducía allí era suficientemente ancho para que Recab pudiera conducir el carro sin demasiadas dificultades. Situada al oeste de Damasco, rodeada de campos y huertos, la aldea se reducía a unas casas de piedra encaladas. Las azoteas estaban cubiertas de parras. Carentes de ventanas al exterior, las paredes encerraban unos patios interiores. La casa ante la que se detuvieron solo tenía un gran portón de madera, pintado de color azul. Un portillo, justo lo bastante grande para un niño, permitía el paso sin necesidad de abrir el portón. Lo adornaba un aldabón de bronce.

Después de inmovilizar el tiro de mulas, Recab bajó del pescante y se adelantó a llamar con el aldabón. Esperó y, como no venía nadie, llamó más fuerte. No hubo respuesta. Creyó que no le abrirían. Como el cielo ya estaba rojo y se acercaba la noche, no era nada raro.

Se volvió hacia el carro, preocupado por tener que dar la noticia a Miriam, cuando se entreabrió el portillo. Un joven esenio con la cabeza afeitada, vestido con una túnica blanca, asomó la cabeza, con aspecto suspicaz. Era la hora de la oración y no de visitas, indicó. Había que esperar al día siguiente para que los asistieran en la casa.

Recab dio un salto. Retuvo el portillo antes de que el chico lo cerrase. Este empezó a protestar. Con un gesto carente de toda delicadeza, Recab lo agarró por la túnica y lo llevó a la fuerza hasta el carro. Levantó la cortina. El joven esenio, que lanzaba insultos a gritos y se debatía furioso, respiró el olor de la muerte. Se quedó inmóvil, abrió unos ojos como platos y descubrió a Miriam en el hueco oscuro del carro.

—Abre la puerta —rugió Recab, soltándolo al fin.

El chico se arregló la túnica. Incómodo ante el espectáculo que ofrecía Miriam, bajó la vista.

—Esto se sale de la regla —dijo, obstinado—. A esta hora, los maestros prohíben abrir.

Antes de que Recab pudiera reaccionar, Miriam habló.

—Dale mi nombre al sabio José de Arimatea. Dile que estoy aquí y no puedo ir más lejos. Soy Miriam de Nazaret.

Ella se había incorporado un poco. Su voz era de una dulzura tal que desconcertó al joven esenio más aun que lo que veía. No respondió; se dirigió al interior de la casa. Recab se dio cuenta de que no cerraba el portillo tras él.

No tuvieron que esperar mucho. Rodeado de algunos hermanos, salió José de Arimatea.

No se molestó en saludar a Recab, sino que saltó al carro. Quería preguntar a Miriam cuando ella desveló el rostro de Abdías. De inmediato, reconoció al pequeño *am ha'aretz*. Dejó escapar un lamento. Miriam murmuró unas frases apenas comprensibles. Recab oyó que le pedía a José que resucitara al niño.

—Tú puedes hacerlo. Sé que puedes —murmuraba, como si hubiese perdido la razón.

José no perdió tiempo en responderle. La cogió bajo los brazos, reclamó la ayuda de sus compañeros para bajarla del carro. Ella protestó, gimió, pero estaba demasiado débil para luchar. Ella tendió las manos hacia José, suplicando con una voz que ponía la carne de gallina:

—Te lo suplico, José, haz este milagro... Abdías no merecía esta muerte. Hace falta que siga vivo.

Con el rostro tenso, grave, José le acarició la mejilla sin decir palabra. Con una señal, ordenó que la llevaran al interior de la casa.

* * *

Más tarde, después de que Recab hubiera guardado el carro en el patio y de que se hubiesen llevado el cuerpo de Abdías, José se le acercó. Con amabilidad, puso la mano sobre el hombro del cochero.

—Vamos a cuidar de ella —dijo, señalando el ala en la que se alojaban las mujeres, adonde habían conducido a Miriam. Gracias por lo que has hecho. El viaje ha tenido que ser duro. Tienes que comer y descansar.

Recab señaló las mulas que acababa de liberar del yugo.

—También a ellas hay que cuidarlas y alimentarlas. Mañana regresaré. Es el carro de Raquel de Magdala. Debo llevarlo lo antes posible...

—Mis compañeros se ocuparán de los animales. Tú ya has hecho bastante por hoy. No te preocupes por tu ama. Ella puede esperar su carro unos días más. Así, podrás llevarle buenas noticias de Miriam.

Recab dudó, deseando protestar y aceptar al mismo tiempo. José lo impresionaba. Su benevolencia, su tranquilidad, su cabeza calva, su mirada azul y dulce, el gran respeto que le demostraban los jóvenes esenios que se afanaban en la casa... todo le intimidaba de este hombre. Sin embargo, estaba muy afectado. Lo que acababa de vivir bullía en su alma y sobrepasaba su imaginación.

Los dedos de José se aferraron afectuosamente a su hombro. El sabio lo llevaba hacia la gran sala común.

—Yo no conocía muy bien a ese niño, Abdías —observó—. Pero Joaquín, el padre de Miriam, me habló muy bien de él. Esta muerte es triste. Pero todas las muertes son tristes e injustas.

Entraron en una larga estancia abovedada, completamente blanca, amueblada solo con una mesa inmensa y bancos.

—No te preocupes por Miriam —siguió diciendo José—. Es fuerte. Mañana estará mejor.

De nuevo, Recab quedó impresionado por la atención que le prestaba el maestro de los esenios. Ni siquiera en la residencia de Raquel lo trataban con tanto miramiento, a él, el cochero. Buscó los ojos azules de José y dijo:

—Barrabás, el bandido, estaba con nosotros esta noche. Él es quien llevó al pequeño a Magdala...

José bajó la cabeza. Hizo sentar a Recab y él se sentó a su lado. Un joven hermano ya estaba allí y dejó ante ellos una escudilla de sémola y un vaso de agua.

Recab, con la mano un poco temblorosa, se llevó a la boca una primera cucharada. Después, dejó la cuchara, se volvió hacia José y empezó a contar todo el horror que había sido el viaje.

# CAPÍTULO 12

LA RECUPERACIÓN DE MIRIAM LLEVÓ MÁS TIEMPO del que José había previsto.

Le habían instalado en una de las pequeñas habitaciones del ala de las mujeres, al norte de la casa. Tan pronto como estuvo allí, protestó. Quería estar al lado de Abdías. Se negaba a tomar alimento, a tranquilizarse, a ser razonable como le pedían. Cada vez que una sirvienta le repetía que debía cuidar de su propia salud y no de la de Abdías, porque había muerto, Miriam la insultaba sin contemplaciones.

Sin embargo, tras una dura jornada de luchas y de gritos, las sirvientas consiguieron que tomara un baño, comiera tres cucharadas de sémola en leche y tomara una tisana que la adormeció sin que se diera cuenta.

Durante tres días, así estuvo. Cuando abría los ojos, le daban de comer y le daban una tisana narcótica. Cuando se despertaba, Miriam encontraba a José a su lado.

En realidad, iba a visitarla con la mayor frecuencia posible. Mientras ella dormía, él la examinaba, ansioso. Pero, cuando abría los ojos, sonreía y pronunciaba palabras tranquilizadoras.

Ella no lo escuchaba. Incansablemente, hacía las mismas preguntas. ¿No podía curar a Abdías? ¿No era posible hacerle volver de entre los muertos? ¿Por qué José no era capaz de realizar ese milagro? ¿No era él el más sabio de los médicos?

José se limitaba a bajar la cabeza. Evitando dar respuestas cortantes, trataba de apartar a Miriam de sus angustias y de su obsesión. Nunca pronunciaba el nombre de Abdías y se obstinaba, ante todo, en hacer que comiera y bebiera lo antes posible el brebaje que la dormía.

José nunca iba solo a ver a Miriam. En el interior de la comunidad, la regla no permitía que un hermano se quedara solo en compañía de una mujer. El más brillante de sus discípulos, nacido en Gadara, en Perea, que se llamaba Gueuel, lo acompañaba. Apenas tenía treinta años, un rostro fino, un poco huesoso, y una mirada dispuesta a juzgarlo todo y a todos los que se encontraran con él.

La admiración de Gueuel por José era grande, pero su intransigencia ocultaba a menudo sus cualidades y amargaba el humor de sus compañeros. José toleraba ese carácter puntilloso. A veces, se burlaba de él con afectuosa ironía. Lo más frecuente era que lo utilizara para entonar el espíritu, igual que cuando nos echamos agua fría en la nuca por la mañana con el fin de eliminar los residuos del torpor nocturno.

Cuando Miriam, ignorando obstinadamente las respuestas de José, repitió sus preguntas por tercera vez, Gueuel dijo:

—Ha perdido la razón.

José lo negó.

—Rechaza lo que la hace sufrir en exceso. Eso no es volverse loca. Todos actuamos así.

—Por eso no sabemos discernir con claridad el Bien del Mal y las Tinieblas de la Luz...

—Nosotros, los esenios —recalcó José con una sonrisa—, creemos que quien está muerto puede resucitar.

—Sí, pero únicamente por la voluntad de Dios Todopoderoso. No por nuestro poder. Y también porque quien sea resucitado habrá llevado una existencia perfecta en el bien... ¡que no sería el caso de este *am ha'aretz*!

José bajó la cabeza maquinalmente. Con frecuencia, tenía este debate con sus hermanos. En esta casa, todo el mundo conocía su punto de vista: merece la pena sostener la vida hasta en las tinieblas y la muerte, porque ella era la luz de Dios dada al hombre. La vida era un don precioso, el signo mismo del poder de Yahveh. Había que hacer todo lo posible para mantenerla. Lo que no excluía que el hombre, si alcanzara algún día la pureza suprema, pudiera hacer renacer la vida allí donde pareciera haber desaparecido. Aunque José había manifestado en incontables ocasiones esta opinión, eso no impedía que Gueuel insistiese. Por eso, añadió:

—Ninguno de nosotros ha visto con sus propios ojos el milagro de la resurrección. Quienes reciben nuestros cuidados y a quienes devolvemos la vida todavía no están muertos. Solo somos terapeutas. Dispensamos el amor y la compasión, en los estrechos límites del corazón y el espíritu humanos. Solo Yahveh hace milagros. Esta chica se equivoca. El dolor le hace creer que tú eres tan poderoso como el Eterno. Es una blasfemia.

Esta vez, José asintió con más convicción. Contemplando el rostro dormido de Miriam, dejó pasar un poco de tiempo y declaró:

—Sí, solo Dios hace milagros. Sin embargo, piensa en esto, hermano Gueuel: ¿Por qué vivimos en Bet Zabdai y no en el mundo, entre las otras criaturas? ¿Por qué mantenemos la vida aquí, en el interior, y no fuera, hombres entre los hombres, si no es para hacerla más fuerte y más rica? En el fondo de nuestro corazón, esperamos ser lo bastante puros y lo bastante amados por Yahveh para que se cumpla por completo la Alianza que Él ha ofrecido a la descendencia de Abraham. ¿No es esa la razón de que observemos tan estrictamente las leyes de Moisés?

—¡Sí, maestro José! Pero...

—Gueuel, esto supone que esperamos, con toda nuestra alma, que un día Yahveh nos utilice para realizar sus milagros. Si no, habremos fracasado en ser su elección y su felicidad. Y seguiremos siendo de la raza de los hombres que lo defraudan.

Gueuel quiso replicar, pero José levantó la mano con autoridad.

—En una cosa tienes razón, Gueuel —añadió secamente—. No sería bueno sostener las ilusiones de la hija de Joaquín de Nazaret. Ella no debe creer que nosotros somos capaces de realizar milagros. Sin embargo, como médico, te equivocas: ella no se ha vuelto loca. Sufre una lesión invisible que provoca en ella una llaga tan profunda como una herida de espada. Las palabras que pronuncia, las esperanzas que alberga no deben parecerte dementes, sino sabias: apaciguan su herida con tanta eficacia como un emplasto y permiten expulsar del cuerpo la corrupción.

\* \* \*

Cuando Miriam se despertó nuevamente, repitió su letanía de súplicas a José, con el fin de que devolviera la vida a Abdías. Esta vez, él le dijo:

—Ayer, después de tu llegada, despedimos el cuerpo de Abdías, como era nuestro deber. Lo envolvimos en un sudario y lo encomendamos a la luz de Yahveh. Su carne está en la tierra, donde vuelve a ser polvo, tal como el Eterno ha querido, haciéndonos mortales por la gracia de su aliento. Su presencia estará entre nosotros, en espíritu.

Así debe ser. Ahora, has de convertirte en la guardiana de tu salud.

La voz de José era fría, desprovista de su dulzura habitual. Su rostro aparecía severo e incluso su boca parecía dura. Miriam se endureció. Gueuel la escrutaba. Ella cruzó su mirada con la de él y la sostuvo, antes de buscar de nuevo ayuda en la de José.

—En Magdala, nos enseñaste que la justicia es el bien supremo, la vía hacia la luz que Yahveh nos tiende —murmuró ella con un tono vibrante de cólera—. ¿Dónde está la justicia cuando Abdías muere y no Barrabás? Él podía morir, ya que tanto desafía a Herodes con la sangre.

Gueuel emitió un gruñido. José, un poco incómodo, se preguntó si era la condena de Barrabás lo que hacía reaccionar a su joven compañero o la evocación de su propia «enseñanza» a las mujeres de Magdala.

Con una autoridad que no excluía el deseo de provocar el mal humor de Gueuel, tomó la mano de Miriam.

—Dios decide —declaró, recuperando su dulzura habitual—. Nadie más que Él decide nuestros destinos. Ni tú, ni yo, ni ningún ser humano. Dios decide los milagros, los castigos y las recompensas. Él decide sobre la vida de Barrabás y Él es quien llama a Abdías. Tal es su voluntad. Nosotros podemos cuidar, aliviar el dolor, curar una enfermedad. Podemos hacer que la vida sea fuerte, bella y poderosa. Podemos hacer que la justicia sea la regla que una a los hombres. Podemos evitar que el mal sea nuestra arma. Pero la muerte y el origen de la vida solo pertenecen al Todopoderoso. Si no has comprendido esto a través de mi enseñanza, como tú la calificas, es que mi palabra es torpe y de poco peso.

Estas últimas palabras fueron pronunciadas con una ironía que Miriam ignoró. Mientras José hablaba, ella había cerrado los ojos. Cuando él terminó de hablar, ella retiró la mano de la suya. Sin decir una palabra, se dio la vuelta en su cama, de cara a la pared.

José la contempló, alargó el brazo y le acarició el hombro. Después, con un gesto paternal, la tapó con la mata de gruesa lana. La mirada de Gueuel seguía cada uno de sus movimientos.

Él se limitó a permanecer en silencio e inmóvil. Dudaba mucho que Miriam volviera a dirigirle la palabra, pero quería asegurarse de que su respiración recuperaba la calma.

Cuando estuvo seguro, se levantó. Hizo una señal a Gueuel para que lo imitara y saliera de la habitación con él.

En el vestíbulo, cuando llegaban al patio, los rodearon bruscamente un grupo de sirvientas. Venían del lavadero, cargadas con bandejas de ropa blanca. José retrocedió hasta un hueco. Gueuel, sin dudarlo, se abrió paso a través de ellas, obligando a las sirvientas a retroceder con sus pesadas cargas. A pesar del esfuerzo que tenían que hacer para cederle el paso, ellas no hicieron el más mínimo murmullo de protesta, se cuidaron de levantar la mirada e inclinaron la cabeza con respeto.

Cuando llegó al patio, Gueuel se volvió para esperar a José, con el ceño fruncido por la sorpresa. Señaló a las sirvientas.

—¿No podían dejarte pasar? Cada vez son más descaradas.

José disimuló su irritación tras una sonrisa.

—Sobre todo, cada vez hay menos y, por consiguiente, están sobrecargadas de trabajo. Si no estuviesen, ¿irías tú mismo, en las horas de estudio y de oración, a lavar nuestra ropa sucia?

Gueuel rechazó este pensamiento con una mueca. Cuando casi habían atravesado el patio, con un tono que pretendía ser conciliador, dijo:

—A veces, al oírte, ¡uno creería que no dudarías en nombrarlas «rabinas»!

Se interrumpió con una pequeña sonrisa divertida antes de continuar:

—Dios lo ha querido así: siempre será imposible. Es prueba de mucho orgullo pensar de otra manera y esperar que las mujeres puedan llegar a liberarse de lo que las hace mujeres.

José vaciló antes de responder. El pensamiento de Miriam le preocupaba. No estaba de humor para reaccionar con una sonrisa a la obstinación de Gueuel.

—Dios ha querido que seamos engendrados a partes iguales de la carne del hombre y de la de la mujer. Salimos del vientre de una mujer. ¿Por qué iba a querer el Eterno que saliéramos de una cloaca?

—Esos no son ni la palabra ni el pensamiento que albergo. Las mujeres son lo que son: movidas por la carne, la ausencia de razón y la debilidad del placer. Eso las hace inadecuadas para alcanzar la luz de Yahveh. ¿No es eso lo que está escrito en el Libro?

—Ya sé, Gueuel, que tú y muchos de nuestros hermanos condenáis mi opinión. Pero ni tú ni los otros habéis respondido hasta ahora a mis preguntas. ¿Por qué iba a habitar el mal en el vaso y no en la semilla? ¿Por qué vamos a ser nosotros más aptos para la pureza que las que nos engendran? ¿Cuándo se ha visto una fuente más pura que la gruta que la cobija?

—Te hemos respondido con la palabra del Libro. En todas partes, separa a la mujer del hombre y la juzga inadecuada para el conocimiento.

Eran argumentos mil veces rebatidos y una conversación que no llevaba a ninguna parte. José hizo un gesto de irritación, como si cazara una mosca, y se abstuvo de responder.

Molesto, con los labios apretados, Gueuel declaró:

—He hecho retirar el cuerpo del *am ha'aretz* de nuestro cementerio. Supongo que te entendieron mal. Su fosa no puede estar entre las nuestras, ya lo sabes. Los *am ha'aretzim* no tienen derecho a tierra sagrada.

José se quedó paralizado. Un temblor de repulsión le recorrió el cuerpo.

—¿Lo has sacado de la tierra? —preguntó con una voz monocorde—. ¿Quieres privarlo de sepultura?

—¡No, no!

Gueuel sacudió la cabeza. Una repugnante sonrisa de victoria endureció sus facciones.

—Sin sepultura, sería maldito. Supongo que no lo merece, ¿no es así? Incluso si su muerte, dado que todavía era casi un niño, significa, sin duda, que Dios no tenía grandes proyectos para él. No, no te preocupes. Ha sido enterrado. Al borde del camino que lleva a Damasco. Donde están las tumbas de los extranjeros y los ladrones.

José era incapaz de responder. Pensaba en Miriam. De repente, tuvo la sensación de que cada una de las palabras que le había dicho era una mentira.

Gueuel era suficientemente perspicaz para adivinar su pensamiento.

—Sería prudente que no volvieras a ver a esa chica. Su salud no está en peligro, solo su espíritu. Ella no te necesita y nuevas visitas a las zonas de las mujeres molestaría a nuestros hermanos.

# Capítulo 13

**M**IRIAM ESCUCHABA LOS LIGEROS RUIDOS DE las idas y venidas por la casa, el murmullo de las mujeres, a veces incluso sus risas. Vibrando a través de las paredes, resonaban los golpes regulares del pilón que reducía los granos de centeno y de cebada a harina. Recordaban los latidos de un corazón pacífico y potente.

Tuvo deseos de levantarse, de unirse a las sirvientas y ayudarlas en sus trabajos. Ya no se encontraba fatigada. Su debilidad solo se debía al poco alimento que había tomado desde hacía unos días. Sin embargo, su cólera todavía era inmensa.

No se resignaba a aceptar las palabras pronunciadas por José. El solo pensamiento del cuerpo de Abdías bajo la tierra le inflamaba el corazón. Tenía que cerrar los puños para no gritar.

Además, tenía bastantes razones para sentir que no era bienvenida en esta comunidad. La mirada del hermano que acompañaba a José se lo había hecho comprender con toda claridad. La prudencia le aconsejaba hacer acopio de sus fuerzas y de su voluntad con el fin de dejar Bet Zabdai y reunirse con su padre, como había decidido en Magdala.

Únicamente, este pensamiento reavivaba su cólera. Partir, abandonar esta casa y Damasco era abandonar a Abdías, alejarse de su alma y quizá incluso avanzar hacia el olvido.

—¿Esta vez estás verdaderamente despierta?

Miriam se sobresaltó y se volvió. Al lado de su cama estaba una mujer cuya edad era difícil de estimar. Sus cabellos eran blancos como la nieve, centenares de finas arrugas se marcaban alrededor de su sonrisa y de sus párpados. Sin embargo, su piel parecía tan fresca como la de una joven. Sus ojos, muy claros, brillaban de inteligencia y quizá de astucia.

—Despierta y enfadada al máximo —añadió.

Miriam se sentó en la cama. La sorpresa la hizo enmudecer. No lograba averiguar si la desconocida se reía de ella con maldad o se le acercaba con amabilidad.

La mujer también dudó. Contempló a Miriam con las cejas arqueadas y los labios redondeados en una mueca.

—Estar enfadada con el vientre vacío no es muy bueno.

Miriam se levantó sin precaución. La cabeza le dio vueltas; tuvo que volver a sentarse y apoyarse con las dos manos en su cama para no tambalearse.

—Es lo que te decía —murmuró la mujer—. Es hora de que comas en vez de dormir.

A su espalda, dos sirvientas se asomaban en el umbral, ardiendo de curiosidad. Miriam sacó su orgullo. Levantó el mentón, esbozó una sonrisa.

—Estoy bien. Voy a levantarme. Os agradezco a todas...

—¡Por supuesto que puedes darnos las gracias! Como si no tuviésemos bastante trabajo sin que una presumida de tu clase venga a gemirnos en las orejas.

Miriam abrió la boca para excusarse, pero la ternura rebosante en las facciones de la desconocida le dio a entender que era inútil.

—Me llamo Rut —dijo la mujer—. Y tú no estás muy bien, no, todavía no.

La cogió bajo los brazos y la ayudó a incorporarse. A pesar de su ayuda, Miriam se tambaleó.

—Bueno, verdaderamente ya es hora de que te pongamos como nueva, hija mía —dijo Rut.

—Solo necesito habituarme...

Con una mirada, Rut reclamó la ayuda de una sirvienta.

—Deja de decir tonterías. Voy a darte de comer y te va a gustar. Nuestra cocina es demasiado buena para hacerle ascos de antemano.

\* \* \*

Más tarde, mientras Miriam degustaba a pequeños bocados una galleta de alforfón cubierta de queso de cabra que mojaba en una escudilla

288

de cebada hervida en jugo de legumbres, Rut declaró:

—Esta casa no es como las demás. Tienes que aprender las reglas.

—Es inútil. Mañana partiré a casa de mi padre.

Rut frunció el ceño. Le preguntó dónde vivía su padre. Cuando Miriam le explicó que venía de Nazaret, en las montañas de Galilea, Rut puso mala cara.

—Es un largo camino para una chica sola...

Con un gesto inesperado, acarició la frente de Miriam y deslizó sus dedos estropeados en la masa de su cabellera. Miriam se estremeció, emocionada. Hacía mucho tiempo que una mujer no la había acariciado con un gesto lleno de ternura maternal.

—Quítate esa idea de la cabeza, hija mía —dijo Rut con dulzura—. Tú no nos dejarás mañana. El maestro ha ordenado que te quedes aquí. Nosotras le obedecemos en todo y tú también, tú le vas a obedecer.

—¿El maestro?

—Maestro José de Arimatea. ¿Quién más podía ser aquí el maestro?

Miriam no replicó. Sabía que así llamaban a José. Incluso en Magdala, algunas mujeres lo designaban con este título respetuoso. Y aquí, en Bet Zabdai, era absolutamente evidente que José era un hombre diferente del que había conocido en Nazaret y que la había conducido a la casa de Raquel.

—Debo ir a la tumba de Abdías, en el cementerio. Debo ir a decirle adiós, a cantar las oraciones —dijo ella.

Rut pareció sorprendida, después inquieta.

—¡No! No puedes. No estás en estado de ayunar. Tienes que comer... ¡El maestro así lo quiere!

Sus mejillas se enrojecieron; hablaba precipitadamente.

—¿Hay hermanos en su tumba? —insistió Miriam—. Si no, debo ir. Abdías solo me tiene a mí para acompañarlo entre los muertos.

—No te preocupes. Los hombres de esta casa cumplen con su deber. No nos toca a nosotras, las mujeres, ocupar su lugar. Tú debes comer.

El estrépito de los pilones resonaba tras ellas, reduciéndolas al silencio un instante. El refectorio de las mujeres era muy largo y de techo bajo. A los lados, se alineaban sacos y serones que contenían las frutas y legumbres secas, así como una especie de bancos agujereados que sostenían las tinajas de aceite. La pared del fondo se abría de par en par sobre los morteros, las tajaderas y el fogón de la cocina, en el que las brasas estaban permanentemente vivas.

Algunas sirvientas machacaban los granos para la harina sobre una piedra, con la ayuda de una maza de madera de olivo, mientras cuatro mujeres amasaban y estiraban la masa de las galletas. De vez en cuando, levantaban la frente y lanzaban miradas curiosas a Miriam.

Dolorida, satisfecha, esta acababa su escudilla. Rut se apresuró a llenarla de nuevo.

—Estás demasiado flaca. Tienes que ganar en curvas si quieres gustar a los hombres.

Lo dijo con ternura, como se dicen estas cosas, siempre, de hermana mayor a hermana pequeña. Rut se quedó estupefacta por la inflexibilidad de Miriam, por la violencia de su tono y la dureza de su mirada:

—¿Cómo se puede desear que un hombre ponga su mirada en ti cuando sabes que los que viven aquí nos detestan?

Rut echó un prudente vistazo hacia la cocina.

—Los hermanos esenios no nos detestan. Nos temen.

—¿Temernos? ¿Por qué?

—Temen lo que nos hace mujeres. Nuestro vientre y nuestra sangre.

Era una realidad que Miriam conocía demasiado bien. Había tenido ocasión de debatir al respecto muchas veces en Magdala, con las compañeras de Raquel.

—Somos como Dios lo ha querido y esto debiera bastar.

—Sin duda —aprobó Rut—. Pero, para los hombres de esta casa, eso nos aleja del camino que nos permitiría alcanzar la isla de los Bienaventurados. Lo que más les importa en este mundo es eso: alcanzar la isla de los Bienaventurados.

Miriam le dirigió una mirada de incomprensión. Nunca había oído hablar de esa isla.

—No soy yo quien tenga que explicártelo —dijo Rut, incómoda—. Es demasiado erudito y yo diría tonterías. Aquí, no recibimos enseñanzas. A veces, oímos a los hermanos hablar entre ellos, cogemos unas palabras por aquí y por allá, nada más. De lo que no cabe duda es de que hay que seguir las reglas de la casa. Es lo más importante. Gracias a ella, los hermanos se purifican para entrar en la isla... La primera regla es permanecer en la parte de la casa que nos está reservada. Podemos salir a los patios, pero el resto nos está prohibido. Además, está prohibido hablar a un hermano si él no nos dirige antes la palabra. Debemos bañarnos antes de cocer el pan, lo que tiene lugar todos los días antes del amanecer...

Las tareas consistían en preparar la sopa de sémola y confeccionar las galletas cubiertas de queso dos veces al día, lavar la ropa de los hermanos y arreglárnoslas para que el lino de su ropa interior y de sus túnicas sea de una blancura inmaculada.

—Otra cosa importante: no hay que malgastar nada. Ni los alimentos ni las ropas —insistió Rut—. Con respecto a los alimentos, solo hay que cocerlos lo necesario, ni demasiado ni demasiado poco. Lo mismo para los tejidos. La ropa ordinaria, las túnicas oscuras de trabajo, aunque tengan agujeros, los hermanos no quieren tirarlas. No se desprenden de ella hasta que están deshilacha-das. Eso no está mal: menos trabajo para noso-tras.

Dio aún otros muchos consejos. Sobre todo, no había que acercarse al refectorio de los hermanos. Era un lugar sagrado, reservado a los hombres, porque, para los esenios, la comida era como una oración. Beber y comer era un don del Todopo-deroso y había que amarlo por ese beneficio. También, antes de cada comida, los hermanos se quitaban las túnicas oscuras de paño grueso y se ponían la ropa interior de lino blanco. Después, se bañaban en un agua absolutamente pura para limpiarse las manchas de la vida.

—Por supuesto, yo no se lo he visto hacer —bro-meó Rut, con un guiño—. Pero hace mucho tiempo que estoy aquí. Una acaba por espigar al-gunas informaciones... El baño: eso es lo impor-tante. Después del baño, pueden comer. Todos sentados a la misma mesa, pero nunca antes de que el maestro haya bendecido la comida. A con-tinuación, vuelven a ponerse sus vestiduras ordi-narias y nosotras tenemos que lavar las túnicas que han utilizado en la comida. Cuando nieva, el agua de su baño puede estar congelada, pero les da igual. El pozo al que la tiran está en la misma casa. Nuestro pozo, para nosotras, para la cocina y el aseo, está fuera. Como ves, no es trabajo lo que falta. Aquí encontrarás tu sitio.

Miriam, en silencio, rechazó su escudilla.

—¡Come! —ordenó Rut inmediatamente—. Sigue comiendo, aunque no tengas ganas. Tienes que reponer fuerzas.

Pero Miriam no levantó la cuchara.

—Te quedas, ¿no?

La ansiedad no estaba solo en el tono, sino también en el rostro de Rut. Miriam lo observó, asombrada.

—¿Por qué tienes tanto empeño en que me quede? No tengo nada que hacer aquí. Está claro.

—Eres tozuda —suspiró Rut—. El maestro José lo quiere, por eso. Me lo ha pedido. A mí. Me ha dicho: «No querrá quedarse, pero tienes que convencerla». Ya ves: te quiere y solo quiere tu bien. ¡No hay nadie mejor que él!

—Yo vine aquí para que sanara a Abdías. Él no ha hecho nada.

—¡Oh! ¡Desde luego, estás loca! ¡Sabes perfectamente que el niño estaba muerto! Y desde hacía tiempo ya. ¿Qué podía hacer el maestro?

Miriam pareció no oír este reproche. Había cerrado los ojos. Sus labios temblaban de nuevo. Murmuró:

—No me gusta esta casa. No me gustan estos hombres, no me gustan estas reglas. Yo creía que José podría enseñarme a luchar contra el mal y el dolor, pero aquí no aprenderé nada porque soy una mujer.

Rut suspiró y sacudió la cabeza, afligida.

—Abdías era un ángel del cielo —continuó Miriam con una voz a la vez sorda y violenta—. Había que salvarlo. ¡Nada es justo, nada! Barrabás no tenía que haberlo dejado combatir. Yo hubiera debido saber cuidarlo y José hubiera debido saber resucitarlo. Todos somos culpables. No sabemos hacer reinar el bien y la justicia.

Ahora, Rut se preguntaba si el maestro no se equivocaba y si, por desgracia, el hermano Gueuel no tendría razón. Esta hija de Nazaret no estaba curada. Al contrario, estaba rematadamente loca.

Miriam leyó la duda en el rostro de su compañera. La cólera que le había sumergido aquellas últimas horas resurgió, palpitando en sus sienes y su garganta. Se levantó brutalmente, pasó por encima del banco como si fuese a marcharse.

En las cocinas, las sirvientas habían dejado su trabajo y las observaban, acechando la disputa. Miriam se echó atrás. Se inclinó hacia Rut:

—Tú crees que estoy loca, ¿verdad?

Rut se ruborizó, con la mirada huidiza.

—Es inútil decidirlo ahora. Mañana, ya lo verás. Descansa y, cuando pase la noche...

—Tras la noche, llegará el día, idéntico al de hoy. Yo no estoy loca y tú estás demasiado satisfecha de ser ignorante. Voy a decirte quién era Abdías.

Con una voz monótona, contó cómo había encontrado al pequeño *am ha'aretz* en Séforis; cómo había salvado en Tiberíades a su padre, Joaquín, de la cruz, y cómo lo habían matado los mercenarios de Herodes por salvar a Barrabás.

—Evidentemente, fue un mercenario quien clavó una lanza en su pecho. Sin duda, es Herodes quien paga al mercenario para sembrar el dolor entre nosotros. Pero somos nosotros, todos nosotros, quienes pusimos el pecho de Abdías delante de la lanza. Por nuestra tibieza. Porque aguantamos sin reaccionar a quienes nos humillan. Porque nos acostumbramos a vivir sin justicia, sin amor ni respeto a los débiles. Porque no rechazamos el peso del mal que pesa sobre nuestras cabezas. Cuando un *am ha'aretz* muere por nosotros, el mal es aún mayor. La culpa es aún más pesada. Porque nadie piensa en él, nadie grita venganza. Al contrario, todo el mundo se agacha un poco más con indiferencia.

Miriam había alzado la voz. Rut no se esperaba ese torrente de palabras y se quedó con la boca abierta, como las sirvientas en la cocina.

—¿Dónde está el bien? —preguntó aún Miriam—. ¿Aquí? ¿En esta casa? No, no lo veo por ninguna parte. ¿Estoy ciega? ¿Dónde está el bien que engendran estos hombres que quieren ser puros con el fin de poder alcanzar la isla de los Bienaventurados? El bien que nos ofrecen a todos nosotros, al pueblo de Yahveh, ¿dónde está? No lo veo.

Había lágrimas en los ojos aterrorizados de Rut.

—¡No debes hablar así! No aquí, adonde vienen a centenares para que el maestro alivie su dolor. ¡Oh, no! No debes hacerlo. Están ahí con sus hijos, sus ancianos padres y cada día el maestro hace abrir la puerta y los recibe. Hace todo lo que puede por ellos. A menudo, los cura. Pero, a veces, algunos mueren en sus brazos. Es así. El Todopoderoso decide.

Este argumento lo había oído Miriam demasiadas veces.

—¡El Eterno decide! Pero yo digo que lo injusto es injusto y no hay que aceptarlo bajando la cabeza.

Con un gruñido de rabia, se alejó.

—¡Espera! ¿Adónde vas?

Rut había agarrado su túnica y la retenía. Miriam trató de soltarse, pero el puño de la anciana sirvienta era firme.

—Voy al cementerio, a la tumba de Abdías. ¡Estoy segura de que nadie se ha acercado para hacer el duelo!

—¡Espera, por favor, espera!

La súplica, en la voz de Rut, intrigó a Miriam. Ella dejó de debatirse, se dejó aprisionar las manos por los dedos ásperos y estropeados.

—Tu niño no está en el cementerio.

—¿Qué dices?

—Los hermanos no lo han querido! Los *am ha'aretzim* no están...

—¡Oh! ¡Dios Todopoderoso! No es posible.

—No temas. Está en tierra, pero...

—¡José no hubiera debido permitirlo!

—No es él. ¡Te lo juro! No es él, ¡no lo creo! Él no sabía...

Con un grito, Miriam se soltó de las manos de Rut.

—Abdías está muerto, ¡pero solo era un *am ha'aretz*! Que haya vivido o no haya vivido, ¿a quién le importa? ¡Que Dios os maldiga!

Estas palabras resonaban todavía bajo las bóvedas de la sala cuando Miriam ya había salido.

Rut cerró los ojos, golpeó la mesa con la palma de la mano. Unas lágrimas ardientes salieron de sus párpados. Hubiera debido salir corriendo tras esta chica llena de cólera y llena de razón. Porque Miriam tenía razón, lo sabía. Lo había leído en los ojos del maestro José de Arimatea cuando le había pedido su ayuda. Él también sabía que tenía razón. Él también temía su cólera.

* * *

A la caída de la tarde, las sirvientas solo hablaban de aquello, haciendo mil preguntas a Rut que, cada vez más enfadada, no respondía. La chica de Nazaret, decían, ha dejado la casa aprovechando las idas y venidas de los enfermos en el gran patio. Ella se encaminó al pequeño cementerio, alejado unos doscientos o trescientos pasos. Allí, había preguntado dónde habían depositado el cuerpo del *am ha'aretz*. Lo había encontrado y ahora hacía su duelo, rasgando su túnica, cubriéndose los cabellos de ceniza y de tierra.

Los habitantes de Bet Zabdai, de vuelta de los campos, sorprendidos por la violencia de sus lamentos y por el fervor de aquellas oraciones ante una tumba que no estaba en tierra sagrada, se habían detenido a cierta distancia para observar. También ellos debían de preguntarse si no estaba loca.

Sin embargo, ella solo se limitaba a cumplir los ritos de los siete días de duelo. Pero con tanta devoción que todos, al verla y oírla, sentían escalofríos. Como si el dolor de la muerte penetrara en sus huesos.

Nadie se quedaba mucho tiempo. Muchos bajaban la mirada y se alejaban discretamente. Algunos se le acercaban durante el tiempo de una oración. Después, bajaban la cabeza con tristeza y partían en un silencio temeroso.

\* \* \*

Finalizado su trabajo, Rut y algunas sirvientas subieron al tejado. Caía la noche.

Miriam estaba lejos de la casa, pero podía vérsela al lado de la tumba. No hacía falta mucha imaginación para adivinarla silenciosa y postrada, sucia y solitaria.

A quienes le habían informado de lo que se contaba fuera, Rut les había preguntado si el maestro no había tratado de llevar a Miriam a la casa. Las sirvientas le habían mirado con estupor. ¿Por qué iba a contravenir la regla el maestro? La puerta no volvería a abrirse. Y menos aún para dejar entrar a una mujer en duelo, manchada en el cuerpo y en el espíritu, cuando los hermanos habían tomado ya su baño y la cena que los purificaba.

Sí, Rut lo sabía. Sin embargo, no dejaba de pensar en la insistencia de José cuando le había pedido que velara por la hija de Nazaret. Esta petición era tan rara, tan excepcional, que sus palabras seguían viniéndole a la mente una y otra vez: «No la dejes huir. No la dejes que obedezca a su cólera. No dará su brazo a torcer. Sentirá una rabia terrible y tiene mucha fuerza. No es una chica ordinaria y su fuerza puede volverse contra ella. Vela por ella, si puedes...».

No había tenido que añadir: «*Porque yo no puedo*». No hacía falta. Rut lo había entendido.

Por una razón que ignoraba y no trataba de conocer, esta hija de Nazaret era muy querida por el maestro. Esto no podían aceptarlo los hermanos. Lo condenaban de antemano. Gueuel, que se quería el más sabio, el más intransigente, el más amado por Dios, lo convertiría en ocasión de un escándalo o incluso de una expulsión. Él no amaba al maestro. Todo el mundo lo sabía, lo sentía y, a veces, Rut había visto que José lo temía.

Pero a ella, Rut, José de Arimatea le había dado bastante para que ella, a su vez, diera. Se había dirigido a ella, haciéndole comprender a medias palabras su inquietud y la necesidad que tenía de su apoyo.

También ahora, en el techo de la casa, en la sombra cada vez más espesa de la noche que se cernía, Rut temía haber fracasado.

—Va a pasar la noche fuera —murmuró, con los puños apretados sobre el pecho.

Las que estaban a su alrededor se encogieron de hombros. Sin atreverse a decirlo en voz alta, pensaban que esto podría ser bueno para la recién llegada, tranquilizarla. Una noche al raso nunca había matado a nadie. Con frecuencia, quienes acompañaban a los enfermos dormían en las inmediaciones de la casa. Algunos tenían alfombras, mantas que tendían sobre estacas, a modo de techo. Otros se contentaban con estar al pie de un árbol o al abrigo de una tapia contra el viento. La hija de Nazaret podría hacer lo mismo. Aunque fuese triste verla en un estado de duelo tan excesivo por un chiquillo *am ha'aretz*.

Sin embargo, Rut sabía que nada era tan sencillo con esta Miriam. Las otras sirvientas no habían visto de cerca sus ojos, su cólera. No habían recibido sus palabras de rebeldía contra su pecho. Unas palabras que afectaban y herían más que golpes.

Bastaba mirarla, allá, en la tumba, pequeña silueta postrada, para adivinar que, en la noche, ella no se protegería de nada, ni del frío ni de los perros que merodeaban en la oscuridad en busca de carroña. Ni siquiera de los malhechores en busca de una presa.

Y quizá incluso fuese lo bastante insensata para querer emprender la marcha hacia Galilea a la sola luz de la luna. Con el riesgo de perderse más de lo que ya estaba, con el vientre medio vacío y el cerebro en llamas.

\* \* \*

Rut no reveló a nadie estos pensamientos. Pero su decisión estaba tomada. No podía actuar antes de que hubiera terminado la cena de las mujeres y de que todas se hubieran retirado a sus celdas.

Aguantó la espera con impaciencia, tocando apenas su escudilla. Rezó en silencio, sin mover los labios, pero implorando desde el fondo de su corazón la mansedumbre del Todopoderoso, su comprensión, su bendición. ¡Que Miriam no se aleje del cementerio!

Simuló que se iba a la cama, como sus compañeras. Allí, rápidamente, se ciñó la manta en torno a los riñones. Sin hacer el más mínimo ruido, en la densa oscuridad de los pasillos, volvió a la cocina. Antes había preparado discretamente un petate que contenía algunas galletas y una cantimplora de leche de cabra. Conocía tan bien el lugar que no perdió demasiado tiempo hasta encontrarlo.

Tocando las paredes con la punta de los dedos, entró en la gran bodega, detrás de la cocina. Allí estaba dispuesta una trampilla que permitía descargar desde el exterior el grano en un pilón. Esto evitaba muchas idas y venidas por el patio y preservaba la tranquilidad de la casa.

Tropezando aquí y allá, acabó encontrando el muro que rodeaba el pilón. Lo franqueó a duras penas, pisoteó los granos que se deslizaban bajo sus pies, a punto de sepultarla. Turbada, desorientada, buscó la trampilla un momento. Sus dedos dieron al fin con la madera del postigo y el metal de la cerradura, que solo se accionaba desde el interior.

Suspiró de alivio, tanteó aún para desbloquear el mecanismo de apertura que no se había accionado desde hacía varios meses. Pareció desencadenar un estruendo capaz de despertar a toda el ala de las mujeres.

Por fin, rechinaron los goznes. Con el corazón latiendo desaforadamente, Rut inspiró una gran bocanada de aire. Pensó que estaba loca. ¿Qué le iba a pasar cuando descubrieran lo que había hecho? Porque lo descubrirían. En esta casa, nada permanecía secreto. Y nunca, en todos los años que había vivido allí, se había permitido una desobediencia semejante.

Aterrorizada por su audacia, deslizó el busto por el tragaluz, suficientemente grande para ella. Tras la oscuridad absoluta, la claridad de la media luna le pareció que difundía una luz apenas real, pero tan fuerte que distinguía los más mínimos detalles a su alrededor.

La trampilla estaba más alejada del suelo de lo que Rut había pensado. Con la edad, había perdido su flexibilidad y su agilidad. Apretando las mandíbulas, respirando entrecortadamente, se aferró al borde del muro y se inclinó hacia adelante. La trampilla retumbó brutalmente y ella cayó al suelo con un pequeño grito.

Había caído en una postura tan grotesca que, en otro momento, se hubiese reído. Por fortuna, la manta que llevaba enrollada a la cintura había amortiguado el golpe y el camino estaba desierto.

Se puso en pie refunfuñando. El petate había rodado debajo de ella, las galletas se habían roto y desparramado por el suelo. Recogió algunos trozos que no parecían manchados antes de alejarse de la casa para tomar el sendero que conducía al pueblo.

Todo eran sombras y ruidos extraños. Como si estuvieran vivas, las cosas, los árboles, las piedras del camino cambiaban sutilmente de forma mientras avanzaba. Rut sabía que era el efecto de la luna, pero no estaba acostumbrada a las ilusiones de la noche. Había perdido la cuenta de los años que habían pasado desde la última vez que había caminado así, a la hora en la que los demonios se ríen de una.

Ella murmuró el nombre del Todopoderoso, suplicó su perdón y le suplicó una vez más que retuviese a la chica de Nazaret en la tumba del *am ha'aretz*.

Allí estaba.

Rut no la descubrió a la primera. Se confundía con los arbustos espaciados entre malas tumbas privadas de una piedra o de cualquier signo que indicara el nombre del muerto que albergaban. Después, Miriam se balanceó ligeramente. La luna iluminó su túnica rasgada bajo su cabellera descompuesta y llena de tierra.

Rut dejó que se tranquilizara su respiración antes de acercarse. Su corazón latía tan fuerte que creyó que Miriam podría oírla.

Pero la chica de Nazaret no pareció darse cuenta de la presencia de alguien a su lado. Rut reprimió su deseo de tomarla en sus brazos.

—Soy yo, Rut —murmuró ella.

—Si vienes a pedirme que regrese, será mejor que vuelvas a acostarte.

Las palabras de Miriam eran tan cortantes que Rut retrocedió un paso.

—Creía que no me habías oído —dijo.

—Si has venido a hacer el duelo por Abdías conmigo, eres bienvenida. Si no, puedes volverte —repitió Miriam con la misma dureza.

Rut se desató la manta, la depositó en el suelo, dejó la cantimplora de leche y se acurrucó.

—No, no he venido para hacer que regreses. Aunque lo quisiera, sería imposible. La puerta está cerrada por la noche. También yo he de esperar a mañana. Si me dejan volver.

Esperó a que Miriam reaccionase, pero, como no salió palabra alguna de sus labios, añadió:

—He traído leche y una manta. El alba será fresca. También tenía galletas, pero me he caído y se han roto.

Ahora, ella sonreía. Pero Miriam, sin volver la cabeza, declaró:

—Hago ayuno, No necesito tus alimentos.

—Beber leche no está prohibido durante el duelo. La manta tampoco. Y, en tu estado, ayunar es una tontería.

De nuevo, Miriam no replicó. El silencio, a su alrededor, estaba penetrado por gritos de animales, fricciones, roces de la brisa y ruidos de insectos. Rut se sentó en el suelo; trató de encontrar una postura un poco más cómoda.

Tenía miedo. Era más fuerte que ella. Sentir todas esas tumbas a su alrededor, esos muertos que no habían sido bendecidos por los rabinos la aterrorizaban. Apenas se atrevía a volver la cabeza por miedo a ver aparecer un monstruo. Este pensamiento bastaba para ponerle la carne de gallina. Había que ser esta chica de Nazaret para no temblar de miedo en medio de ese silencio lleno de ruidos.

—Yo no sé si he venido a hacer el duelo contigo —suspiró ella—. No me gusta esto, hacer duelo. Pero no podía dejarte sola afuera.

Esperaba que Miriam le preguntara por qué, pero no hizo ninguna pregunta. Para que el silencio no se prolongara, dijo, casi maquinalmente:

—Bebe un poco de leche, al menos. Eso te dará la fuerza para esperar la mañana. Y también para luchar contra el frío...

No acabó la frase. Ahora que había oído la voz rotunda y dura de Miriam, sus consejos le parecían inútiles e incluso ligeramente ridículos. La chica de Nazaret sabía lo que quería y hacía. No necesitaba sermones.

Rut apretó los dientes y los puños, acechando los ruidos en el corazón del silencio. Duró mucho tiempo. Ninguna de las dos se movía, con los músculos de los muslos y de los riñones agarrotados. Parecía que, de vez en cuando, los labios de Miriam se movían, como si murmurara una oración, o algunas palabras. A menos que no se tratara de un efecto de la luz de la luna a través de las hojas de la gran acacia que dominaba el paraje.

De repente, Rut cogió las esquinas de la manta, la desplegó y la extendió sobre las piernas de Miriam y sobre las suyas. Miriam no protestó ni la retiró. Esto decidió a Rut a hablar.

—He venido porque tenía que hacerlo. A causa del maestro José. Para confiarte una cosa. Tú dices que el maestro es injusto, pero eso no es cierto.

Con la cabeza baja, miró sus manos con las palmas sobre la áspera lana que cubría sus piernas. A ambos lados de su rostro, bajo los resplandores intermitentes de la luna, sus cabellos blancos brillaban como la plata.

—Yo tuve un esposo. Trabajaba el cuero. Con una sola piel de cabra era capaz de fabricar un odre de dos fanegas tan perfecto que no dejaba transpirar una gota de agua al sol del verano. Era un hombre sencillo y dulce. Se llamaba Josué. Mi madre lo había escogido para mí sin que yo lo conociese. Yo tenía la edad justa de los esponsales. Catorce años, quizá quince. Cuando vi a Josué por primera vez, supe que podía amarlo como se debe amar al esposo. Durante dieciocho años fuimos felices y desgraciados. Tuvimos tres hijas. Dos murieron antes de los cuatro meses de vida. La otra creció grande y hermosa. También murió. Desde entonces, no me gusta hacer duelo. Pero me quedaba mi Josué y pensaba que tendríamos otro hijo. Teníamos la edad y sabíamos hacerlo.

Tuvo deseos de reírse de su propia broma. La risa no salió. Apenas una sonrisa.

—Un día, Josué decidió que amaba al Eterno más que a mí. Esto le cogió como un viento que se levanta y destroza un campo de cebada. Vino a vivir a esta casa. Los hermanos tardaron en aceptarlo. No aceptan fácilmente a los nuevos. Desconfían. Temen que no tengan la fuerza suficiente para llegar a ser lo bastante puros... Pero yo tardé aún más en aceptar perderlo. Todos los días, me ponía a la puerta de la casa. No podía creer que permanecería allí, que no cambiaría de parecer. El Todopoderoso se había llevado a mis hijas. No podía llevarse también a mi Josué. ¿Qué culpa tenía yo? ¿O era su justicia?

La voz de Rut apenas era audible. Ella no lo quería, pero las lágrimas perlaban sus párpados. Hacía mucho tiempo que no había sacado esta historia de su corazón.

—Nunca me fue devuelto.

A través del espesor de la manta, se golpeó el muslo con la palma de la mano y respiró fuerte para deshacer el nudo que tenía en la garganta.

—Quien vino hacia mí un día fue el maestro José. Yo estaba a la sombra de una gran higuera, a la izquierda de la casa. Yo miraba la puerta, pero, de tanto mirarla, no la veía. Cuando se dirigió a mí, tuve tanto miedo como si un escorpión me picara en el culo.

Ella sonrió de nuevo. Era un poco exagerado, pero bastante cierto, y pensar en ello le permitía secarse los ojos. Esto debió de agradarle a la chica de Nazaret, porque, con su voz seca, preguntó:

—¿Qué te dijo?

—Que mi Josué no volvería nunca conmigo porque había escogido la vía de los esenios. Que esta vía le prohibía tratar a su esposa como antes. Que el Eterno me perdonaría si quería considerarme como una mujer sin esposo. Que yo todavía era joven y bella. Me sería fácil encontrar un hombre que quisiera amarme.

¡Qué raro resultaba pronunciar esas frases hoy!

—Si hubiese tenido a mano una piedra suficientemente grande, le habría roto el cráneo. Cambiar de esposo ¡y sin que eso fuese malo! Tiene que ser un hombre, sabio o no, ¡que el Todopoderoso me perdone!, quien tenga unas ideas parecidas. Una luna más tarde, seguía delante de la casa. Entraba el invierno. Llovía y llovía. La gente de la aldea me daba comida pero, contra la lluvia y el frío, no podían hacer nada. El maestro José vino una vez más a verme. Esta vez, me dijo: «Vas a morirte de frío si te quedas aquí. Josué no volverá a ti». Yo respondí: «Entonces, soy yo quien vendrá aquí, todos los días. Si el Eterno quiere que muera, moriré y tanto mejor». Él no se conformaba. Se quedó allí mucho tiempo, bajo la lluvia, a mi lado, sin decir palabra. Después, de repente, me anunció: «Puedes entrar y considerar nuestra casa como la tuya. Pero deberás respetar nuestras reglas y quizá no te gusten. Tendrás que convertirte en sirvienta nuestra». ¡Eso no era lo peor! Yo tenía la respiración entrecortada. El maestro José añadió: «En el curso de tus trabajos, verás ir y venir a tu esposo, pero él no te verá. Será como si no estuvieses allí. Y no podrás hablarle ni hacer nada para que vuelva a ti. Esto podría causarte un dolor mayor que el que sientes hoy». Yo me dije que tanto peor. Estaba dispuesta a todo con tal de estar bajo el mismo techo que Josué. Pero el maestro insistió: «Si el dolor es demasiado grande, tendrás que marcharte. Ni Dios ni yo queremos ningún mal para ti». Tenía razón. Era terrible ver a mi esposo y no ser más que una sombra. Una herida que se reabre a diario. Sin embargo, me quedé.

Ella se calló el tiempo necesario para apaciguar el fuego que todavía incendiaba su pecho.

—Fue hace mucho tiempo. Veinte años quizá. Lo pasé muy mal. Suplicaba al Todopoderoso que me dejara morir. A veces, el dolor era tan grande que ni siquiera me podía mover. El maestro venía a verme. Lo más frecuente era que no me hablara. Me cogía la mano y se sentaba un momento a mi lado. Eso va contra la regla. Pero Gueuel todavía no estaba allí. Y un día me dijo: «Tu Josué ha muerto. Su cuerpo es polvo, pero todos nuestros cuerpos serán polvo. Su alma es eterna. Vive al lado de Yahveh y sé que vive a tu lado. Tu casa está aquí. Vivirás aquí todo el tiempo que quieras, como una hermana vive en la casa de su hermano». No lloré. No podía. Pero me di cuenta de que mi amor a Josué seguía siendo muy fuerte. Un día, mucho más tarde, el maestro José me dijo: «La bondad y el amor que están en el corazón no siempre necesitan ver un rostro para existir y ni siquiera para recibir a su vez el amor. Vosotras, las mujeres, tenéis el corazón más grande y más sencillo que el nuestro. Tenéis que hacer menos esfuerzos para querer el bien de quienes amáis. Sois grandes para esto y, aunque seáis nuestras sirvientas, os envidio. Mientras vivas, tu Josué estará contigo».

La expresión de Miriam cambió, pero Rut no supo qué pensar. Podía leer en ella la cólera, la tristeza e incluso una especie de hastío. O quizá fuese el efecto de la luna.

Rut sintió la necesidad de añadir:

—Más tarde, comprendí el sentido de las palabras del maestro José. En aquel momento, lo importante era lo que me había dicho: «Tu Josué».

Se calló. Miriam había vuelto su rostro hacia ella, pero seguía callada. Bajo aquella mirada, Rut se sintió extrañamente incómoda. Lo que pasaba por el cerebro de esta chica nunca lograría adivinarlo, ni siquiera entenderlo.

—Te cuento mi historia para que dejes de estar enfadada con el maestro. Es el mejor hombre que ha habido en la tierra. Lo que ha hecho, tanto con palabras como con acciones, nos ha hecho bien. Él no tiene la culpa de que esta tumba no esté en el cementerio. Él es el maestro, pero no es el único que decide. Puede hacer mucho, pero no milagros. Yo también quise que hiciera un milagro para mi Josué. Pero es el Todopoderoso quien hace los milagros. Es así. Lo que es seguro es que el maestro sabe lo que sentimos nosotras, las mujeres. No nos menosprecia. Y él te quiere mucho. No puede decirlo ni demostrarlo en la casa. A causa de la regla. Pero quiere el bien para ti. E incluso espera algo de ti.

Rut se sorprendió por sus propias palabras. No estaba acostumbrada a hablar así. Simplemente, esta noche, le habían venido. Y necesitaba decirlas. No solo para restablecer la justicia para con el maestro José.

La pregunta de Miriam la dejó estupefacta:

—¿Ves a tu Josué después de su muerte?

Rut dudó.

—En sueños, a menudo. Pero más desde hace unos años.

—A Abdías lo veo. Sin embargo, no estoy dormida y tengo los ojos abiertos. Lo veo y él me habla.

Un escalofrío recorrió el espinazo de Rut. Sus ojos escrutaban la oscuridad a su alrededor. En el transcurso de su larga existencia, había oído muchas historias de este género. Muertos que salían de sus tumbas y vagaban. Verdaderas o falsas, ella las detestaba. ¡Sobre todo al escucharlas sentada en una tumba, en la oscuridad, en una tierra que no estaba bendecida por los rabinos!

—El hambre te juega malas pasadas —declaró ella con la voz más firme posible.

—No, no lo creo —respondió con calma Miriam.

Rut cerró los ojos. Pero, cuando los abrió, no vio a nadie más que antes.

—¿Qué te dice? —murmuró.

Miriam no respondió, pero sonreía. Una sonrisa tan difícil de comprender como su cólera.

—No me metas miedo —le suplicó Rut—. No soy una mujer valiente. Detesto la noche y las sombras. Detesto que veas cosas que yo no veo.

Lanzó un pequeño grito de terror porque la mano de Miriam tropezó con su brazo antes de encontrar la suya y agarrarla.

—No tienes porqué sentir miedo. Has tenido razón al venir. Para José también, debes de tener razón.

—Entonces, ¿te quedas?

—Todavía no es el momento de marcharme.

# CAPÍTULO 14

MIRIAM SIGUIÓ MOSTRÁNDOSE INTRANSIGENTE con respecto a la duración de su duelo. Se prolongó siete días, como imponía la tradición.

Los habitantes de Bet Zabdai tomaron la costumbre, por la mañana y por la tarde, al ir y regresar de los campos, de acercarse a rezar a su lado, como si la tumba de Abdías se encontrara en tierra sagrada. A veces, los que acompañaban a los enfermos se unían a ellos. Mezclaban con sus oraciones los votos por la salud de sus seres queridos.

Poco a poco, esto creó una animación desacostumbrada que atrajo la atención de los hermanos esenios. A la hora del crepúsculo, los cantos de las oraciones en la tumba de Abdías lograban traspasar los muros de la casa. Esto desconcertó a algunos. Se preguntaban si no estaría bien y sería bueno ir a unir sus oraciones a las de los aldeanos.

¿No era la oración el primer principio de su retirada del mundo? ¿No debía asegurar la oración el reino de la luz de Yahveh sobre los siglos de tinieblas?

Esto condujo a un debate que se desarrolló no sin dureza. Gueuel y algunos otros protestaron vivamente. Los hermanos se cegaban y se pervertían, aseguraban ellos. ¡La oración de los esenios no podía confundirse con el simple ejercicio de unos campesinos ignorantes que no sabían leer una línea de la Torá! Además, ¿cómo podían pensar en rezar por un *am ha'aretz* al que habían negado una sepultura a causa de su impureza? ¿Olvidaban la enseñanza de los sabios y de los rabinos que, muchas veces, habían declarado que los *am ha'aretzim* no tenían conciencia humana y, por tanto, eran indignos de la Alianza que Yahveh celebraba con su pueblo?

Estos argumentos no convencieron a todos los hermanos. El fervor de la oración era único e incalificable. Cuanto más numerosas fueren las oraciones, más purificado quedaría el mundo. Y quizá también, más cerca estaría la tan esperada venida del Mesías. ¿Olvidaban Gueuel y los otros que ese era el objetivo último? Cada oración era un nuevo impulso hacia Yahveh. A Él, solo a Él le tocaba efectuar la selección que la corta vista de los hombres les impedía hacer a ellos. Si esta chica de Nazaret, los campesinos y los enfermos unían sus oraciones en una alabanza común de amor al Todopoderoso, ¿dónde estaba el mal?

Esto sacó de sus casillas a Gueuel.

—¿Rezaréis algún día por los perros y los escorpiones? ¿Están allí los puros que queréis llevar a la isla de los Bienaventurados? ¿No tenéis otra ambición que poblarla con la escoria de la tierra?

Durante este debate, José de Arimatea permaneció en silencio. Sin embargo, la última palabra le correspondía a él. Aunque se negó a emitir ningún juicio sobre la conciencia y el alma de los *am ha'aretzim*, declaró que quienes fuesen a rezar a la tumba del niño con la chica de Nazaret no cometerían falta alguna.

En realidad, ninguno de los esenios se arriesgó. Los argumentos de Gueuel y sus partidarios eran demasiado arduos y demasiado inquietantes. Ninguno de los hermanos quería arriesgarse a prolongar una disputa que podía romper la armonía de la comunidad. Sin embargo, Rut, en algún momento, cruzó su mirada con la de José, brillante de satisfacción.

* * *

Acabado el duelo, Miriam entró en la casa sin que nadie se opusiera.

Hizo sus abluciones en la cocina del ala de las mujeres. Rut y otras dos sirvientas le llenaron un gran balde de agua pura.

A Miriam daba pena verla. Había adelgazado más allá de lo razonable. Al hundirse, su rostro se había endurecido. En unos días, daba la sensación de que hubiera envejecido varios años. Sus ojos rodeados de ojeras tenían un resplandor difícil de sostener. Sus músculos parecían tensos como cuerdas. Bajo la máscara de la fatiga y de la voluntad, no se adivinaba la belleza, sino una gracia salvaje, tan inquietante como atractiva, sin comparación posible con cualquiera otra. Sin duda, era esta singularidad, unida a su obstinación, lo que había seducido a la gente de la aldea y la había incitado a acudir a rezar al lado de Miriam.

Ahora, Rut sabía que, bajo la aparente fragilidad, se escondía una fuerza inflexible, como José lo había presentido desde el primer momento. Y que esta fuerza hacía a Miriam difícil de comprender, diferente de un ser ordinario. Por lo demás, para convencerse, bastaba oírla bromear mientras las sirvientas le echaban agua en los riñones.

¿De dónde sacaba las ganas de reír, ella que, aún ayer, maldecía la injusticia y el horror de la muerte?

* * *

A partir del día siguiente, Miriam apareció en el patio para recibir a los enfermos que venían, dos veces al día, a visitar a José y a los hermanos.

Se veían allí multitud de ancianos, numerosas mujeres con niños pequeños. Se quedaban a la sombra y esperaban, acurrucados. Las sirvientas les daban de beber y, a veces, distribuían alimentos a los niños más hambrientos.

Ellas llevaban también los paños y todo lo necesario para las curas. Ciertos brebajes y pomadas, las más ordinarias y las utilizadas con mayor frecuencia, se preparaban de antemano en la cocina y de acuerdo con las recetas inventadas por José.

Así fue como Miriam y él volvieron a verse. Solo intercambiaron unas pocas palabras.

Miriam llevaba un gran cántaro de leche, que vertía en las escudillas de madera que presentaban las madres de los pequeños enfermos. Gueuel seguía a José, con los ojos y los oídos alertas, según su costumbre.

Al descubrirla, José se acercó, la saludó con una sonrisa amistosa.

—Me alegro de que permanezcas en esta casa.

—Me quedo para aprender.

—¿Aprender? —dijo Gueuel, sorprendido—. ¿Es que una mujer puede aprender?

Miriam no respondió. José tampoco. Ni siquiera su rostro y su sonrisa cambiaron. Quienes los rodeaban tuvieron la sensación de que Gueuel había hablado en el vacío.

Así transcurrieron varios días. Miriam seguía los consejos de Rut y prestaba a los enfermos toda la ayuda de la que era capaz. Les hablaba con dulzura, los escuchaba también cuanto tiempo deseasen, preparaba los brebajes y los emplastos que, poco a poco, aprendió a poner con eficacia.

Nunca se alejaba mucho de José cuando venía a hacer su visita, pero no le dirigía la palabra ni traba de cruzar su mirada con él. Sin embargo, ante los enfermos, sobre todo ante los que el mal parecía misterioso, hablaba lo bastante fuerte para que ella lo oyese. Hacía muchas preguntas, palpaba y examinaba, reflexionaba en voz alta.

Poco a poco, Miriam empezó a comprender que un dolor en el vientre podía provenir de una bebida o una comida, o que el de pecho podía estar causado por la humedad de una casa o por el polvo del grano después de la cosecha. Una antigua herida de la infancia en el pie, a la que la persona se hubiese acostumbrado, podía deformar para siempre la espalda de un adulto.

Los ojos y la boca eran la sede de todos los sufrimientos. Todos los días, había que cuidarse de purificar la segunda con ayuda del limón y el clavo, y los primeros, gracias al polvo de antimonio. En cuanto a las mujeres, ellas sufrían infecciones de las que nunca se atrevían a hablar, aunque el dolor las abatiera tanto como si les atravesaran el vientre con una daga. Era la señal precursora más segura de la muerte en el parto.

\* \* \*

Un día, cuando Miriam llevaba casi un mes en la casa, llegó un hombre llevando en brazos a un niño de siete u ocho años. El niño se había roto una pierna al caer de un árbol. Chillaba de dolor y su padre no gritaba menos fuerte que él bajo los efectos del miedo.

Aunque era tarde y se acercaba la oración del crepúsculo, José se acercó a ellos. Les habló para que se tranquilizasen, tanto uno como otro. Les aseguró que la rotura se curaría bien y que, antes del fin de año, el niño correría de nuevo. Pidió unas tablillas de madera y unos apósitos para rodear con firmeza la pierna del niño en una posición adecuada para la reparación de los huesos.

Con sus delicados dedos, palpó la carne ya inflamada. El niño gritó. Se desmayó cuando, de golpe y porrazo, José tiró de la pierna para poner en su sitio los huesos rotos. Llegó el momento de las tablillas. Sosteniendo la pierna, José le pidió a Miriam que la masajeara suavemente con los ungüentos mientras Gueuel disponía el entablillado.

Al hacerlo, Miriam se inclinó. La peineta que sostenía su espesa cabellera cayó. La masa de cabellos se desplazó y rozó la cara de Gueuel. Él lanzó un grito de furor y se echó hacia atrás.

Si no hubiese sido por los reflejos de José y de una sirvienta, el niño hubiese caído de la mesa en la que lo tenían tumbado. José, temiendo que la rotura de los huesos se hubiese agravado por la brusquedad del movimiento, desairó a Gueuel con unas palabras carentes de indulgencia.

—No estoy aquí para soportar la carne de esta mujer —replicó Gueuel con tono amenazador—.

La obscenidad de su cabello es una corrupción que tú nos impones. ¿Cómo quieres que cure para el bien cuando el mal te abofetea la cara?

Todos los que los rodeaban lo miraron con estupor. El apuro de José y de Miriam era evidente. Gueuel no dudó en añadir, con una sonrisa perversa:

—¡No estarás, maestro, a punto de decidir instalar a tu lado, como el otro José, a una mujer de Putifar!

Con el rostro hirviendo de humillación, Miriam depositó el tarro de ungüento entre las manos de una sirvienta y salió corriendo hacia el ala de las mujeres.

Rut se temió lo peor. Se precipitó tras ella para disuadirla de que se tomara demasiado a pecho las palabras de Gueuel.

—¡Ya sabes lo que es: un odre de hiel, un envidioso! Nadie lo quiere en la casa. Los hermanos no más que nosotras. Algunos aseguran que Gueuel nunca alcanzará la sabiduría de los esenios por los celos que le corroen el vientre. Por desgracia, mientras no cometa una falta contra la regla, el maestro no puede reprocharle nada...

Una vez más, Miriam asombró a Rut.

La tomó de la mano y la llevó a la cocina. Allí, ella misma le tendió la cuchilla con la que se cortaban las ligaduras de cuero.

—Córtame el pelo.

Rut la miró, atónita.

—¡Vamos, córtame el pelo! No dejes más de un dedo.

Rut le contestó que no podía hacerlo. Una mujer debe ser una mujer y, para ello, debe tener los cabellos largos.

—¡Además, son demasiado hermosos! ¿Qué parecerás después?

—Me río de estar bella o fea. No son más que cabellos. Volverán a crecer.

Como Rut dudase todavía, Miriam agarró un grueso puñado de cabellos, los alejó de la sien y los cortó sin vacilar.

—Si me lo hago yo misma, será peor —dijo ella, tendiendo los cabellos cortados a Rut.

Como Rut lanzara un grito de horror, ella se rio con mucha alegría.

Y así reapareció a los ojos de todos al día siguiente, con un pelo tan corto que estaba irreconocible. Esto le dejaba una extraña cabeza de chico y de chica al mismo tiempo. Su mirada era aún más penetrante, más viva. Los pómulos y la nariz marcados encerraban una virilidad que desmentía la boca, orlada por la ternura y la sonrisa de una mujer. Como se ceñía la túnica alrededor de la cintura, al modo de los hombres, cubriéndose el pecho con un caftán corto, la ilusión era inquietante.

José no la reconoció inmediatamente. Elevó las cejas mientras Gueuel fruncía el ceño. A él se dirigió Miriam, quebrantando la regla que exigía que una mujer no tomara la palabra en primer lugar.

—Espero no imponerte nunca mi corrupción de mujer, hermano Gueuel. Nadie puede deshacer lo que el Todopoderoso ha hecho. Mujer nací, mujer moriré. Pero, durante el tiempo de mi permanencia aquí, puedo borrar la apariencia de mi feminidad para que tu mirada no sufra más la corrupción.

Lo dijo con una sonrisa sin sombra de ironía.

Se produjo un momento de silencio. La carcajada de José, seguida rápidamente por la de los otros hermanos presentes, resonó tan fuerte que incluso los enfermos que sufrían se divirtieron.

*  *  *

Durante varias semanas, meses incluso, no hubo más incidentes. Hermanos, sirvientas, enfermos, todos se habituaron al rostro de Miriam.

No pasaba día sin que aprendiera a curar mejor y a aliviar mejor los dolores, aunque había gran cantidad de enfermedades cuya cura, incluso para José, seguía siendo un enigma.

De vez en cuando y siempre brevemente, aprovechando la discreción de un momento, de una rara intimidad, él intercambiaba algunas frases con ella.

Una vez, él le dijo:

—Cada uno de nosotros debe luchar contra los demonios que se afanan por desviarlo del camino que le espera. Algunos llevan a muchos de esos demonios agarrados a escondidas a su túnica. Tienen pocas oportunidades de escapar de ellos. Ciertos terapeutas piensan que las enfermedades que no somos capaces de comprender ni de curar son obra suya. No lo creo. Para mí, los demonios son una calaña bien visible. Y, cuando te veo, hija de Joaquín, sé que tú luchas contra un solo demonio, pero muy poderoso: el de la cólera.

Dijo eso con su habitual tono tranquilo, persuasivo. La ternura animaba su mirada.

Miriam no respondió; simplemente, agachó la cabeza en señal de asentimiento.

—Tenemos muchas razones para experimentar la cólera —continuó José—. Más de las que podemos soportar. Por eso la cólera no puede engendrar el bien. A la larga, actúa como un veneno: nos impide recibir la ayuda de Yahveh.

Otra vez, declaró riendo:

—He descubierto que las sirvientas de la casa solo piensan en imitarte. Gueuel se preocupa y se pregunta si alguna mañana no va a encontraros a todas con el pelo corto. Le he respondido que se arriesga, más bien, a despertarse una mañana sin una sola sirvienta en la casa, porque te las habrás llevado lejos de aquí con el fin de fundar una casa de mujeres...

Miriam se rio con él. José se pasó la palma de la mano por la cabeza calva. Su actitud ponía de manifiesto que se estaba divirtiendo, sin dejar de estar profundamente serio.

—No sería imposible; tú ya sabes mucho.

—No, todavía tengo demasiado que aprender —replicó Miriam con la misma expresión, a la vez serena y severa—. Y no es una casa para mujeres lo que habría que abrir, sino una casa para todos: mujeres u hombres, *am ha'aretzim* o saduceos, ricos, pobres, galileos, samaritanos, judíos y quienes no lo son. Una casa en la que nos uniésemos como la vida nos une y nos mezcla. Y no con unos muros tras los cuales unos se retiren de los otros.

José no respondió, desconcertado y pensativo.

\* \* \*

Las primeras lluvias del invierno hicieron caer las hojas de los árboles, haciendo impracticables los caminos. Había menos enfermos. El aire olía al fuego de los hogares. Los hermanos se pusieron a recorrer los campos alrededor de la casa, porque era uno de los mejores momentos para recolectar las hierbas necesarias para los ungüentos, las pomadas y los brebajes. Miriam cogió la costumbre de seguirlos a distancia para localizar su cosecha.

Una mañana, José la encontró esperando al borde de un camino, sentada sobre una roca. Como iba por delante de los demás, ella le confió:

—¿Sabes que Abdías viene a menudo a visitarme? No en sueños, sino de día y cuando tengo los ojos bien abiertos. Me habla, se alegra de verme. Y yo aun más.

Ella rio y añadió:

—¡Lo llamo mi pequeño esposo!

José frunció el ceño y preguntó con una voz aún más dulce que de ordinario:

—¿Y qué te dice?

Miriam se llevó un dedo a los labios y sacudió la cabeza.

—¿Crees que estoy loca? —preguntó, divertida por la inquietud que intuía en José—. ¡Rut está convencida!

José no tuvo ocasión de responder. Los hermanos se acercaban y los observaban con insistencia.

Después, José nunca demostró curiosidad por estas visitas de Abdías. Quizá esperara, como de costumbre, que Miriam le hablara de ellas. Ella no lo hizo. Como tampoco respondía a Rut que, de vez en cuando, con cierta socarronería, no podía morderse la lengua y le pedía noticias de su *am ha'aretz*.

* * *

Nevaba cuando, una mañana, un grupo de personas llegó a la casa chillando. Transportaban a una mujer muy anciana. El tejado de su casa, deshecho por la humedad, se había caído sobre ella.

José estaba fuera, recogiendo hierbas, a pesar del mal tiempo, y fue Gueuel quien se presentó en el patio para auscultar a la mujer. Miriam ya estaba inclinada sobre ella.

Intuyendo a Gueuel a su espalda, se apartó rápidamente. Gueuel examinó el rostro de la mujer, las heridas numerosas pero poco profundas de sus piernas y de sus manos.

Pasado un momento, se incorporó y declaró que la mujer estaba muerta y que no había nada que hacer. El grito de Miriam lo sobresaltó.

—¡No! ¡Seguro que no! ¡Ella no está muerta!

Gueuel la fulminó con la mirada.

—No está muerta —insistió Miriam.

—¿Acaso lo sabes mejor que yo?

—¡Noto su aliento! ¡La sangre pasa por su corazón! Su cuerpo está caliente.

Gueuel hizo un gran esfuerzo para controlar su rabia. Tomó las manos de la anciana y las cruzó sobre su túnica deshilachada y cubierta de polvo. Se volvió hacia quienes los rodeaban y les dijo:

—Esta mujer está muerta. Podéis preparar su sepultura.

—¡No!

Esta vez, Miriam lo empujó sin miramientos. Mojó un paño en una jarra de vinagre y comenzó a frotar las mejillas de la anciana.

—¡Ah! —se rio, sarcástico, Gueuel—, ¡quieres hacer tu milagro!

Sin prestarle ninguna atención, Miriam pidió más paños para lavar el cuerpo de la anciana y que calentasen agua para un baño.

—¿No ves que Yahveh le ha quitado la vida? ¡Lo que haces sobre el cuerpo de una muerta es sacrílego! —dijo, indignado, Gueuel— ¡Y todos los que la ayudéis también sois sacrílegos!

Tras un breve instante de duda, todos siguieron las órdenes de Miriam. Lanzando imprecaciones, Gueuel desapareció en el interior de la casa.

Metieron a la anciana en un balde de agua caliente, en la cocina del ala de las mujeres. Miriam no dejaba de frotarle el pecho y las mejillas con vinagre alcanforado. Sin embargo, todos comenzaron a dudar porque, en realidad, la anciana no daba más señales de vida.

A mediodía, José estaba de vuelta. Prevenido, acudió. Después de que Miriam le hubiese explicado lo que había hecho, él abrió los párpados de la mujer y buscó las pulsaciones de la sangre en el cuello.

Le llevó cierto tiempo encontrarlas. Se incorporó sonriendo.

—Vive. Tienes razón, vive. Pero ahora hace falta más agua caliente y darle de beber algo que podría tanto matarla como espabilarla.

Desapareció en el interior de la casa y regresó con una poción oleosa y negra, a base de raíces de jengibre y diferentes venenos de serpientes.

Con muchas precauciones, vertió unas gotas en la boca desdentada de la anciana.

Hubo que esperar hasta la noche, renovar constantemente el agua hirviente del baño hasta que, por fin, se le oyó con claridad un estertor.

Las sirvientas, como quienes habían transportado a la herida, retrocedieron, más por terror que por alegría. Habían querido creer que estaba viva cuando ella tenía el aspecto de estar muerta. Ahora, que tenían la prueba de que vivía, estaban aterrorizados. Uno de ellos gritó:

—¡Es un milagro!

Las sirvientas se echaron a llorar; otros gritaban:

—¡Es un milagro! Un milagro.

Aclamaron al Todopoderoso, se precipitaron afuera, desgañitándose para anunciar el milagro.

José, tan exasperado como divertido, miró a Miriam.

—Esto le va a encantar a Gueuel. En un momento, toda la aldea estará delante de la puerta gritando el milagro. Sería sorprendente que uno de ellos no improvisase una profecía.

Miriam no pareció entenderlo. Ella sostenía las manos de la anciana, mirándola con atención. Ahora, bajo sus párpados arrugados, se veían moverse los ojos. De su pecho provenía el ronquido entrecortado de su respiración.

Miriam buscó la mirada de José.

—Gueuel tiene razón. No se trata de un milagro. Es tu saber y tu poción los que le han devuelto la vida, ¿no?

# CAPÍTULO 15

LA PREVISIÓN DE JOSÉ SE CUMPLIÓ.

No pasó mucho tiempo hasta que el camino de la casa de Bet Zabdai quedara abarrotado por una masa abigarrada que murmuraba oraciones de la mañana a la noche. En medio de ella, algunos hombres harapientos cantaban y gritaban más fuerte que los demás. Sin dudarlo, se presentaban como los profetas del tiempo por venir. Algunos se entregaban a las peores excentricidades, asegurando que iban a realizar nuevos milagros. Otros arengaban a la asamblea con descripciones del infierno tan terribles y tan precisas que se creería que venían de él. Otros más excitaban a los enfermos, asegurando que la mano de Dios se había posado sobre los esenios y que estos poseían además el poder fabuloso de devolver la vida a los muertos, igual que hacían desaparecer las llagas y aniquilaban los dolores.

Furiosos ante el creciente caos, los hermanos optaron por preservar sus oraciones y sus estudios. Cerraron herméticamente las puertas, dejaron de recibir a los enfermos. En desacuerdo con esta decisión, pero molesto por estar en el origen de este desorden, José no se opuso. Dejó que Gueuel se encargara de esta clausura intempestiva de la casa.

Cuando Rut se lo dijo a Miriam, esta se contentó con una mueca de indiferencia. Solo le interesaban los cuidados que prodigaba a la anciana. Cada día suponía un progreso. Había llegado casi sin resuello y ya respiraba mejor. Se alimentaba e iba recuperando la conciencia poco a poco.

Discreto, José de Arimatea venía a auscultarla a diario. Sus visitas eran como un rito. Al llegar, observaba a la anciana en silencio. Después, inclinaba la cabeza y, a través de un paño, escuchaba los ruidos de su pecho. Se interesaba después por lo que había bebido, comido, así como por lo que había evacuado. Por fin, pedía a Miriam que le palpara los miembros, la pelvis y los costados. Vigilaba las reacciones de dolor en el rostro de la convaleciente, guiando los dedos de Miriam. Así, le enseñaba a reconocer, bajo la carne, los huesos, los músculos y sus eventuales roturas y contusiones.

Cinco días después de que, gracias a él, fuese librada del influjo de la muerte, declaró:

—Es demasiado pronto para saber si los huesos de su espalda y de sus caderas están intactos y si podrá volver a caminar. No obstante, dudo que estén afectados. Por ahora, si tus dedos aciertan, solo tiene una costilla rota. Le dolerá mucho tiempo, pero lo aguantará. Lo peor es cuando los huesos del pecho se rompen y rasgan los pulmones. En ese caso, no podemos hacer nada, sino asistir a una agonía espantosa.

Miriam le preguntó cómo podía estar seguro de que no le ocurría eso a esta mujer. José sacudió la cabeza, gesticulando.

—Cuando eso ocurre, ¡no cabe la menor duda! Respirar es un suplicio. Se forman en los labios ampollas teñidas de sangre. Tanto al espirar como al inspirar, ¡el pecho produce un rugido parecido al de una tormenta torrencial!

—Pero, si no tiene nada roto —preguntó, asombrada, Miriam—, ¿por qué esta mujer estaba como muerta?

—Porque le faltó el aire bajo los escombros que la enterraban. En el esfuerzo que hizo por sobrevivir, su corazón se debilitó. En realidad, no dejó de latir, pero sus pulsaciones se hicieron muy lentas, manteniéndose viva solo gracias a un flujo de sangre muy pequeño. Porque eso es sobre todo la vida: un corazón que late e impulsa la sangre por todo el cuerpo.

—Entonces, con tus pociones, ¿le diste fuerza a su corazón?

José asintió con un aire de satisfacción.

—Nada más. Solo una ayudita a la voluntad de Dios. Desde luego, Él decide, pero así ha sido nuestra Alianza desde Abraham: podemos realizar nuestra parte del trabajo con el fin de sostener la vida en la tierra.

Sus palabras contenían un punto de ironía, porque, sobre todo, José no quería parecer presuntuoso. Sin embargo, Miriam sabía que era sincero. El hombre no nacía al mundo como una piedra que se tira a un pozo. Tenía su destino en sus manos.

Se callaron un instante, observando a la anciana. Arrugas sobre arrugas, como se acumulan en los troncos de los árboles los círculos indelebles de las estaciones, mostraban el rostro de toda una existencia. Todavía se intuían la antigua belleza de la joven, la inocencia que había moldeado sus rasgos antes de que la madurez, los hijos, las alegrías y las penas los fijaran. Hoy, el largo desgaste de las pruebas y del trabajo los corroía, disolviéndolos en la máscara caótica de la vejez. Sin embargo, ese rostro celebraba la vida, la fuerza de la vida y todo el deseo que los humanos tienen de ella.

Rompiendo el silencio, a pesar del espesor de los muros, llegaban los gritos de uno u otro de los «profetas» que sermoneaban a la muchedumbre de los recién llegados. Entre las vociferaciones en tonos amenazadores, distinguieron las palabras: «promesas, rayos, gran levantamiento, salvador, de hielo, de fuego». El hombre las gritaba por turno en arameo, en hebreo y en griego.

José suspiró.

—¡He aquí uno que quiere demostrar que es sabio! Eso debe de gustar.

Como para responderle, resonó afuera un clamor brutal. Dos o tres centenares de gargantas gritaron los versículos de un salmo de David:

*Mira el rostro de tu Ungido.*
*Vale más un día en tus atrios que mil en mi casa,*
*y prefiero el umbral de la casa de Dios...*

Rápidamente, la voz del profeta reanudó su vibrante arenga.

—Si el Eterno no le ha hecho un verdadero profeta —dijo divertido José—, al menos le ha dado una garganta digna de anunciar las noticias en el desierto...

—El hermano Gueuel no se va a tranquilizar al oírlo —dijo Miriam con una media sonrisa.

—Gueuel está lleno de orgullo y de presunción —murmuró José.

Miriam asintió con la cabeza.

—Si fuese más humilde, sabría que nosotras, las mujeres y los débiles, todos los que él desprecia, nos parecemos a los que gritan afuera —dijo ella con dulzura—. Simplemente, nuestros gritos hacen menos ruido. Para mí, son tan dignos de compasión como esta anciana que tenemos ante nosotros. Sufren tanto como ella. Su dolor es el de no saber adónde los lleva la vida, de no comprender por qué están ahí. Andan sin una meta en los días por venir y esperan que la tierra se abra bajo sus pies y los arrastre al abismo. Sí, me entristece oírlos desgañitarse así. Les aterroriza hasta volverse locos ver que el rostro de Dios se aparta de ellos. No sienten ya su mano que los guía hacia la felicidad y hacia el bien.

José la miró intensamente, desconcertado. Rut, que se mantenía en segundo plano en la estancia, observó también a Miriam, como si las palabras que acababa de pronunciar fuesen de todo punto insólitas.

Con ese gesto que señalaba su apuro o su perplejidad, José se pasó la mano por su cabeza calva.

—Te comprendo, pero no comparto tu sentimiento, como tampoco experimento el temor de quienes están ahí afuera. Un esenio, si se comporta con justicia, pureza y por el bien de los hombres, sabe adónde le conduce el tiempo de la vida, al lado de Yahveh. ¿No es ese el sentido de nuestras oraciones y de nuestras opciones: la pobreza y la vida común en esta casa?

Miriam lo miró a los ojos.

—Yo no soy una esenia y no puedo serlo, porque soy mujer. Yo soy como ellos. Espero con impaciencia que Dios nos libre mañana de las desgracias que nos agobian hoy. Es mi única esperanza. Y este porvenir mejor no tiene que esperarlo solo unos pocos de entre nosotros. Tiene que abarcar a toda la humanidad que puebla la Tierra.

José no replicó. Dieron de beber a la anciana y, con la ayuda de Rut, Miriam le lavó la cara.

El día siguiente, cuando José llegó a auscultar a la mujer, todavía no habían cesado las vociferaciones en el exterior. Alterados, sin embargo, porque, durante la noche, había llegado un nuevo «profeta». Este, seguido por una veintena de fieles, exaltaba la alegría del martirio y el odio al cuerpo humano, débil y corruptible. Desde el amanecer, por turno, sus fieles se azotaban, a veces hasta la sangre, cantaban las alabanzas de Yahveh y su desprecio de la vida.

Cuando José entró en la habitación en la que descansaba la convaleciente, Miriam y Rut vieron que su rostro, de ordinario sereno y acogedor, estaba tan cerrado y duro como un guijarro. No dijo nada hasta que los llantos y los gritos estridentes le hicieron estremecerse.

—Los que presumen de profetas tienen más arrogancia que nosotros, los esenios, que Gueuel incluso —gruñó—. Creen alcanzar a Dios haciéndose calcinar en el desierto. Permanecen meses de pie sobre columnas, se alimentan de polvo y apenas beben, hasta que su carne se transforma en cuero viejo. Se embrutecen con falsas virtudes. Con este amor fingido a Dios, se oponen a su voluntad de hacer de nosotros criaturas a su imagen. Y si chillan y se azotan para adelantar la venida del Mesías, es que esperan que el Mesías nos libere de nuestros cuerpos entregados a la tentación. ¡Qué aberración! ¡Olvidan que el Todopoderoso nos quiere hombres y mujeres! Nos ama estando en buen estado de salud y felices, y no como larvas afligidas por chancros y mordeduras de demonios.

La voz de José, llena de violencia contenida, resonaba en el silencio. Miriam levantó la cabeza y brindó a José una sonrisa que lo dejó atónito.

—Si es de los hombres que detestan hasta ese punto a los seres humanos, Dios debe advertirle. Es responsable de ellos. Y si, como dices, quiere que seamos hombres y mujeres, no debe enviarnos a mensajeros extraños que seamos incapaces de reconocer. Su enviado debe ser un hombre que se nos parezca y se le parezca. Un hijo de humano que compartiera nuestro destino, sufriese nuestros dolores y viniera en auxilio de nuestras debilidades. Traería amor, un amor que equivale al tuyo, que te obstinas en devolver la vida a los más viejos, a los de cuerpo más estropeado y que dices que la armonía de las acciones y de las palabras engendra la buena salud.

José elevó las cejas, se distendió, desterrando de golpe su rabia.

—Bueno —aprobó—, ¡no has perdido en tiempo con Raquel! Te has convertido en una dura polemista.

Después, al darse cuenta de que no era precisamente el cumplido que esperaba Miriam, añadió, conciliador:

—Quizá tengas razón. La persona que describes sería el mejor de los reyes de Israel. Por desgracia, Herodes sigue siendo nuestro rey. ¿De dónde vendrá el tuyo?

\* \* \*

Siete días más tarde, el bullicio en torno a Bet Zabdai no había disminuido. El rumor de una resurrección milagrosa se había propagado mucho más allá de Damasco. Desde el amanecer al crepúsculo, nuevos enfermos se mezclaban con los que venían a diario a escuchar las peroratas de los supuestos profetas.

Los hermanos esenios temían que la muchedumbre, inflamada hasta la locura por las promesas de curaciones milagrosas, invadiese la casa. Por turno, diez hermanos montaban guardia tras el portón sólidamente atrancado. Al no poder salir a los campos y negar la entrada a todo el mundo, la comunidad se vio pronto obligada a racionar los alimentos, como en un estado de sitio.

Por desgracia, estas medidas solo consiguieron excitar un poco más a los falsos profetas, a los que dieron un pretexto para proclamar un misterioso y amenazador mensaje de Dios. La agitación en torno a la casa no decreció; más bien al contrario. Y, abriéndose paso a través de este caos, un gran carro de viaje se presentó ante el portón un día de tormenta.

El cochero se acercó a llamar al portillo para que le abrieran. Como era su obligación, en aquellas horas de tensión, los hermanos porteros no prestaron atención alguna a sus llamadas. Estuvo desgañitándose durante una hora sin conseguir nada. Los gritos de la joven que lo acompañaba no tuvieron más éxito.

Por fortuna, el día siguiente, antes de la oración del alba y mientras una lluvia glacial anegaba la aldea, la voz de Recab, el cochero de Raquel, resonó hasta el interior de los patios. Rut, que iba a sacar agua, comprendió el sentido de aquellas llamadas. Dejando sus cubos de madera, corrió a avisar a Miriam:

—¡Quien te trajo hasta aquí está en la puerta!

Miriam la miró sin comprender. Con voz apremiante, Rut añadió:

—¡El hombre del carro! El que te trajo con el pobre Abdías.

—¿Recab... aquí?

—Grita tu nombre como un loco desde el otro lado del muro.

—Hay que hacerle entrar rápidamente.

—¿Y cómo? ¡Desde luego, los hermanos no le van a abrir la puerta! Si pudiésemos salir de la casa...

Pero Miriam se precipitaba ya al patio principal. Vociferó tanto ante los porteros que apareció Gueuel. Se negó rotundamente a abrir el portillo.

—¡Tú no sabes lo que dices, niña! ¡Si entreabres esta puerta, la multitud nos invadirá!

La disputa se hizo tan vehemente que un hermano corrió a buscar a José.

—¡Recab está al otro lado! —gritó Miriam como única explicación.

340

José lo comprendió sobre la marcha.

—No cabe duda de que no ha venido de paseo. No se le puede dejar ahí con este frío y esta lluvia.

—Hay ahí detrás centenares soportando el frío y la lluvia y eso no los desanima —protestó agriamente Gueuel—. Al parecer, hasta los enfermos se encuentran mejor. ¡Quizá ahí esté el auténtico milagro!

—¡Basta, Gueuel! —gritó José, con una autoridad inusual.

El efecto fue más impresionante aun. Todo el mundo, sobrecogido, con el rostro mojado, se quedó paralizado observándolos, como dos fieras dispuestas a atacarse.

—Nos enterramos aquí como ratas —continuó José, con voz cortante—. No es esa la vocación de esta casa. Esta clausura no tiene sentido. Si acaso posee alguno, es perverso. ¿No nos hemos reunido en comunidad para encontrar la vía del Bien y aliviar el sufrimiento de este mundo? ¿No somos terapeutas?

Sus mejillas vibraban de cólera. Su rostro estaba rojo hasta el extremo de su calva. Antes de que Gueuel o cualquier otro hermano replicase, señaló con el índice a los porteros. La orden restalló, sin posibilidad de réplica:

—¡Abrid este portón! ¡Abridlo del todo!

Cuando rechinaron los goznes, el ruido que reinaba al otro lado cesó. Hubo un instante de estupor. Con los pies en el barro, los rostros rotos por la fatiga, los que esperaban durante días se quedaron paralizados, como si fuesen estatuas de arcilla, chorreando y con expresiones de sorpresa.

Después, se oyó un grito, el primero de otros muchos. En un instante, la confusión fue máxima. Hombres, mujeres, niños, viejos y jóvenes, enfermos y sanos corrieron al patio para arrodillarse a los pies de José de Arimatea.

Miriam vio entonces a Recab, de pie en el carro, sosteniendo firmemente las riendas de las asustadas mulas. Rápidamente reconoció la silueta que estaba a su lado.

—¡Mariamne!

* * *

—¡Tu pelo! —exclamó Mariamne—. ¿Por qué te lo has cortado...?

Recab, con los ojos brillantes, contemplaba a Miriam, emocionado y asombrado a la vez, mientras, tras ellos, José y los hermanos trataban de tranquilizar a la muchedumbre, asegurando sin descanso que reanudaban las curas.

—¡Cómo has adelgazado! —dijo, asombrada, Mariamne, abrazando a Miriam contra ella—. Noto tus huesos a través de la túnica... ¿Qué pasa aquí? ¿No te dan de comer?

Miriam se rio. Los introdujo rápidamente en el patio de las mujeres, donde Rut los esperaba bajo el porche, con el ceño fruncido y las manos en las caderas. Le hizo una señal a Recab, invitándolo a que se acercase a tomar algo en la cocina de las sirvientas.

—Aprovecha antes de que estos locos acaben con nuestras reservas —bromeó ella.

En el patio principal, la muchedumbre se tranquilizaba con dificultad. La voz de Gueuel, repetida por otros, reclamaba sin amabilidad orden y paciencia.

—El verdadero milagro sería que Dios pusiera algo de sentido común en la cabeza de todas estas buenas gentes —gruñó Rut—. Pero la tarea debe de ser bien grande, porque, desde Adán, ¡el Eterno no acaba de decidirse!

Giró bruscamente sobre los talones y entró en la casa. Recab, apurado, se volvió hacia Miriam. Ella le hizo una señal para que siguiera a la anciana sirvienta sin preocuparse por su humor.

—También tú querrás tomar algo, ¿no? —preguntó a Mariamne—. Y cambiarte de túnica, después de esta noche bajo la lluvia. Ven a calentarte...

Mariamne la siguió, pero solo aceptó un tazón de caldo caliente.

—El carro de viaje es bastante cómodo y una se olvida del frío y de la lluvia. Además, mi túnica es de lana. Cuéntame por qué te has cortado el pelo de un modo tan feo y lo que pasa en esta casa. ¿De dónde vienen esas gentes que se aglomeran alrededor de José? ¿Te has fijado en que no ha parecido reconocerme? Él, que ha venido tantas veces a Magdala...

—No te molestes con él. Te verá esta noche...

En pocas palabras, Miriam le contó cómo vivían los hermanos esenios, cómo curaban y cómo la supervivencia de la anciana en las últimas semanas había sido interpretada como un milagro, atrayendo a una muchedumbre de desesperados a Bet Zabdai.

—Estas pobres gentes quieren creer que José posee el don de la resurrección. Ante este pensamiento, pierden la razón.

Mariamne había recuperado su sonrisa burlona.

—Si lo piensas, es bien extraño y contradictorio. A ninguno le gusta la vida que lleva y, sin embargo, todos esperan que, gracias al milagro de la resurrección, vivirán eternamente.

—Te equivocas —objetó Miriam con seguridad—. Lo que esperan es una señal de Dios. La seguridad de que el Todopoderoso está a su lado. Y que seguirá después de su muerte. ¿No somos todos así? Por desgracia, José no posee el don de la resurrección. No pudo salvar a Abdías.

Mariamne bajó la cabeza:

—Sé que murió. Recab nos lo dijo a su vuelta.

Había dos preguntas, sin embargo, que Mariamne ardía en deseos de hacer, sin atreverse. Miriam no cedió a las peticiones silenciosas de su amiga.

Sin duda, Recab había comentado su estado y las atenciones que le había brindado José para mantenerla en su sano juicio. Pero ella no tenía ganas de hablar de ello a Mariamne. Todavía no. Mariamne y ella no hablaban desde hacía meses. Habían sucedido muchas cosas que las hacían un poco mutuamente extrañas, como atestiguaban tan bien los cabellos cortos que desesperaban a Mariamne.

Sin embargo, Miriam no quería apenar a su joven amiga.

—Estás más guapa que nunca. ¡Me parece que el Todopoderoso te ha concedido toda la belleza que podía reunir en una mujer!

Mariamne se ruborizó. Agarró las manos de Miriam para besarle los dedos, en un gesto de ternura que le era familiar en Magdala. Aquí, en la casa de Bet Zabdai, le pareció excesivo a Miriam. De todos modos, no lo dejó traslucir. Tenía que volver a habituarse a los entusiasmos ligeros de la hija de Raquel.

—Te he echado mucho de menos —murmuró Mariamne—. ¡Mucho, mucho! Todos los días he pensado en ti. Estaba preocupada. Pero mi madre no me dejó venir a tu lado. Ya sabes cómo es ella. Me dijo que estabas aprendiendo a curar al lado de José de Arimatea y que no había que molestarte.

—Raquel siempre tiene razón. En efecto, eso es lo que hago.

—Claro que siempre tiene razón. Y eso es horripilante. Me había asegurado que me gustaría estudiar la lengua griega. ¿Puedes creerte que hoy día la utilizo mejor que ella? ¿Y que me encanta?

Se rieron juntas. Después, la risa de Mariamne desapareció de forma extraña. Tras una breve duda, su mirada se deslizó hacia la cocina, hacia Recab y Rut que las observaban, volviendo a Miriam.

—Si mi madre me ha permitido venir hoy hasta aquí, es para darte una mala noticia.

De los pliegues de la túnica, sacó un corto cilindro de cuero en el que llevaba las cartas. Se lo dio a Miriam.

—Es de tu padre, Joaquín.

* * *

Con un nudo en el vientre, Miriam sacó el rollo de papiro del estuche. Las líneas de escritura se montaban unas en otras, dibujando una masa compacta de signos. La tinta oscura, absorbida más ávidamente por el papiro en algunos sitios, cubría casi en su totalidad la larga hoja, que la irregularidad de las fibras engrosaba en una mitad.

Miriam reconoció la escritura sencilla de su padre. Al menos, pensó con un alivio precipitado, no es a él a quien ha afectado la desgracia.

Tuvo que hacer un esfuerzo para descifrar las palabras y entenderlas. Rápidamente, lo supo. Hannah, su madre, había muerto bajo los golpes de un mercenario.

Después de haber dejado Nazaret, escribía Joaquín, habían vivido en paz en el norte de Judea, donde se habían refugiado en casa de la prima Eliseba y su esposo, el sacerdote Zacarías. Con el paso del tiempo, el deseo de volver a ver las montañas de Galilea se hizo apremiante y no los abandonaba. Y también, admitía Joaquín, él mismo no conseguía ser feliz lejos del trabajo del taller, sin el olor de la madera, sin el ruido de las gubias y de los martillos contra las fibras de los cedros y los robles. Porque, en Judea, donde todas las casas solo tienen azoteas de adobes y ladrillos cocidos al sol, un carpintero vivía en el desierto de su oficio.

Así, pensando que había llegado el tiempo del olvido, acompañados por Zacarías e Eliseba, a quienes su deseo de cambio había alcanzado a su vez, Hannah y él se pusieron en camino hacia Nazaret, antes de que lo más duro del invierno hiciese impracticables las carreteras.

La primera semana de viaje transcurrió felizmente, con la viva alegría de acercarse al monte Tabor. Hannah, a pesar de su tendencia a temer lo peor, tenía la sonrisa en los labios y un poco de despreocupación en el alma.

Después, esto cayó como un rayo. El día en el que se acercaban a Nazaret.

¿Por qué había tenido necesidad el Eterno de apesadumbrarnos otra vez? ¿Por qué pecado los castigaba sin descanso?

Se habían cruzado con una columna de mercenarios. Joaquín había disimulado su rostro y los mercenarios no le habían prestado ninguna atención especial. Su barba, además, era ya tan larga que era seguro que no lo reconocerían, ni siquiera una persona amiga. Pero, como siempre, los soldados de Herodes se las ingeniaron para mostrarse desagradables. Habían empezado a registrar el carro, con las violencias y humillaciones habituales. A Hannah le invadió el pánico. En su diligencia, grotesca y desgraciada, tiró una vasija de vino sobre la pierna de un oficial. Por poco no le hizo una herida en los pies. Miriam se imaginó el resto: el movimiento colérico, la espada clavada en el delgado pecho de Hannah.

Eso era todo.

Hannah, hija de Emerenciana, no murió en el campo. Aunque sufrió el martirio, habían llegado a Nazaret, a la casa de Yossef. Tuvo que pasar una larga noche antes de reunirse con el Señor Todopoderoso. Un camino recorrido con pena y angustia, sin paz alguna, como el resto de su vida.

*Quizá*, seguía escribiendo Joaquín, no sin amargura, *quizá* José de Arimatea hubiese sabido curar esta herida y salvar a su fiel Hannah.

*Pero José está lejos y tú también, hija mía muy querida, tú también estás lejos. Hace mucho tiempo hice el esfuerzo de satisfacerme con tu pensamiento para cubrir tu ausencia. Hoy te querría a mi lado. Me falta tu presencia, me faltan tu espíritu y toda esa sangre nueva que corre por tus venas y que me hace entrever un porvenir menos sombrío. Tú eres la única dulzura del mundo que me queda.*

\* \* \*

Recab, el cochero, dijo:

—Te llevo a Nazaret cuando quieras. Raquel, mi ama, me ha ordenado que esté a tu servicio el tiempo que quieras.

Mariamne asintió.

—Y yo voy contigo. No te dejaré.

Miriam respondió con silencios. Una especie de viento gélido le atravesaba el pecho. Sufría por el dolor padecido por su madre antes de morir, pero sufría aun más por su padre, cuyas palabras resonaban en ella.

Por fin, dijo:

—Sí, hay que salir cuanto antes.

—Podemos hacerlo hoy mismo —dijo Recab—. Quedan muchas horas hasta la noche, pero no estaría mal que las mulas descansaran hasta mañana. La ruta hasta Nazaret será larga. Cinco días, por lo menos.

—Entonces, mañana al amanecer.

Es lo que anunció a José de Arimatea cuando pudo librarse de la muchedumbre que lo había acaparado hasta entonces. Estaba agotado, tenía los labios secos por haber hablado demasiado y ojeras. Pero, cuando Miriam le informó de la carta de Joaquín, puso la mano sobre su hombro, en un gesto lleno de ternura.

—Somos mortales. Así lo ha querido Yahveh. A fin de que sepamos llevar una vida auténtica.

—Mi madre ha muerto por la mano de un hombre. La de Herodes, la de un mercenario pagado para matar. ¿Cómo puede admitir Yahveh algo semejante? ¿Es él quien desea nuestras humillaciones? Habría que romper hasta el aire que nos rodea y que respiramos. Las oraciones no bastan.

José se pasó la mano por el rostro, se frotó los ojos y repitió una vez más:

—No te dejes llevar por la cólera. No conduce a nada.

—No es la cólera lo que me invade —replicó Miriam con firmeza—. Simplemente, la paciencia ya no es hermana de la sabiduría.

—La guerra no nos ayudará en absoluto —insistió José—. Tú lo sabes.

—Pero, ¿quién habla de guerra?

José la miró sin decir palabra, esperando que siguiera hablando. Ella se conformó con sonreír. Veía toda la fatiga que lo agobiaba. Con remordimiento, se inclinó hacia él, le besó la mejilla con una ternura desacostumbrada que le hizo estremecerse.

—Te debo más de lo que nunca podré devolverte —murmuró ella—. Y te abandono ahora que me necesitarás para atender a todos los que van a acudir a ti los próximos días.

—No, no creas que estás en deuda conmigo —objetó José con afecto—. Lo que yo te haya podido dar, ya me lo has devuelto sin darte cuenta incluso. Y es mejor que te alejes de aquí. Los dos sabemos que esta casa no es para ti. Nos encontraremos pronto, no me cabe la menor duda.

\* \* \*

Por la noche, cuando ya estaban encendidas las lámparas, Rut se acercó a Miriam y le dijo con voz firme:

—He estado reflexionando. Si lo aceptas, parto contigo. Ya es hora de que yo también deje esta casa. Quién sabe, podría ser útil en tu Galilea.

—Serás bienvenida en Nazaret. Tengo una amiga a la que le vendrás muy bien. Se llama Halva y es la mejor de las mujeres. No tiene muy buena salud y ya lleva pegados a su túnica a cinco hijos. Quizá hoy tenga uno más. Tu ayuda la aliviará si tengo que acompañar a mi padre, que está solo.

El día siguiente, a un amanecer gris y lluvioso, Recab sacó el carro de la casa de Bet Zabdai. La muchedumbre, tranquila, se hizo a un lado. Por primera vez desde hacía varias semanas, se mostraba paciente y solo prestaba una atención distraída a los furores de un nuevo profeta que anunciaba que pronto los campos se transformarían en hielo y después en un fuego lleno de lenguas envenenadas.

José acompañó a Miriam hasta la tumba de Abdías. Ella quería decirle adiós antes de reunirse con Rut y Mariamne. Se arrodilló en el barro. José, que esperaba oírla rezar, se sorprendió al verla mover los labios sin que de ellos saliera ningún sonido. Cuando ella se incorporó, ayudándose con la mano que le tendía, murmuró con una satisfacción que no podía disimular:

—Abdías me habla siempre. Viene hacia mí y yo lo veo. Siempre como en un sueño, aunque yo no duermo y tengo los ojos bien abiertos.

—¿Y qué te dice? —preguntó José, sin ocultar su confusión.

Miriam se ruborizó.

—Que él no me abandona. Que me acompaña adonde vaya y que es siempre mi pequeño esposo.

# CAPÍTULO 16

TENÍAN A LA VISTA LOS TEJADOS DE NAZARET. Faltaban dos días para el mes de nisán. El cielo mostraba esa hermosa luz anunciadora de la primavera que permitía olvidar los rigores del invierno. A lo largo de la carretera, desde Séforis, el sol jugaba entre los grupos de cedros y de malezas y, al acercarse a Nazaret, perforaba las sombras bajo las hayas que bordeaban el camino. A Rut y a Mariamne, que todavía no conocían aquellas colinas, Miriam les mostraba los caminos y los campos que habían presenciado sus alegrías infantiles. Estaba tan impaciente por volver a ver a su padre, a Halva y a Yossef, que el pensamiento de su madre se atenuaba en medio de aquella felicidad.

Cuando apareció la casa de Yossef, ella no pudo aguantar más. Las fatigadas mulas tiraban del carro con demasiada lentitud. Saltó al camino y se lanzó hacia el gran patio que permanecía en sombra.

Joaquín acechaba sin duda su llegada. Fue el primero en aparecer y le abrió los brazos. Se abrazaron, con lágrimas en los ojos y temblor en los labios, mezclándose alegría y tristeza.

Joaquín repetía una y otra vez:

—¡Estás aquí! ¡Estás aquí!...

Miriam le acarició la mejilla y la nuca. Observó sus arrugas más profundas y el blanco que había invadido sus cabellos.

—¡En cuanto recibí tu carta, vine para acá!

—Pero, ¿tu pelo? ¿Qué has hecho con tu hermoso pelo? ¿Qué ha pasado por el camino? Es un viaje tan largo, para una niña...

Ella señaló el carro que se acercaba al patio.

—No, no temas. No he hecho este viaje sin compañía.

Hubo un momento de confusión porque, en el momento en que ella le presentaba a Recab, Mariamne y Rut, apareció una pareja de edad madura saliendo de la casa de Yossef.

Él tenía la larga barba de los sacerdotes, los ojos intensos y un poco fijos, mientras que ella era una mujer bajita, redonda, graciosa, de unos cuarenta años. Ella llevaba a un recién nacido contra su pecho, un bebé de unos días, y, tras ella, a su sombra, venía una chiquillería que parecía un racimo de pequeñas caritas. Miriam reconoció a los hijos de Halva: Yakov, Yossef, Shimón y Libna.

Ella los llamó, abriendo los brazos. Pero solo Libna se le acercó con una tímida sonrisa. Miriam la cogió, subiéndola en brazos y preguntando a los demás:

—¿Qué pasa? ¿Ya no me conocéis? Soy yo, Miriam...

Antes de que los niños respondiesen, Joaquín, todavía invadido por la emoción de los reencuentros, dijo, un poco bruscamente, señalando a la mujer redonda y al sacerdote:

—Este es Zacarías, mi primo, en cuya casa estuvimos con tu pobre madre, ¡bendita sea su memoria! Y esta es la dulce Eliseba, su esposa. Tiene en brazos a Yehudá, ¡el hijo más pequeño de Yossef! Que el Todopoderoso lo guarde...

—¡Ah! ¡Este es! —exclamó Miriam, risueña—. Sus males no han impedido a Halva hacer otro niño. Pero, ¿dónde está ella? ¿Todavía acostada? ¿Y Yossef?

Se produjo un breve silencio. Joaquín abrió la boca sin pronunciar palabra. Zacarías, el sacerdote, buscó la mirada de su esposa, que besaba con fervor la frente del bebé dormido.

—Bueno, ¿qué pasa? —insistió Miriam con voz menos firme—. ¿Dónde están?

—Aquí estoy.

La voz de Yossef la sorprendió. Provenía del taller que estaba detrás de ella. Se volvió rápidamente. Con una exclamación de alegría, dejó a Libna en el suelo para abrazarlo. Después, ella observó sus ojos rojos mientras pasaba entre Rut y Mariamne sin prestarles atención.

—¡Yossef! —balbució ella, con el pecho encogido, intuyendo ya lo que pasaba—. ¿Dónde está Halva?

Los últimos pasos los dio Yossef tambaleándose. Agarró a Miriam por los hombros y la abrazó contra él para sofocar los sollozos que sacudían su pecho.

—¡Yossef! —repitió Miriam.

—Muerta al dar a luz al niño.

—¡Oh, no!

—Hoy hace siete días.

—¡No! ¡No! ¡No!

Los gritos de Miriam fueron tan violentos que todos bajaron la cabeza, como si recibieran golpes.

—Estaba tan contenta al pensar que ibas a venir —murmuró Yossef, bajando la cabeza—. ¡Señor Todopoderoso, cómo se alegraba! Pronunciaba tu nombre a todas horas. «Miriam es como mi hermana... echo de menos a Miriam... Miriam al final vuelve». Y después...

—¡No! —gritó Miriam retrocediendo, con el rostro elevado hacia el cielo—. ¡Oh, Dios, no! ¿Por qué Halva? ¿Por qué mi madre? Tú no puedes hacer esto.

Agitó los puños, se golpeó el vientre como para arrancar el dolor que la conmocionaba. Después, repentinamente, golpeó a Yossef en el pecho.

—¿Y tú? ¿Por qué le has hecho este niño? —gritó—. ¡Tú sabías que no era muy fuerte! ¡Tú lo sabías!

Yossef no trató de esquivar los golpes. Él asintió con la cabeza, con las lágrimas rodando hasta sus labios. Mariamne y Rut se precipitaron al mismo tiempo para apartar a Miriam, mientras Zacarías y Joaquín tiraban de Yossef por los brazos.

—¡Vamos! ¡Vamos, hija! —dijo Zacarías, muy afectado.

—Ella tiene razón —murmuró Yossef—. Lo que ella dice me lo repito yo a cada momento.

Eliseba había retrocedido, protegiendo a los niños de la cólera de Miriam. En sus brazos, el bebé se había despertado. Dijo, en tono de reproche:

—Nadie tiene la culpa. Tú sabes que esto les ocurre a las mujeres con más frecuencia de lo debido. ¡Tal es la decisión de Dios!

—¡No! —gritó aún Miriam, soltándose de las manos de Rut—. ¡Eso no tiene que ser así! ¡No es una muerte a la que tengamos que acostumbrarnos, sobre todo la de una mujer que da la vida!

Esta vez, el bebé se echó a llorar. Eliseba, arrullándolo contra su pecho, fue a refugiarse a la escalera de la casa. Libna y Shimón lloraban aferrándose a su túnica, mientras que Yakov, el mayor, sostenía firmemente al que le seguía, Yossef, y contemplaba a Miriam con ojos muy abiertos. Deshecho en sollozos que lo sofocaban, Yossef se acurrucó, con la cabeza entre los brazos.

Zacarías puso una mano sobre su hombro y se volvió hacia Miriam.

—Tus palabras no tienen sentido, hija mía. Yavé sabe lo que hace —dijo sin disimular el reproche que endurecía su tono—. Él juzga, Él toma, Él da. Él es el Todopoderoso, Creador de todo. Nosotros debemos obedecer.

Miriam parecía no entenderlo.

—¿Dónde está ella? ¿Dónde está Halva?

—Al lado de tu madre —murmuró Joaquín—. Casi en la misma tierra.

* * *

Cuando Miriam se lanzó hacia el cementerio de Nazaret, dudaron en seguirla. Con los rasgos cansados por la tristeza, Yossef la vio desaparecer en la sombra del sendero. Sin decir palabra, fue a encerrarse en su taller. En ese mismo momento, Eliseba se llevaba a los niños a la casa, tratando de tranquilizar al pequeño Yehudá.

Finalmente, Joaquín no se contuvo. Siguió a su hija a distancia, arrastrando a los demás. Sin embargo, en la entrada del cementerio, Rut puso la mano sobre la de Mariamne para retenerla. Recab se detuvo detrás de ellas, mientras Zacarías se adelantaba con autoridad detrás de Joaquín. Sin embargo, también ellos se detuvieron a una decena de pasos de la tierra removida que cubría a Hannah y a Halva.

Hasta el crepúsculo, Miriam estuvo en el cementerio. Según la tradición, quien se inclinaba sobre una tumba depositaba en ella una piedra blanca, en señal de su paso por allí. Sin embargo, Miriam, incansable, iba a sacarlas a decenas del saco puesto al efecto a unos pasos. Estaba recubriendo la tumba. Poco a poco, esta fue presentando una blancura cegadora bajo el sol del invierno. Cuando se le acababan, volvía al saco y comenzaba de nuevo.

Una vez más, Zacarías quiso protestar. Con una mirada, Joaquín se lo impidió. Zacarías suspiró, sacudiendo la cabeza.

Durante todo este tiempo, Miriam no dejó de hablar. Sus labios se movían sin que nadie oyese una palabra. Más tarde, Rut les dijo que, en realidad, Miriam no hablaba. Lo mismo había sucedido en la tumba de Abdías, en Bet Zabdai, contó ella.

—Es su forma de conversar con los difuntos. Nosotros no somos capaces.

Lanzando una mirada a Zacarías, que movía los ojos como ofendido, añadió con un poco de humor:

—En Bet Zabdai, el maestro José de Arimatea nunca se extrañó y nunca se lo reprochó. Tampoco la declaró loca. Y, con respecto a la locura, él ha visto de todo. ¡Si hay alguien que sepa de enfermedades, tanto del espíritu como del cuerpo, es él! Y puedo certificar que, si hay una mujer a la que admire, a la que juzgue igual a un hombre, a pesar de su juventud, es a Miriam. Se lo ha repetido muchas veces a los hermanos de la casa que se extrañaban, como tú, Zacarías: es diferente a las demás, decía él, y no hay que esperar que haga lo que todo el mundo.

—Tiene razón para rebelarse ante tantas muertes —añadió Mariamne con dulzura—. ¡Desde Abdías, ha sufrido demasiados duelos! Ella y todos vosotros. No sé qué decir para consolaros.

Pero, para sorpresa de todos, esa tarde, de vuelta a la casa de Yossef, Miriam apareció calmada y tranquila. Ella anunció a Joaquín:

—He rogado a mi madre que me perdone todas las penas que le he causado. Sé que me echó de menos y que hubiese deseado que me quedara a su lado. Le he explicado por qué no pude concederle esa felicidad. Allá donde está, bajo el ala eterna del Todopoderoso, me comprenderá.

—Tú no tienes nada que reprocharte, hija mía —protestó Joaquín, con los ojos brillantes de emoción—. Nada ha sido culpa tuya, sino más bien mía. Si yo hubiese sabido contenerme, si no hubiese hecho la locura de matar a un mercenario y de herir a un recaudador, tu madre estaría entre nosotros viva. Nuestra existencia no se parecería a esta.

Miriam le acarició la barba y lo abrazó.

—Si yo no tengo nada que reprocharme, tú eres aun más puro que yo —aseguró ella con ternura—. Tú siempre has actuado en nombre de la justicia, aquel día y todos los demás de tu vida.

De nuevo, bajaron la cabeza al oír sus palabras. Esta vez, no les impresionó la cólera, sino su seguridad. Incluso Zacarías inclinó la cabeza sin protestar. Pero no les hubiera sido fácil explicar de dónde sacaba ella esa fuerza que estaban descubriendo.

* * *

Aquella tarde, después de haber besado a su padre, Miriam fue a buscar a Yossef en el taller. Cuando franqueó el umbral, él la miró con temor mientras se acercaba.

Ella se puso junto a él para cogerle las manos. Se inclinó.

—Te pido que me perdones. Siento mucho las palabras que dije. Eran injustas. Sé cuánto quería Halva ser tu esposa y cuánto le gustaba tener hijos.

Yossef sacudió la cabeza, incapaz de emitir un sonido.

Miriam le sonrió con dulzura.

—Mi maestro, José de Arimatea, me reprochaba a menudo mis arrebatos de cólera. Tenía razón.

La suavidad de su tono tranquilizó a Yossef. Recuperó el aliento, se enjugó los ojos con un trapo tirado sobre el banco de trabajo.

—Nada de lo que dijiste es falso. Los dos, ella y yo, sabíamos que un nuevo nacimiento podía matarla. ¿Por qué no supimos abstenernos?

La sonrisa de Miriam se acentuó:

—Por la mejor de las razones, Yossef. Porque vosotros os amabais. Y es lo que hacía falta para que engendrarais una vida tan bella y tan buena como él.

Yossef la observó con tanto estupor como agradecimiento, como si esta idea no se le hubiese ocurrido nunca.

—Allá, en su tumba —continuó Miriam—, prometí a Halva que no abandonaría a sus hijos. Desde hoy, si tú quieres, me ocuparé de ellos como si fuesen los míos.

—¡No! Esa no es una buena decisión. Tú eres joven, pronto fundarás tu propia familia.

—No hables por mí. Sé lo que digo y a qué me comprometo.

—No —repitió Yossef—. Tú no te das cuenta. ¡Cuatro hijos y dos hijas! ¡Menudo trabajo! Tú no estás acostumbrada. Halva dejó su salud en el empeño. No quiero que arruines la tuya.

—¡Qué cantidad de tonterías! ¿Pensabas hacerlo tú solo?

—Eliseba me ayuda.

—Ella no está en edad de hacerlo durante mucho tiempo. Y nunca fue la amiga de Halva.

—Más tarde, cuando sea el momento, encontraré a alguna viuda en Nazaret.

—Si es una esposa lo que quieres, es otra cosa —admitió Miriam un poco secamente—. Pero ahora, déjame ayudarte. No estoy sola: tengo conmigo a Rut. Ella hace la tarea de dos personas y, antes de venir, le advertí que ayudaríamos a Halva.

Esta vez, Yossef se inclinó.

—Sí —admitió, cerrando los ojos por timidez—, a ella le habría gustado que cuidaras a los niños.

Cuando se lo dijo, Rut aprobó sin reservas la propuesta de Miriam.

—Durante todo el tiempo que Yossef y tú lo queráis, os ayudaré.

Joaquín parecía feliz, con el espíritu aliviado por primera vez desde hacía bastantes días. Trabajaba con Yossef en el taller. Entre los dos hacían suficientes trabajos para alimentar a esta gran familia.

—Así es la vida según la voluntad de Yavé —murmuró sentencioso Zacarías—. Nos escolta entre la muerte y el nacimiento para hacernos más humildes y más justos.

Sin embargo, Joaquín no le dejó continuar con ese tono. Alegre por la decisión de Miriam, anunció:

—El hecho es que Zacarías tiene una buena noticia que anunciaros. Su pudor le ha impedido hacerlo en estos días de duelo. Así que voy a ser yo quien os lo diga: de camino a Nazaret, Eliseba descubrió que estaba encinta. ¿Quién lo iba a pensar?

—Ni tú ni yo —replicó divertida Eliseba—. Sí, embarazada de un hijo, lo estoy por la voluntad de Yavé. ¡Bendigo mil veces al Todopoderoso que se ha acordado de mí! ¡A mis años!

Eliseba, que debía de tener el doble de la edad de Mariamne y Miriam, se mostraba radiante y no disimulaba su orgullo. Las jóvenes la contemplaban boquiabiertas.

—Sí, tenéis razones de sobra para estar asombradas. ¿Quién lo hubiera creído posible?

—Todo es posible si Dios extiende la mano sobre nosotros. ¡Alabado, mil veces sea alabado el Eterno!

—No hay más remedio que creerlo. Yo que pensaba que era más estéril que un campo de piedras durante todos esos años en los que una mujer debe criar... Y ahora esto nos ha llegado en un sueño —dijo divertida Eliseba, guiñándole los ojos a Rut.

—Yo ya lo digo —dijo Zacarías con la máxima seriedad—, es un ángel de Dios quien me ha empujado a hacer este niño. Un ángel que me declaró: «*Es la voluntad de Dios: serás padre*». Y yo, lleno de orgullo, protesté, le respondí que era imposible. «*Tú no eres tan viejo, Zacarías. Y tu Eliseba es casi joven, si la comparas con la Sara de Abraham. Ellos eran más viejos que vosotros dos, mucho más*».

—En realidad, yo me reí de su sueño. ¡No lo creía, de ninguna manera! —dijo Eliseba—. «Míranos, mi pobre viejo Zacarías —le dije—. Porque un sueño es un sueño, y ahora que tienes los ojos abiertos, lo olvidarás». ¿Cómo podía creerlo aún capaz de una obra tan hermosa?

La risa de Eliseba sonaba alta y fuerte.

Y continuó enseguida, mirando de reojo hacia Yossef y Joaquín para asegurarse de que esta alegría que no conseguía reprimir no les ofendiera.

—Tienes razón para estar contenta —la animó Joaquín—. En los días de pena, un acontecimiento así alegra el corazón.

Eliseba se acariciaba el vientre como si ya estuviese hinchado por el niño futuro. Rut, que había permanecido fría durante este momento de entusiasmo, la observó con suspicacia:

—¿Estás segura?

—¿Una mujer no iba a saber cuándo espera un hijo?

—Una mujer se equivoca más de una vez, y más de una vez toma sus sueños como la realidad. Sobre todo en cosas así.

—¡Yo sé lo que Dios me ha encomendado! —dijo, indignado, Zacarías.

Miriam, interponiéndose con dulzura, puso la mano sobre el hombro de Rut.

—Seguro que está encinta.

Rut se ruborizó, avergonzada.

—Soy tonta, perdonadme. Vengo de un lugar en el que la gente está enferma y se vuelve loca. Si se los escuchara, el cielo sería un atasco de ángeles y los profetas pulularían por la tierra de Israel. Esto ha acabado por hacerme demasiado suspicaz.

En otro momento, Joaquín y Yossef se hubiesen sonreído.

\* \* \*

Más tarde, Mariamne le preguntó a Miriam:

—¿Quieres que me quede a tu lado algún tiempo? Aunque no sé nada de niños, puedo ser útil. Sé que mi madre no se negaría. Enviaremos de vuelta a Recab con un mensaje para ella. Lo comprenderá.

—Por los niños, no, no te necesito. Pero por mi moral y para intercambiar palabras que solo te confiaría a ti, sí, me gustaría mucho. Tú has traído contigo libros de la biblioteca de Raquel. Me vendrá bien leerlos.

Mariamne se ruborizó de placer.

—Tu amiga Halva era como una hermana para ti. Pero nosotras también lo somos, ¿no? Aunque no nos parezcamos como antes, ahora que llevas el pelo corto.

Así, la casa de Yossef renació a la vida. Todo el mundo encontró su sitio en la multitud de tareas cotidianas, todo el mundo tenía de qué ocuparse y con qué distraer su tristeza. El gozo de Zacarías e Eliseba a la espera de su hijo inclinaba a la alegría y comenzaron unos días nuevos, parecidos a una convalecencia.

Pasada una luna, se confirmó que Eliseba estaba encinta. A menudo, se acercaba a Miriam y le confiaba:

—Tienes que saber que el niño que llevo en mi vientre ya te quiere. Lo siento cuando me acerco a ti: se agita y se diría que aplaude.

Irritada, Rut, incapaz de aceptar este nacimiento milagroso, le hacía observar que su vientre apenas estaba hinchado. El niño no debía de ser aún más que una bolita no más gruesa que un puño.

Eliseba replicaba con satisfacción:

—Es exactamente lo que yo siento. Un puñito que golpea cuando menos te lo esperas.

—Bueno —suspiraba Rut, levantando los ojos al cielo—, si empieza así a una o dos lunas, ¡cómo será cuando se ponga de pie!

\* \* \*

Pronto, al amanecer, antes de levantar a los niños, Miriam cogió la costumbre de alejarse de la casa. A la luz naciente, entre la noche y el día, tomaba el camino que bajaba hacia Séforis a través del bosque y vagaba al azar.

Cuando el sol apuntaba en el horizonte, estaba de vuelta. Atravesaba el patio con aspecto pensativo.

Mariamne y Rut notaron que cada vez estaba más silenciosa e incluso un poco lejana. Solo después de que se terminaran los trabajos de la jornada se mostraba atenta a las habladurías de unos y otros. Poco a poco, dejó de interesarse por la lectura que le hacía Mariamne a la hora de la siesta de los niños, a pesar de que ella misma se la había pedido.

Una tarde, cuando acababan juntas de preparar la masa para el pan del día siguiente, Mariamne le preguntó:

—¿No te cansas de pasear por las mañanas? Te levantas tan pronto que vas a acabar agotada.

Miriam sonrió y le dirigió una mirada divertida.

—No, eso no me cansa ni me fatiga. Pero te intriga. Te gustaría mucho saber por qué me voy así casi todas las mañanas.

Mariamne se ruborizó y bajo la cabeza.

—No te avergüences. Es normal ser curiosa.

—Sí, soy curiosa. Y sobre todo con respecto a ti.

Cortaron la masa en silencio para hacer bolas. Cuando hacía la última, Miriam se detuvo.

—Cuando voy así por los caminos —murmuró—, siento la presencia de Abdías. Tan cercana como si todavía estuviese vivo. Necesito sus visitas como respirar o comer. Gracias a él, todo se alivia. La vida no es tan penosa...

Mariamne la miró en silencio.

—¿Te parezco un poco loca?

—No.

—Porque me quieres. Rut también detesta que hable de Abdías. Está convencida de que pierdo la cabeza. Pero, como también me quiere, hace como que no.

—No, te lo aseguro. Yo no creo que estés loca.

—Entonces, ¿cómo explicas que no deje de sentir la presencia de Abdías?

—No me lo explico —dijo Mariamne con franqueza—. No lo entiendo. Y no se puede explicar lo que no se entiende. Sin embargo, lo que no se entiende existe. ¿No es lo que aprendimos en

Magdala leyendo a los griegos que tanto gustan a mi madre?

Miriam tendió sus dedos llenos de harina para frotar la mejilla de Mariamne.

—¿Ves por qué necesito que te quedes a mi lado? Porque me dices cosas así, que me tranquilizan. Porque, a menudo, me pregunto si no deliro.

—Cuando Zacarías afirma haber visto a un ángel, ¡nadie se pregunta si está loco! —protestó Mariamne, añadiendo con malicia—: pero quizá, sin ese ángel, nadie creería que le ha hecho un hijo a Eliseba.

—¡Mariamne!

A pesar de su tono gruñón, Miriam se divertía. Tapándose la boca con las manos blancas de harina, a Mariamne le entró una risa tonta.

Esta vez, su risa traviesa provocó la de Miriam.

Rut apareció en el umbral con el pequeño Yehudá en brazos.

—¡Ah! —exclamó—, ¡al fin se oyen risas en esta casa en la que incluso los niños están serios! ¡Qué bien!

\* \* \*

Unos días más tarde, mientras Miriam caminaba a menos de una milla de Nazaret, la silueta de Barrabás surgió bajo un gran sicómoro.

El sol era apenas un disco incandescente. Miriam reconoció su cuerpo esbelto, su gruesa túnica de piel de cabra, su cabellera. En la silueta de Barrabás, nada había cambiado. Ella lo habría distinguido entre mil. Ralentizó el paso y se detuvo a buena distancia. A la luz indecisa del alba, apenas distinguía sus rasgos.

Él también estaba inmóvil. Sin duda, la había visto venir de lejos. Quizá le intrigara aquella mujer, sin reconocerla inmediatamente a causa de su pelo corto.

No se saludaron. Se observaron así, a más de treinta pasos. Ninguno de los dos supo hacer el primer gesto ni pronunciar una palabra que los pudiera acercar.

De repente, incapaz de sostener por más tiempo la mirada que ella le dirigía, Barrabás se dio la vuelta. Rodeó el sicómoro, saltó una tapia baja de piedra y se alejó. Cojeaba claramente y ponía una mano bajo su muslo izquierdo para sentarse sin esfuerzo.

Miriam pensó en la herida que había recibido al borde del lago de Genesaret. Volvió a verlo en la barca, llevando en brazos el cuerpo de Abdías. Recordó su cruel disputa en el desierto, camino de Damasco. Volvió a verle la pierna ensangrentada, gritando su rabia contra ella y contra todo, el día en que acababa de destapar el cuerpo sin vida del *am ha'aretz*.

Sin duda, aquel día, después de que ella lo hubiese abandonado, Barrabás tenía que haber andado durante horas con su llaga sangrante antes de recibir algunos cuidados.

Ella había borrado de su memoria estos recuerdos, como había casi borrado a Barrabás. Tuvo compasión de él e incluso algunos remordimientos.

Sin embargo, ya sentía haberlo encontrado de nuevo. Deploraba que se hubiese acercado a ella y que estuviera tan cerca de la casa de Yossef de Nazaret. Sin saber por qué, temía que al verlo, al hablarle, la presencia de Abdías que se mantenía a su lado desapareciera.

Eran ideas absurdas, inexplicables. Tanto como los cuchicheos de Abdías que ella creía oír desde hacía meses. Sin embargo, Mariamne tenía razón: poco importaba que se comprendiera. El alma veía lo que los ojos no podían distinguir. ¿Y Barrabás no era de los que solo querían ver con los ojos?

Se volvió y entró en la casa mucho antes que de costumbre.

Hacia el mediodía, anunció a Joaquín:

—Barrabás anda por aquí. Lo vi esta mañana.

Joaquín observó su expresión, pero como ella le presentaba un rostro neutro, él le confesó:

—Ya lo sé. Estuvo aquí hace poco. Me ayudó mucho tras la muerte de tu madre, Dios la guarde en su seno. Ha tenido que alejarse de Nazaret durante algún tiempo, pero pensaba volver. Tiene algo que decirte.

\* \* \*

Pasaron dos días. Miriam se abstuvo de hacer alusión alguna a Barrabás. Ni Joaquín ni Yossef pronunciaron su nombre.

Al amanecer del tercer día, cuando ella se alejaba de la casa, antes de despertar a los niños, él apareció. De pie, en el camino, la esperaba. Esta vez, por su actitud, ella comprendió que quería hablarle. Se detuvo a unos pasos de él, buscando su mirada.

Acababa de amanecer. La luz sorda marcaba sus rasgos sin alterar por eso la dulzura de su expresión. Él hizo un gesto con la mano que revelaba su aprieto.

—Soy yo —anunció él, un poco torpe—. Tendrías que reconocerme. He cambiado menos que tú.

Ella no pudo aguantar una sonrisa. Esto lo animó.

—No solo ha cambiado tu pelo, sino toda tú. Se ve a la primera. Hace mucho tiempo que quiero hablar contigo.

Ella siguió callada, pero no lo desanimó. A pesar de todo lo que había pensado de él, estaba contenta de verlo, de oír su voz, de encontrarlo vivo y sano. Lo leyó en sus facciones.

—Yo también he cambiado —dijo él—. Ahora sé que tenías razón.

Ella asintió.

—No estás muy habladora —dijo él, inquieto—. ¿Todavía me odias?

—No. Me alegro mucho de verte.

Él se frotó la pierna.

—No lo olvido nunca. No hay un día en el que no piense en él. Por poco me quedo lisiado.

Ella inclinó lentamente la cabeza.

—Es tu herida de Abdías, tu recuerdo de él. Para mí también, se las arregló para que no pase un día sin él.

Barrabás frunció el ceño, a punto de preguntarle qué quería decir con eso. Al final, no se atrevió.

—Sentí mucho lo de tu madre. Le propuse a Joaquín castigar a los mercenarios que la mataron, pero no quiso.

—Tiene razón.

Barrabás se encogió de hombros.

—Lo que es cierto es que no los mataremos a todos. Solo hay que acabar con uno: Herodes. Los demás, pueden irse al infierno solos...

Ella no contestó ni asintió.

—He cambiado —repitió él, con voz más dura—, pero no hasta el punto de olvidar que hay que liberar Israel. En eso sigo siendo el mismo y lo seré hasta el fin de mis días. No pienso cambiar.

—Me lo figuro y está bien.

Pareció aliviado con estas palabras.

—Con los zelotes, damos golpes. Herodes se empeña en poner águilas romanas en el Templo y en las sinagogas y nosotros las destruimos. O, cuando hay demasiada gente hambrienta en un pueblo, vaciamos las reservas de las legiones. ¡Pero se terminaron las grandes batallas! Eso no impide que siga pensando lo mismo. Habrá que decidirse. Antes de que todo Israel sea destruido.

—Yo tampoco. No he olvidado nada. Pero al lado de José de Arimatea he descubierto la fuerza de la vida. Solo la vida engendra la vida. Hoy día, hay que tener la vida en una mano y la justicia en la otra. Eso es lo que nos salvará. Solo que es más difícil que batirse con lanzas y espadas. A ese precio reinará la justicia en nuestras tierras.

Hablaba bajo, con mucha calma. A la luz creciente, Barrabás la examinó atentamente. Quizá estuviese más impresionado por su determinación de lo que le hubiese gustado admitir.

Se callaron un instante. Después, Barrabás sonrió. Una gran sonrisa que hizo brillar sus dientes. Declaró muy rápidamente, con una voz un poco entrecortada:

—Yo también pienso en la vida. Fui a ver a Joaquín. Le dije que quería tomarte por esposa.

Miriam se estremeció por la sorpresa.

—Hace mucho tiempo que lo pienso —continuó Barrabás con precipitación—. Sé que no siempre estamos de acuerdo. Pero ninguna mujer en el mundo puede compararse contigo y yo no quiero a ninguna otra.

Miriam bajó la vista, repentinamente intimidada.

—¿Qué te respondió mi padre?

Barrabás mostró una risita tensa.

—Que está de acuerdo. Y que tú debías estarlo también.

Ella levantó la cara, ofreciendo a Barrabás toda la ternura de la que era capaz y negó con la cabeza.

—No, no lo estoy.

Barrabás se frotó nerviosamente el muslo y se estiró.

—¿No lo estás? —murmuró, sin comprender muy bien el sentido de las palabras que pronunciaba.

—Si tuviera que tomar a un hombre por esposo, sí, serías tú. Lo sé desde hace mucho tiempo. Desde el día en que te descubrí en la terraza de nuestra casa tratando de escapar de los mercenarios.

—¡Entonces!

—Nunca seré la esposa de un hombre. Esto también lo sé desde hace mucho tiempo.

—¿Y por qué? Es una tontería. No puedes decir una cosa así. ¡Todas las mujeres tienen un esposo!

—Yo no, Barrabás.

—No entiendo nada de lo que dices. No tiene sentido.

—No te enfades. No creas que no te quiero...

—¡Es a causa de Abdías! ¡Lo sabía! ¡Todavía me odias!

—¡Barrabás!

—¡Dices que amas la vida, que quieres la justicia! Pero tú no sabes perdonar. ¿Crees que no sigo sufriendo? Abdías me falta tanto como a ti... Pero no, ¡todavía quieres vengarte!

—¡No, no! Te equivocas...

Él ya le daba la espalda, alejándose rápidamente, sin oír nada más, acentuando su cojera el furor y el dolor que sentía. El sol se levantaba tras las colinas y, a contraluz, Barrabás parecía una sombra que huía.

Miriam sacudió la cabeza, con un nudo en la garganta. Sin duda, él estaba lleno de rabia y de tristeza. De humillación, también. ¿De qué otra manera podría haber sido?

# Capítulo 17

—No lo entiendo. ¿Tú no quieres un esposo? Pero, ¿por qué?

No pasó mucho tiempo antes de que Joaquín conociese la negativa de Miriam. En secreto, por la noche, a pesar de la abundante lluvia que inundaba Galilea, calado y más lívido que un muerto, con el corazón sublevado, Barrabás había dejado su tristeza en sus manos.

Ahora, a la hora del desayuno, aunque venía de terminar la oración y todo el mundo estaba sentado alrededor de la gran mesa, Joaquín no pudo aguantar su cólera. Apuntó su cuchara de madera hacia Miriam y repitió:

—¡Eso no! No te entiendo. ¡No más que Barrabás! Di que no te gusta, si esa es la verdad. Pero no que tú quieres estar sin esposo.

Le temblaba la voz, la incomprensión le abría los ojos como platos.

—La verdad es esa. Lo que yo tengo que hacer en este mundo no es ser la esposa de un hombre —respondió Miriam.

Su tono era de humildad, pero también de firmeza.

Joaquín golpeó la mesa con la mano. Se sobresaltaron. Yossef o Zacarías, Eliseba o Rut, evitaron mirarlo. Era la primera vez que le veían enfadarse así con su hija tan querida.

Pero las palabras, la negativa de Miriam les molestaba aun más. ¿Quién era ella para oponerse a la elección de su padre, fuera la que fuese?

Solo Mariamne estaba dispuesta a defender a Miriam. Ella no estaba sorprendida. ¿Cuántas veces había repetido Raquel, su madre, que no era en absoluto obligatorio que la vida de una mujer acabara entre los brazos de un hombre?

«La soledad no es un pecado ni una desgracia —aseguraba ella—. Al contrario, cuando sabe vivir sola, es cuando una mujer puede dar al mundo lo que le falta y que los hombres se empeñan en rechazar, imponiéndole el único papel de esposa. Debemos saber ser nosotras mismas».

Como si esas palabras fuesen dirigidas a él, Joaquín dio un nuevo golpe sobre la mesa, haciendo temblar las escudillas y el pan.

—Y si estás sola, sin esposo, quién te ayudará, te mantendrá y te garantizará un techo cuando ya no esté yo aquí? —preguntó él.

Miriam lo miró con pena. Tendió el brazo por encima de la mesa, para coger la mano de Joaquín. Pero él la retiró, como si quisiera poner su corazón y su cólera fuera del alcance de la ternura de su hija.

—Sé que mi decisión te apena, padre. Pero, por amor del Eterno, no estés impaciente por darme a un hombre. No te apresures en juzgarme. Sabes que quiero el bien tanto como tú.

—¿Quiere decir eso que vas a cambiar de idea?

Miriam sostuvo su mirada; sacudió la cabeza sin responder.

—Entonces, ¿qué quieres que espere? ¿Al Mesías? —rugió Joaquín.

Yossef puso una mano en el hombro de su amigo.

—No te dejes dominar por la cólera, Joaquín. Tú siempre has tenido confianza en Miriam. ¿Por qué dudar de ella hoy? ¿No le puedes dar un poco de tiempo para que ella pueda explicarse?

—¿Hay algo que explicar, según tú? Barrabás es el mejor chico que pueda haber. Sé cuánto la quiere. Y no es de hoy.

—¡Bueno! —murmuró Eliseba, dirigiendo una mirada afectuosa a Miriam—. Decir que Barrabás es el mejor chico que pueda haber es un poco exagerado, Joaquín. No puedes olvidar que es un ladrón. Entiendo un poco a Miriam. Convertirse en la esposa de un ladrón...

Zacarías la interrumpió:

—Una hija debe casarse con quien su padre haya escogido. Si no, ¿adónde iría a parar el orden de las cosas?

—Si ese es verdaderamente el orden de las cosas, ese orden quizá no sea tan bueno como parece —intervino Mariamne, no menos concluyente que Zacarías.

Todos vieron la mano que Miriam puso sobre la de Mariamne, imponiéndole silencio, mientras Joaquín fulminaba a Eliseba con la mirada. Dibujó las pendientes de Nazaret por las que se podía imaginar que Barrabás vagara en aquel momento, a pesar del tiempo, que transformaba los caminos en torrentes de barro.

—¡Ese ladrón, como tú dices, me salvó la vida, poniendo en peligro la suya! ¿Por qué? Porque esta chica, que es mi hija, se lo pidió. Yo lo recuerdo. No tengo una memoria frágil. ¡Mi agradecimiento no desaparece con el fresco del amanecer!

Volvió su cuchara hacia Miriam. Ya no dominaba su voz.

—Yo también estoy triste por la muerte de Abdías. Yo también llevo para siempre en mi corazón a quien vino a romper mis ataduras en la cruz. Pero, te lo digo, hija mía, te equivocas desde el principio al responsabilizar de su muerte a Barrabás. Lo mataron los mercenarios. Como ellos mismos abatieron a tu madre. Ellos y Herodes. Nadie más. Salvo que Abdías combatía. Era un crío valiente. Una hermosa muerte, si quieres mi opinión. ¡Por la libertad de Israel, por nosotros! Una muerte que querría para mí. Hubo un tiempo en el que tú eras la primera en decirlo, Miriam.

Sin aliento, golpeó la mesa una vez más con el puño antes de continuar, con el mentón alto y la mirada dura:

—Y os digo a todos: ¡que nadie vuelva a tratar a Barrabás de ladrón en mi presencia! Rebelde, combatiente, resistente... Como más os guste. Hay pocos que le lleguen al tobillo; él, que tiene el valor de hacer lo que los demás no se atreven y que es fiel a quienes ama. Y, cuando me pidió la mano de mi hija, os lo repito, fue para mí un orgullo decirle que sí. Nadie más la merece, sino ese ladrón.

Un silencio gélido siguió a la violencia de aquellas palabras. Miriam, que no había quitado la vista de Joaquín, asintió con una pequeña inclinación de cabeza.

—Lo que dices es justo, padre. No creo que mi negativa se deba al rencor. Sé que Abdías, allí donde está, ama a Barrabás como él lo amaba. Yo también digo que Barrabás es un hombre valiente. Por eso es digno de admiración. Yo sé, como tú, que es bueno, dulce y tierno bajo su aparente violencia. Ya se lo dije: «Si tuviera que casarme con un hombre, ese serías tú».

—¡Entonces, hazlo!

—No puedo.

—¡No puedes! ¿Y se puede saber por qué diablos no puedes?

—Porque yo soy yo y esto es así.

Ella se levantó, sin precipitación, tranquila, segura. Añadió, ofreciendo a su padre toda su dulzura:

—Yo también soy una rebelde, lo sabes desde siempre. Y el mañana no se logrará con la muerte de Herodes y la sangre de sus mercenarios. El mañana se conseguirá con la luz de la vida, con el amor de los hombres que Barrabás nunca podrá engendrar.

Se dio la vuelta y dejó la mesa. Sin una palabra más, desapareció para reunirse con los niños que jugaban en la casa, dejando tras sí sus rostros atónitos.

Rut fue la primera en romper el embarazoso silencio en el que estaban sumidos. Dirigiéndose a Joaquín, dijo:

—No conozco a tu hija desde hace mucho tiempo. Pero lo que sé de ella, por haberlo visto en Bet Zabdai, es que jamás cede. Cueste lo que cueste. Incluso el maestro José de Arimatea tuvo que admitirlo. Pero no te equivoques: ella te ama y te respeta tanto como una hija pueda amar a su padre.

Bajo el influjo de la emoción, Joaquín bajó la cabeza, abatido.

—Si esto es lo que te preocupa —dijo de repente Yossef—, Miriam siempre tendrá aquí un techo. Te lo prometo, Joaquín.

Joaquín se incorporó, con la mirada más aguda, frunciendo el ceño y con una mueca suspicaz.

—¿Sin que sea tu esposa, la dejarías a tu lado?

Yossef se ruborizó hasta la raíz de los cabellos.

—Has entendido perfectamente lo que he dicho —murmuró él—. Miriam, aquí, está en su casa. Ella lo sabe.

\* \* \*

Durante los días siguientes, el humor de Joaquín no cambió y contagió el de los demás. Joaquín evitaba cuanto podía la presencia de Miriam. Las comidas eran ocasión de penosos silencios. También se mostraba silencioso y distante con Yossef, mientras trabajaban juntos.

Yossef no se ofendió. El gran abatimiento que siguió a la muerte de Halva parecía haber desaparecido para dar paso a una serenidad, una paz que los demás no compartían.

A Barrabás no se le volvió a ver. Nadie se atrevió a preguntar a Joaquín si seguía en los alrededores de Nazaret.

Después, el tiempo hizo su trabajo. Llegaron los hermosos días de primavera. Su dulzura, la exuberancia de los campos y de los bosquecillos en flor arrebató primero a los niños, que volvieron a sus juegos y sus risas lejos de la casa.

En la mirada de Joaquín había perdón. Más de una vez se le oyó bromear con Yossef en el taller. Al final de una comida, tomó la mano de Miriam.

Los demás intercambiaron una sonrisa discreta y aliviada. Joaquín retuvo la mano de Miriam todo el tiempo que Rut y Mariamne estuvieron contando, mondándose de risa, cómo se había puesto Yakov a jugar a los profetas ante sus hermanos y su hermana.

—Tu hijo tiene cualidades —dijo, divertida, Rut, dirigiéndose a Yossef—. Incluso los de Bet Zabdai no lo hacían mejor. Me pregunto de dónde habrá sacado eso.

—El otro día, un hombre arengaba en la sinagoga cuando fui allí con Yakov —contó Zacarías, que solo se reía a medias—. Le gustó mucho. Tú te ríes, mujer, pero puede que tenga auténticas cualidades.

Rut soltó una risita ahogada, burlona, dirigiendo una mirada a Miriam. A su padre y a ella, siempre de la mano, les entró la misma risa.

Otra vez, Eliseba cogió sus manos para unirlas sobre su vientre. Siempre le gustaba mucho dejar que los demás sintieran al niño que le redondeaba la cintura. Una vez más, afirmó:

—Este niño se agita cuando nota la mano de Miriam, ¿no lo notáis?

—Y cuando los demás ponen la mano en tu vientre, galopa igual —bromeó Joaquín—. Todos los bebés hacen lo mismo.

Eliseba protestó.

—Él es diferente. Me anuncia algo. Quizá no esté lejos el momento en el que tú también te conviertas en abuelo —dijo ella, guiñando el ojo—. Eso llegará, estoy segura.

Joaquín levantó la mano de Miriam antes de soltarla, simulando un abatimiento desengañado.

—Tú sabes bien lo que me espera con semejante hija.

En su voz, sin embargo, se adivinaba la ternura e incluso el buen humor.

\* \* \*

Mariamne fue la única que lo notó: a pesar del humor más apaciguado de Joaquín, Miriam permanecía distante. Pasaba noches agitadas, cargadas de sueños que se negaba a revelar el día siguiente. Otras veces, se despertaba muy pronto. Ya no como antes, al apuntar el día, sino mucho antes de que se levantaran los demás de la casa. Mariamne empezó a acecharla. Por la noche, observó que salía silenciosamente de la habitación. Esperaba su regreso manteniendo los ojos bien abiertos en la oscuridad. También pudo calcular que todavía faltaba mucho para el amanecer.

Le tercera vez, le dijo:

—¿No es peligroso salir afuera como lo haces, en plena noche? Podrías tener encuentros desagradables. O también podrías herirte al caminar así por la noche.

Miriam sonrió; le acarició la mejilla.

—Duerme y no te preocupes por mí. No corro ningún peligro.

Esto solo consiguió aumentar la curiosidad de Mariamne. La vez siguiente, quiso seguirla. Pero la luna era apenas un hilo de plata. Las estrellas no bastaban para hacer brillar una piedra. Cuando Mariamne llegó al patio, solo había sombras espesas y ninguna se movía. Mariamne se detuvo, escrutando la noche, escuchando. Se habituó al chirrido de los grillos, intuyó el vuelo de una lechuza, pero ningún otro ruido.

Inquieta, desconcertada, se decidió a contarle el secreto a Rut. La antigua sirvienta de la casa de los esenios se tomó su tiempo antes de responder:

—Es Miriam, ¿qué quieres? Sin embargo, es mejor que los demás no se den cuenta de que pasa afuera la mitad de la noche. Guarda para ti lo que sabes.

Por su parte, esperó a asegurarse de que nadie las oyese para decirle a Miriam, en un murmullo de reproche:

—Espero que sepas lo que haces.

—¿A qué te refieres?

—De las noches que pasas lejos de tu cama.

Miriam la miró con unos ojos como platos; después, se echó a reír.

—No son noches. Como máximo, amaneceres.

—El amanecer es cuando se levanta el día —refunfuñó Rut—. No cuando es noche cerrada. Tú

sales pitando antes de que se vean tres en un burro.

Miriam se quedó paralizada, con la risa todavía
en los labios, pero no en la mirada.

—¿Qué crees, pues?

—¿Oh!, nada. Contigo, no creo nada de nada.
Pero sigue mi consejo. Evita que tu padre, Eliseba
o Zacarías descubran tus fugas.

—¡Rut! ¿Qué te estás imaginando?

Rut agitó las manos, roja de vergüenza.

—Lo que te hace tan rara en estos últimos
tiempos y te empuja así afuera no quiero saberlo
y aun menos imaginarlo. Sigue mi consejo, es
mejor.

Un poco más tarde, Miriam se sentó al lado de
Mariamne.

—No te preocupes —dijo ella—. No temas
nada. Duerme y no trates de espiarme. Es inútil.
Lo sabrás a su debido tiempo.

Mariamne ardía en curiosidad. Le entraron ganas de ir a visitar el taller de Yossef en plena noche, pero se aguantó. Sin que nadie lo dijera, ella
sabía que no debía ceder a ninguna tentación de
la imaginación o de la desconfianza si quería conservar la amistad de Miriam. Según las mañanas,
se contentaba con intercambiar una mirada de
entendimiento con Rut.

Pasó casi una luna. Y, de repente, cuando entraban en el mes de siván, esto los golpeó como
un rayo.

\*\*\*

Miriam se presentó ante su padre cuando estaba solo. Con una expresión feliz y confiada, le dijo:

—Estoy encinta. Un niño crece en mi vientre.

La cara de Joaquín adquirió un aspecto parecido a un bloque de creta.

Como permaneciera callado, Miriam añadió alegremente:

—Algo de verdad había en lo que decía Eliseba: vas a ser abuelo.

Joaquín quiso levantarse, pero no pudo.

—¿Con quién? —resopló él.

Miriam negó con la cabeza.

—No temas.

Un extraño rugido salió del pecho de Joaquín. Sus labios se torcieron. Parecía querer mascar los pelos de la barba.

—Basta ya. Responde. ¿Con quién?

—No, padre. Te lo juro ante el rayo del Eterno.

Joaquín cerró los ojos y se golpeó el pecho. Cuando volvió a abrirlos, el blanco se había convertido en rojo.

—¿Es Yossef? Si es Yossef, dilo. Hablaré con él.

—Nadie. Es así.

—Si es Barrabás, dilo.

—No, padre. Tampoco es Barrabás.

—Si te han forzado y no te atreves a reconocerlo, lo mataré con mis propias manos, aunque sea Barrabás.

—Escúchame: ni Barrabás ni ningún otro.

Joaquín acabó oyendo lo que Miriam le decía. Sus palabras lo dejaron helado. Dejó escapar un pequeño gemido y, por primera vez, miró a su hija como a una extraña.

—Mientes.

—¿Para qué mentir? Verán nacer a este niño. Lo verán crecer. Lo verán convertirse en el rey de Israel.

—¡Qué dices! No puede ser.

—Sí. Puede ser. Porque yo lo quería más que todo. Porque yo se lo he pedido a Yahveh, bendito sea su nombre por toda la eternidad.

De nuevo, Joaquín cerró los ojos. Sus manos temblaban, palpaban su pecho, se deslizaban por su rostro como si pudiera despojarse de la película de las palabras que acababa de pronunciar Miriam.

—Eso no es posible y es una blasfemia. Tú estás loca. Pasé lo del ángel de Zacarías, pero esto, no.

—Sin embargo, es. Tú lo verás.

Joaquín sacudió fuertemente la cabeza, con los ojos cerrados.

—¿Para qué iba a hacerte sufrir cuando es una noticia buena y grande? —preguntó Miriam sin abandonar su calma—. Lo sabemos tú, yo, José de Arimatea y algunos más: es la vida de los hombres lo que cambia la faz del mundo. No es la muerte ni el odio. Para abatir a Herodes, solo hace falta la luz de la vida y el amor. Todo lo que desprecian Roma y los tiranos.

Joaquín agitó violentamente los brazos como si quisiera cazar las palabras de Miriam como se cazan las moscas inoportunas.

—¡No hablamos de Herodes ni de Israel! ¡Hablamos de mi hija deshonrada! —gritó él—. Y no me digas que es una buena noticia.

—Padre, yo no estoy deshonrada. Puedes creerme.

Ahora, la miraba como a una enemiga.

Miriam se arrodilló ante él y puso sus manos entre las suyas.

—Joaquín, padre mío, comprende. ¿Qué puede hacer una mujer para liberar a Israel del yugo romano sino dar a luz a su liberador? Recuerda. Recuerda la reunión convocada por Barrabás, en la que había que decidir la fecha de la rebelión. Yo hablé del Liberador. Ya. Del que no conocerá otra autoridad que la de Yahveh, amo del universo. Del que se llamará su Palabra y que impondrá su ley.

»Desde entonces, he reflexionado mucho, padre. He visto a profetas. Hombres manchados por la sangre y la mentira. Ninguno de ellos hablaba de amor. Sin embargo, nuestra santa Torá dice: *Ama a tu prójimo como a ti mismo.*

»Para todos vosotros, la mujer no está sino para parir hijos. Parir a hombres sumisos o a hombres rebeldes. ¿Y si una diera la vida al que todos esperamos desde hace tanto tiempo, tanto tú como yo y como todo el pueblo de Israel?

»Dar nacimiento al Liberador. Nadie lo ha pensado. Yo, sí. Y es lo que voy a hacer. Yo, Miriam, te he dicho que así será. Entonces, ¿por qué preocuparte, por qué atormentarte, por qué hacer todas estas preguntas?

Los labios de Joaquín se agitaron; las lágrimas se aferraban a su barba.

—¿Qué he hecho yo para que el Eterno no deje de golpearme? —gimió—. ¿Qué he hecho que sea imperdonable?

Miró las manos de Miriam cerradas sobre las suyas. Hizo una mueca, como a la vista de un animal repugnante. Se soltó brutalmente, irguiéndose vacilante, esforzándose para no gritar las palabras terribles que le inundaban la boca.

\* \* \*

Le hizo falta la mitad del día para reunir valor e ir a ver a Yossef. Quería escrutar cada rasgo del rostro de su amigo y no perder ninguna de sus expresiones mientras lo interrogaba.

—¿Has tomado a mi hija?

Yossef se quedó con la expresión pasmada de quien no entiende el sentido de las palabras que oye.

—¿Tu hija?

—Solo tengo una, Miriam.

—¿Qué me estás preguntando, Joaquín?

—Tú me has entendido. Miriam dice que está embarazada. Dice también que ningún hombre la ha tocado.

Yossef se quedó mudo.

—Eso no es posible —gritó Joaquín—. Es una locura o es una mentira. De tu respuesta depende que sea una cosa u otra.

Yossef no puso una expresión enfadada por la insistencia de Joaquín. Era mucho peor. Su rostro expresaba la intensa tristeza, el inmenso dolor de quien se ve traicionado por la sospecha de su amigo.

—Si hubiera querido tomar a Miriam por esposa, no me hubiera escondido. Iría directamente a ti a pedir tu bendición.

—No se trata de tomarla por esposa, sino de acostarse con ella y hacerle un hijo.

—Joaquín...

—¡Mierda, Yossef! ¡No dices las palabras que espero! A mí, su padre, debes decirme sí o no.

El rostro de Yossef se endureció de golpe. Sus mejillas, sus sienes se marcaron, su boca se estrechó. Era una cara que Joaquín no había visto nunca.

La actitud hostil de Yossef estremeció a Joaquín. Desvió la mirada un breve instante. Después, preguntó de nuevo:

—Entonces, tú lo crees, ¿crees que está embarazada?

—Si ella lo dice, yo lo creo. Creo lo que dice Miriam y lo creería hasta el fin de mis días.

—¿Qué quieres decir?

—Lo que he dicho.

Ahora, Yossef se encerraba en la gran herida infligida a su orgullo. Joaquín gimió y se pasó sus dedos nudosos por la cara.

—¡No sé, no sé! No entiendo nada de nada —gimió.

Yossef no acudió en su ayuda. Se dio la vuelta, dándole la espalda mientras ocupaba las manos en recoger las herramientas tiradas en el banco.

Joaquín se acercó y lo cogió por el hombro:

—No me odies, Yossef. Tenía que interrogarte.

Yossef se volvió y lo miró de arriba abajo con una expresión que significaba que no había nada que preguntar, únicamente confiar.

—¡Yossef, Yossef! —exclamó Joaquín con lágrimas en las mejillas.

Cogió a su amigo y lo abrazó contra él.

—Yossef, tú eres como mi hijo. Te debo todo lo que tengo hoy. Si tú hubieras querido a Miriam, te la habría dado antes que a Barrabás...

Se interrumpió con un estertor, se apartó de Yossef para escrutar sus rasgos. No encontró ninguna mansedumbre.

—Pero ahora que está embarazada, no es posible. Ni para uno ni para otro, ¿no es así?

—Escucha lo que dice tu hija. Escúchala, en vez de estar siempre sospechando, que es lo que haces desde que ha vuelto.

Fuese por el tono o por las palabras de Yossef, la sospecha de Joaquín resurgió brutalmente.

—Tú sabes algo que no quieres decirme.

Yossef se encogió de hombros. Tenía que darse la vuelta, pero se contuvo para sostener el pequeño rayo brillante que pasaba entre los párpados de Joaquín. Se ruborizó como le ocurría a veces, en la ternura de la emoción.

—No tengo nada más que decirte. Pero quiero a Miriam y haré lo que ella me pida.

\* \* \*

Después de que Miriam les hubiese anunciado su estado, Rut vagaba por la casa, desamparada, incapaz de ocuparse de los niños que preferían jugar lejos de los gritos y de las caras sin alegría.

—Deja de dar vueltas así —acabó por decirle Mariamne—. Me pones nerviosa.

Rut se sentó, obediente, con la mirada perdida.

—Bueno, echa lo que tienes en el corazón —bromeó aún Mariamne.

—Se lo había dicho. Yo le había dicho que esto iba a pasar.

—¿Qué «esto»?

Rut solo le concedió una mueca a Mariamne. Pero la hija de Raquel se inclinó sobre ella, con los ojos echando chispas.

—¡Lo que le pasa a Miriam no es «esto»! ¿No lo comprendes?

—Se sabe lo que es, lo que le cae encima.

—¡Señor Todopoderoso! ¡Qué duros de mollera, que no quieren entender nada! Y tú, que te dices su amiga fiel. ¡Es bochornoso!

—Por supuesto que le soy fiel. Tanto como tú. ¿Me has oído decir una palabra de reproche? Lo único que digo es que la van a señalar con el dedo, en vez de admirarla. ¿Querrías que me alegrara por eso?

—¡Sí! Eso es, exactamente. Deberías apartar tu pena y alegrarte por la buena noticia.

—¡Deja ya esta buena noticia!

—Escucha lo que repite Miriam: ningún hombre la ha tocado.

—¡No digas tonterías! Tengo la edad y la experiencia para saber cómo se queda embarazada una mujer. Lo que me pregunto es por qué ella se empeña en decir ese absurdo.

—¡Si la quisieras, no te harías la pregunta! —gritó Mariamne, golpeándose el muslo de rabia—. No hay que hacer nada sino creerla. Llega el hijo de la luz, está en su vientre y ella permanece pura.

—No puedo —dijo Rut, nerviosa, a su vez—. Locuras, he oído centenares en Bet Zabdai. ¡Pero que una mujer haga un niño sin abrir los muslos y recibir la polla de un hombre es la tontería más grande que he oído nunca!

—Si es así, no mereces vivir a su lado.

Por la tarde, Eliseba anunció llorando:

—Zacarías no quiere hablar. Siente tal vergüenza que no quiere pronunciar una palabra más en esta casa.

—Muy bien, que se vaya a pasar su vergüenza a otra parte —gritó ferozmente Mariamne.

Como Eliseba y Rut la miraran con ojos de duelo, ella añadió cruelmente, poniendo el dedo sobre el gran pecho de Eliseba:

—Tú vas diciendo que un ángel ha venido a anunciar a tu Zacarías que podría volver a ser un hombre cuando un soplo de viento lo tira al suelo. ¡Y mírate embarazada cuando no pudiste quedarte durante treinta años! Es un milagro que bien puede compararse con el de Miriam.

De forma inesperada, Eliseba asintió con pequeñas cabezadas, sin enjugarse las lágrimas.

—Sí, yo quiero creerlo. Pero Zacarías... Zacarías es un hombre. Y un sacerdote. Y, como Joaquín, no lo cree...

Se callaron, tranquilizándose las tres y las tres perdidas, cada una a su manera.

—¿Dónde está ella? —preguntó Rut—. No la he vuelto a ver desde esta mañana.

—No la volveremos a ver mientras Joaquín sea incapaz de aceptarla en la casa sin reprocharle su estado —aseguró Mariamne.

***

Por desgracia, Joaquín nunca fue capaz de eso.

Cuando Barrabás llegó ante él, le hizo las mismas preguntas que a Yossef. Barrabás le respondió al principio con acritud:

—¿Por qué iba yo a tomar a una chica que no me quiere?

—Precisamente, eso ocurre a veces. La decepción engendra la cólera y la cólera hace perder la razón.

—Yo tengo toda mi razón y nunca me han faltado las mujeres hasta el punto de perderla. Me gustan los combates contra las espadas romanas, contra los mercenarios. ¿Qué placer podría encontrar yo en violar a Miriam?

Joaquín lo sabía. No dudaba ni de la palabra de Barrabás ni del aturdimiento que leía en su cara.

Como Joaquín, Barrabás no podía soportar la noticia. Tanto uno como otro hubiesen querido arrancar de sus cabezas las palabras que Miriam había grabado en ellas.

Barrabás dijo de repente:

—¡Es Yossef!

—¿Cómo lo sabes?

—Tengo la sensación.

—Él me ha jurado que no.

—¡Para lo que sirve! Nadie reconocería una falta semejante.

—Miriam jura sobre la cabeza de su madre que no sois ni él ni tú.

Barrabás desechó con un gesto las afirmaciones de Joaquín.

—Ella dice también que ningún hombre la ha tocado —admitió Joaquín en un murmullo—. ¿Qué sentido tiene decir cosas semejantes?

—Está avergonzada, eso es todo. Es Yossef. Lo veo desde hace un momento. La muerte de Halva le excitó la sangre; no sabe aguantar la soledad. Gira en torno a Miriam como una mosca alrededor de una fruta abierta. Le lavaría los pies con la lengua si pudiera.

—Entonces, ¿por qué Yossef no me ha pedido nunca la mano de Miriam? Podía hacerlo. No se lo habría negado, lo mismo que a ti.

—Él la quiere, pero teme su rechazo. Va de forma solapada.

—¡Los celos te hacen delirar! —protestó Joaquín, agobiado.

—Yo tengo dos ojos y un cerebro: veo lo que veo.

Barrabás no quería, sin embargo, resignarse a la impotencia. Cegado por lo que no podía entender, repitió:

—Cuando el niño nazca, verás que lo que te digo es cierto: tendrá los rasgos de Yossef.

Ante tanta insistencia, Joaquín estaba lleno de dudas. Barrabás añadió:

—Ponlos frente a frente, a Miriam y a él. Verás la mentira ante ti.

* * *

Así, el día siguiente, Miriam se presentó ante ellos como ante un tribunal. Los siete estaban en la estancia común, de pie, delante de la mesa de las comidas: Joaquín y Barrabás, Zacarías y Eliseba, Rut, Mariamne y Yossef.

Joaquín había reclamado su presencia sin saber dónde encontrarla. Había ido hasta el extremo del patio gritando su nombre, sin éxito. Mariamne había declarado que nadie sabía dónde estaba, cuando el pequeño Yakov, el mayor de los hijos de Yossef, anunció:

—Yo lo sé. Hemos estado jugando todo el día juntos. Ahora, se está bañando en el río con Libna y Shimón.

Desapareció como una exhalación, volviendo con Miriam de la mano. Desde que vieron su rostro, la incomodidad se apoderó de ellos.

Nunca había parecido más hermosa, con los ojos tan claros y tan serenos. Las mechas de su cabellera cobriza, que ahora le cubrían la nuca, caían en bucles desordenados sobre sus pómulos.

Ella besó a Yakov en la frente y lo envió con los otros niños. Cuando se volvió hacia ellos, comprendió de inmediato lo que esperaban. Ella les sonrió. En su sonrisa no había ninguna huella de burla, solo ternura. Lo mismo cuando ella les dijo:

—Así pues, seguís sin creerme.

Ellos habrían bajado la vista si Barrabás no le hubiese replicado:

—Ni siquiera un niño te creería.

—¡Yo te creo! —protestó inmediatamente Mariamne.

—Tú, la chica de Magdala, dirás lo que sea para defenderla —gritó Barrabás.

—No discutáis por mí —ordenó Miriam con un tono firme.

Ella se puso delante de Barrabás.

—Sé que estás mal, que mi negativa a ser tu esposa te hiere tanto en el corazón como en tu orgullo. Y sé también que me amas como yo te amo. Pero ya te lo dije: no puedo ser tu esposa. La decisión es mía y del Todopoderoso.

—¡Dices una cosa y su contraria! —gritó Barrabás—. ¿Cómo podemos creerte?

Miriam le sonrió; puso la punta de sus dedos en sus labios para hacerlo callar.

—Porque es así: si me amas, me creerás.

Ella se volvió hacia Joaquín sin preocuparse por las protestas de Barrabás.

—También tú dudas, padre. Sin embargo, tú me quieres más que todos ellos juntos. Tienes que aceptar lo que es. Un niño está en mi vientre. Sin embargo, no estoy deshonrada.

Joaquín sacudió la cabeza y bajó la frente en un suspiro. Los demás no se atrevían a decir nada. El rostro de Miriam se endureció. Dio unos pasos atrás y, de repente, con las dos manos, cogió el bajo de su túnica. La levantó hasta las rodillas, mirando fijamente a Joaquín.

—Es una prueba, la más sencilla de todas. Asegúrate de que sigo siendo doncella.

Joaquín abrió los ojos de par en par, balbuciendo palabras inaudibles. A su lado, Zacarías gimió y, por primera vez, Barrabás inclinó la cabeza.

—Hazlo; después tendrás el corazón en paz. Estoy preparada —insistió Miriam.

Parecía que los hubiera abofeteado.

—Por supuesto, tú no puedes hacerlo por ti mismo —dijo Miriam con una voz glacial—. Eliseba sabrá hacerlo...

—¡Oh, no!

—Entonces, Rut.

Rut se dio la vuelta. Fue a refugiarse al fondo de la estancia.

—No puede ser Mariamne: Barrabás diría que miente para apoyarme. Id a buscar a una comadrona a Nazaret. Ella sabrá decíroslo, sin duda.

Cuando ella dejó de hablar, el zumbido de las moscas parecía el rugido lejano de una tormenta.

—No os avergoncéis, ya que dudáis de mí.

Joaquín retrocedió apoyándose en el brazo de Zacarías. Se sentó en el banco que bordeaba la mesa.

—Supongamos que dices la verdad —murmuró con voz fatigada.

Mirando a su hija con una pizca de compasión, como se mira a un enfermo, preguntó:

—¿Sabes lo que les pasa a las mujeres encintas sin esposo?

Destilaba las palabras con dificultad:

—Se las lapida. Es la ley.

Puso sus callosas manos sobre la mesa.

—Primero es el rumor. Nacerá en Nazaret y rápidamente se correrá por Galilea. La gente dirá: «La hija de Joaquín, el carpintero, lleva al hijo de un desconocido». Vergüenza. Juicio. Y el niño que esperas nunca verá la luz.

Joaquín recorrió la asamblea con la mirada.

—Por querer protegerte, encubrir el pecado, seremos malditos para siempre.

—¿Tenéis miedo? —preguntó Miriam con voz glacial—. Podéis denunciarme.

Todos bajaron la vista, mientras el desprecio de sí mismos les hacía un nudo en la garganta. Y, en el silencio extraño que cayó como un telón sobre la asamblea, Miriam se acercó a su padre, lo besó en la frente, como ella había hecho antes con el pequeño Yakov y salió de la estancia con la misma tranquilidad con la que había entrado. Quedaron desconsolados.

\* \* \*

Hasta la noche, estuvieron evitándose. Todo el mundo temía sus propios pensamientos y los de los demás.

A la hora del crepúsculo, Yossef rompió el silencio y desencadenó el tumulto que todos temían. Se plantó delante de Joaquín y dijo:

—No agobies a tu hija. Te he dicho que mi techo sería siempre su techo; mi familia, su familia. Aquí, Miriam está en su casa y su hijo será mi hijo entre mis hijos. Y si llega el día en que la gente de Nazaret le reclama el nombre de un padre para el que ella dé a luz, podrá decir que estamos prometidos y dar el mío.

—¡Ah! —gritó Barrabás—. ¡Por fin lo tenemos!

Yossef se volvió hacia él, con el puño ya levantado.

—¡Deja de insultar a la que es más grande que tú!

—¡Mentiroso y cobarde! Eso es lo que eres. ¡Miriam inventa para no tener que condenarte!

Yossef saltó sobre Barrabás, peleándose uno y otro en un griterío salvaje y rodando en el polvo. A duras penas, Joaquín consiguió soltar los dedos de Barrabás que aferraban la garganta de Yossef.

—¡No! ¡No!

Hizo falta que Rut y Mariamne acudieran para ayudar a separarlos, mientras que Zacarías y Eliseba se apartaban horrorizados.

De pie y sacudiéndose el polvo de sus túnicas desgarradas, Yossef y Barrabás se miraban insistentemente, temblando, jadeantes. Joaquín cogió una mano de cada uno, pero fue incapaz de pronunciar una frase.

Yossef se soltó y se apartó. Recuperó el aliento, con la cabeza baja. Cuando la levantó, dijo:

—Mi casa está abierta a todo el mundo, pero a nadie de quienes se niegan a oír la verdad de la boca de Miriam.

\* \* \*

Lleno de rabia, de furor y de dudas, Barrabás abandonó Nazaret en una hora.

El día siguiente, Zacarías unció su mula al incómodo carro que los había llevado de Judea a Galilea y en el que Hannah había sido asesinada por los mercenarios. Eliseba subió a él entre lágrimas, protestando que no era necesario partir tan precipitadamente. Pero Zacarías, mudo, ignoró sus ruegos. Con las riendas y el látigo en la mano, esperaba que Joaquín se decidiese.

Este dio tres pasos en un sentido, dos en el otro, con tal nudo en la garganta que tenía la sensación de estar respirando arena. Se acercó a Yossef, le golpeó el pecho con la palma de la mano y le dijo en voz baja:

—O eres culpable y Dios te perdonará o eres generoso y Dios te bendecirá.

Yossef retuvo a Joaquín por el brazo y le dijo:

—¡Vuelve, Joaquín! Vuelve cuando quieras.

Joaquín bajó la cabeza. Pasó por delante de Miriam sin dirigirle una mirada y subió al carro. Comprobó inútilmente que el banco estuviese bien limpio de la sangre de Hannah y se instaló. Por primera vez, su silueta era la de un hombre viejo.

Se sobresaltó al descubrir que Miriam le había seguido, que estaba a su lado, de pie, al lado del carro. Ella le tomó las manos, las besó con fervor antes de hundir su rostro en las palmas callosas.

—Te quiero. Ninguna hija ha tenido nunca un padre mejor que tú.

En ese momento, Joaquín dudó. Poco faltó para que bajara del carro. Se incorporó, con la espalda recta, el pecho fuera. Pero Zacarías fustigó con el látigo el culo de las mulas. Los sollozos de Eliseba aumentaron de volumen, al tiempo que se alejaban y que la rotación de las gruesas ruedas de madera sobre los guijarros del camino los cubría con un estruendo que fue atenuándose lentamente.

Con una ternura temerosa y llena de consideración, Yossef rozó el hombro de Miriam.

—Conozco a tu padre. Un día vendrá a jugar con su nieto.

Miriam le dirigió una sonrisa de agradecimiento. Sus ojos brillaban, sus pómulos estaban rojos, pero ella no cedió a las lágrimas.

Mariamne y Rut la observaban, de pie, en medio de los niños. Por la noche, Rut, con las arrugas marcadas por las vacilaciones de la mecha de una lámpara, fue a suplicarle:

—Déjame estar contigo, Miriam. No me pidas que crea lo que no puedo creer. Pídeme solo que te quiera y te apoye: esto lo haré hasta mi último suspiro, aún sin comprender.

Miriam hizo una señal con la mano en dirección a sus dos amigas. Un gesto raro. Un poco lento, como si ella las saludara de lejos a la vuelta de un viaje. Rut y Mariamne tuvieron por primera vez un sentimiento que experimentarían a menudo en los largos años por venir: la conciencia de ser extrañas para la que creían conocer tan bien.

# CAPÍTULO 18

PASÓ LA PRIMAVERA Y PASÓ EL VERANO. EL VIENTRE de Miriam fue redondeándose y la gente de Nazaret comenzó a decir que el apetito de Yossef era tan grande que vivía con tres mujeres.

Se decía que había puesto a Joaquín de patitas en la calle.

¡Pobre Joaquín! ¡Bendito sea! Su vida no era sino una sucesión de desgracias desde el día en el que había defendido a la anciana Hulda contra la rapacidad de los recaudadores.

En la sinagoga, se murmuraba la palabra «ladrón». Se preguntaban, con la peor intención, qué necesidad tenían Yossef y Miriam de tener dos sirvientas, una vieja y otra joven.

Algunas mujeres se encogían de hombros, diciendo a los hombres:

—No hagáis unas preguntas tan estúpidas: Yossef tiene cuatro hijos y dos hijas. Por eso Miriam tiene dos sirvientas.

Pero eso no convencía a nadie.

Se recordaba que Yossef vivía en la casa en la que había nacido Joaquín y que este se la había ofrecido dos decenios antes. Joaquín, que tenía el corazón en la mano, le había entregado también el saber de la carpintería y su clientela. Pero no le había dado a su hija. Si él, que había enterrado a Hannah en Nazaret, hubiera sabido que esperaba un hijo de Yossef, nunca se hubiera marchado. ¿Probaría esto que Yossef había violado a Miriam?

Era muy posible.

Otras lenguas comenzaron a decir que habían visto a Barrabás huyendo de la aldea un día de primavera, llorando a lágrima viva. Quién sabe si era con él con quién había pecado Miriam.

Algunos preguntaban:

—¿Y a ella, a Miriam, por qué no la vemos nunca entre nosotros?

La respuesta era sencilla: se escondía como se esconden los culpables.

Pronto, cuando Rut iba a comprar queso o leche, cuando Mariamne iba a buscar lana o pan, empezaron a ser cada vez peor recibidas. Al final del verano, no les vendían más que lo estrictamente necesario.

Yossef fue a quejarse hasta el mismo patio de la sinagoga. Le respondieron:

—Pon tus asuntos en orden.

—¿Qué asuntos?

Como respuesta, le dirigieron unas miradas más elocuentes que todas las palabras de la lengua de Israel.

A su vuelta, le dijo a Miriam:

—Si no nos casamos, no está lejos el día en que vendrán aquí y nos lapidarán.

—¿Tienes miedo? —preguntó Miriam.

—Por mí, no. Por ti y por el niño, sí. Por Rut y por Mariamne, sí.

No los lapidaron, pero cada vez le daban menos trabajo, hasta el punto de que, en los primeros días malos del otoño, su taller estaba extrañamente vacío.

Por aquellas fechas, se divulgó la noticia, llevada de aldea en aldea por los mercenarios de Herodes. Entraban en los patios, llamaban a las puertas, gritaban por todas partes que César Augusto, amo de Roma y de Israel, quería conocer el nombre de cada uno de los que vivían en su reino.

—Id al pueblo de vuestro nacimiento. Daos a conocer. Se os dará una marca de cuero. El primer día del próximo mes de adar, quien no pueda mostrar su marca cuando se le pida, irá a prisión.

La noticia desencadenó tanto cólera como confusión.

Rut dijo:

—Ni yo misma sé dónde nací.

—Yo nací en Belén —dijo Yossef—. ¡Una minúscula aldea de Judea en la que nació el rey David y en la que nadie me conoce!

—Y yo tendría que regresar a Magdala —dijo, nerviosa, Mariamne. Es una maniobra más de los romanos y de Herodes para vigilarnos. Pero todo lo que viene de ellos es una estupidez. ¿Quién va a impedir que se falsifiquen las marcas de cuero? ¿Quién va a impedirnos que nos presentemos para su censo en dos o tres aldeas si nos da la gana?

—Es muy posible que, detrás de eso, haya alguna astucia que ignoramos —dijo Yossef con prudencia.

Miriam puso las manos sobre su vientre, que ahora la obligaba a moverse más lentamente.

—Como aquí, en Nazaret, no somos bienvenidos —propuso ella a Yossef—, ¿por qué no nos vamos a tu pueblo ahora que todavía puedo viajar? El niño nacerá sin que nadie más que nosotros se preocupe de ello. Yo diré que soy tu esposa y a todo el mundo le parecerá normal que me inscriba allí.

Lo pensaron un día o dos. Rut declaró con entusiasmo:

—Para mí, no hay discusión: os sigo. Hace falta alguien que se ocupe de los hijos de Yossef. Y de ti, el día del nacimiento. Y en Belén, si no se acuerdan de Yossef, ¿quién podrá decir que yo no nací allí?

Miriam lo aprobó:

—Pasarás por mi hermana.

Pero Mariamne protestó. Ella quería quedarse con ellos hasta el nacimiento del niño. Sin embargo, de no volver a Magdala, dónde debían esperarla para el censo, pondría a su madre en una posición difícil, ya que los romanos la vigilaban porque no les gustaba.

Miriam le dijo:

—Me serás más útil regresando a Magdala que siguiéndome a Judea. En primavera, cuando las carreteras hayan vuelto a ser practicables, iré con el niño a vuestra casa, si Raquel quiere. Su casa al borde del lago sería un lugar perfecto para verlo crecer y enseñarle lo que un nuevo rey debe saber.

Mariamne cedió contra su voluntad. Le hizo repetir varias veces a Miriam que se reencontrarían en Magdala.

—No lo dudes. No más que el resto de las cosas —le aseguró Miriam.

\* \* \*

Nevaba cuando tuvieron Belén a la vista. El frío y el viento eran intensos, aunque Yossef había fabricado un toldo de lona e incluso un soporte para un brasero que hacía del carro una especie de tienda de campaña móvil y cómoda. Se apretujaban allí con los niños, como una pequeña jauría en su madriguera. A veces, el caos de los caminos los hacía rodar unos sobre otros. Los niños se mondaban de risa, en particular el más pequeño, Yehudá, para quien era un juego maravilloso.

A Miriam le faltaba poco para el parto. A veces, agarraba el puño de Rut, apretando los dientes. Cuando ocurría eso, Rut le gritaba a Yossef para que detuviera las mulas. Pero como todavía no había dado a luz cuando entraron en la calle curva de Belén, Miriam dijo:

—Vamos a censarnos inmediatamente. Es mejor. Antes del nacimiento del niño.

Rut y Yossef protestaron. Era peligroso para ella y para el niño. Podían esperar hasta que naciese. En una semana o dos, los romanos todavía seguirían allí.

—No —dijo Miriam—. Cuando nazca, no quiero tener nada que ver con los romanos ni con los mercenarios. Ni siquiera quiero que puedan echarle la vista encima.

\* \* \*

El censo tenía lugar delante de una gran mansión cuadrada que los oficiales romanos ocupaban después de haber echado a los propietarios.

Dos grandes fogatas calentaban a los decuriones sentados ante las mesas, mientras que otros, lanza en mano, vigilaban la fila de quienes esperaban al aire libre.

Cuando las gentes de Belén vieron a Miriam de pie, embarazada, apoyándose en Yossef y Rut, y los niños que tiritaban tras ellos, dijeron:

—No os quedéis aquí. Pasad delante, no tenemos prisa.

Cuando estuvieron delante de la mesa del decurión, el romano los miró de arriba abajo. Observó el vientre de Miriam bajo el grueso abrigo, hizo un gesto y levantó la cara hacia Yossef.

—¿Tu nombre y tu edad?

—Yossef. La edad, yo diría que treinta y cinco años. Quizá cuarenta.

El decurión escribió en el rollo de papiro. El frío espesaba la tinta y entumecía sus dedos. Tenía que escribir con letras grandes.

Miriam vio que empleaba la lengua latina, traduciendo el nombre de Yossef como *José*.

—¿Y tú? —le preguntó el decurión—. Tu nombre y el de tu padre.

—Miriam, hija de Joaquín. Tengo veinte años. Quizá más, quizá menos.

—Miriam —dijo el decurión—; ese nombre no existe en la lengua de Roma. Desde hoy, te llamarás *María*.

—Y a él, ¿cómo le vas a poner?

—Yesuá.

El decurión la miró sin comprender. Ella repitió:

—Yesuá.

—¡Un nombre que no existe! —gruñó, soplándose en los dedos.

Miriam se inclinó y pronunció en griego:

—*Iesús*. Quiere decir: «El que salva».

413

El hombre se rio.

Escribió: «*Jesús, hijo de José y de María. Edad: nonato*».

—¿Y tú? —preguntó mirando a Rut.

—Rut. Mi edad, no tengo ni idea. Decídela tú mismo.

Esto hizo sonreír al decurión.

—Voy a poner que tienes cien años, pero que no lo parece.

Después, les tocó el turno a los niños.

—Mi nombre es Yakov, dijo, orgulloso, el mayor de Yossef. Mi padre es él, mi madre se llamaba Halva y tengo casi diez años.

—Tu nombre es *Santiago* —suspiró el decurión sin sonreír.

Y así, en aquellos días, todos cambiaron de nombre:

Mariamne pasó a ser María, María de Magdala.

Hannah pasó a ser Ana.

Halva se convirtió en Alba.

Eliseba se transformó en Isabel.

Yakov pasó a ser Santiago.

Libna se convirtió en Lidia.

Yohanan se transformó en Juan.

Yossef pasó a ser José.

Shimón se convirtió en Simón.

Yehudá pasó a ser Judas.

Gueuel se convirtió en Jorge.

Recab se transformó en Rolando...

Y así, casi todos los nombres que existían en el pueblo de Israel.

No cambió el nombre de Barrabás. Primero, porque se negó a presentarse ante los romanos. Y después, porque en arameo, la lengua que se hablaba en aquel tiempo en el reino de Israel, «Barrabás» significaba: «hijo del padre». Así se llamaba a los hijos cuyas madres no podían dar el nombre del padre. Era el nombre de los que no tenían nombre.

Pero esto los romanos no lo sabían.

Del mismo modo que ignoraban que el nombre del hijo de María, que daría a luz once días más tarde, en una granja abandonada, al lado de Belén, este Yesuá que el decurión llamó Jesús, porque sonaba parecido, significaba «salvador».

*Yo creía que mi relato se acabaría aquí.*

*La continuación es la historia mejor conocida del mundo, pensaba yo. Además de los Evangelios, son innumerables los pintores , los escritores y, en nuestros días, los cineastas que la han contado, desde mil puntos de vista diferentes, en el curso de los siglos.*

*Durante los años necesarios para las investigaciones y la redacción de esta novela, preparando el retrato de «mi» María, me esforcé en imaginar quién hubiera podido ser esta Miriam de Nazaret, nacida en Galilea. Una mujer real, que vivió en el caótico reino de Israel en el año 3760, después de la creación del mundo por el Eterno, según la tradición judía, año que se convirtió en el primero de la era cristiana.*

Lo que dicen los Evangelios de la madre de Jesús cabe en un pañuelo de bolsillo. Algunas frases contradictorias y vagas. Un vacío que puso en ebullición la imaginación de los autores de los apócrifos que florecieron hasta el Renacimiento, novelistas de su tiempo. Así nació una María cristalizada por el gusto de la Iglesia romana, poco convincente y demasiado marcada por la ignorancia de la historia de Israel a la que pertenecía Miriam.

Pero el destino de un libro no está sellado de antemano. El azar sopla y hace volar las páginas. Destruye su orden, transforma las evidencias largo tiempo maduradas. En realidad, los personajes solo son de papel. Exigen su vida, su parte de imprevisto. Un imprevisto que se inmiscuye en las frases y cambia su sentido.

\* \* \*

Así, apenas unos días después de haber acabado una primera redacción de mi novela, la casualidad quiso que fuese a Varsovia, la ciudad en la que nací. Debía completar un filme dedicado a los «justos», a los que, cristianos o no, durante la última guerra mundial salvaron a judíos, a menudo con peligro de sus vidas.

Desde mi llegada a Francia, de muy pequeño, nunca había vuelto a Polonia. La emoción era grande. Y, bajo el placer nostálgico y ambiguo que todos experimentamos al reencontrarnos con los lugares de la infancia, resurgía en mí un antiguo e indeleble enojo.

Encontré una Varsovia ajena a mi memoria. El mundo febril y atormentado, nimbado por el recuerdo del yidis *voluble y colorista de mi abuelo Abraham, impresor,* muerto en la revuelta del gueto de Varsovia, había desaparecido. Ese mundo había sido borrado tan radicalmente que era como si nunca hubiese existido.

Como le dice a menudo José de Arimatea a Miriam de Nazaret, la cólera ciega, entorpece en el momento de defender las causas más justas.

Apenas llegado a Varsovia, mi único deseo era marcharme cuanto antes de esa ciudad. Huir del pasado y de quienes prefieren ignorarlo en el presente, que no tienen nada más que enseñarme. Me retuvo un encuentro previsto desde hacía varias semanas con una mujer que, según me habían dicho, había salvado a dos mil niños judíos del gueto. Cancelar el encuentro hubiese sido una afrenta imperdonable.

Acudí a su casa a regañadientes. Estaba muy equivocado: el destino me esperaba.

Subí los tres pisos por una escalera descuajeringada para encontrarme frente a una anciana polaca de rostro bien dibujado, con expresión juvenil. Sonreía arrugando los ojos con la malicia de una niña. Sus cabellos cortos y blancos estaban peinados como los de una escolar de los años treinta. Justo encima de la frente, un pasador retenía un mechón alisado con esmero. Se desplazaba con precaución con la ayuda de un andador.

En una charla convencional que nos permitía romper el hielo de un encuentro demasiado formal, como ella se llamaba María, le confié que estaba escribiendo un libro sobre María, la madre de Jesús.

*Ella se animó con una sonrisa luminosa.*

*—No ha podido caer en mejor sitio —me dijo ella—. Yo también tengo un hijo que se llama Jesús, Yesuá.*

*Me puse tenso. Ella no prestó ninguna atención a mi turbación y empezó a evocar el gueto. Cuando le pregunté cómo había podido salvar a cerca de dos mil niños judíos, ella, para sorpresa mía, se echó a llorar.*

*—Hubiera tenido que salvar a más aún. Éramos jóvenes, no sabíamos cómo hacerlo...*

*Se acercó un minúsculo pañuelo de encaje a la sien, abrió la boca, a punto de contar más cosas. Se echó atrás y el silencio se instaló entre nosotros.*

*Durante los veinte o treinta meses que acababan de pasar, yo había vivido poco en el presente. Como si de una droga se tratase, me había embriagado de visiones de una Galilea imaginaria, de llanuras infinitas y de pendientes cubiertas de bosques umbríos. Había navegado sobre los reflejos deslumbrantes del lago de Genesaret, recorrido los caminos polvorientos de unas aldeas blancas y olorosas engullidas, al cabo de milenios, por el tiempo y la Historia. Y de repente, confundiendo todos mis sueños, tenía ante mí una mesa cuadrada cubierta por un mantel de tejido plastificado, rodeada por tres sillas de planchas de contrachapado, pintadas de un azul desconchado por el uso.*

*Desconcertado, me obligué a hablar, haciendo hincapié en que no había contestado a mi pregunta.*

*Me observó con bondad y ligeramente divertida. No tenía ninguna intención de responderme. A su vez, me preguntó:*

—¿Sabe usted por qué gran parte de Varsovia está sobreelevada? Se habrá dado cuenta de que, para acceder a la mayor parte de las calles, hay que subir algunos escalones.

Le respondí con un gesto. Me había percatado de ello, pero desconocía la razón.

—Después de la guerra, los supervivientes no tenían ni el dinero ni el tiempo necesarios para escombrar las ruinas de las casas judías. Tampoco tenían tiempo para retirar los cadáveres de los habitantes aún sepultados debajo. Los bulldozers amontonaron los escombros, haciendo desaparecer las ruinas de los patios, los callejones, los lavaderos, los pozos, las fuentes, las escuelas... Nivelaron todo y las casas de los vivos se edificaron sobre las casas de los muertos. Cuando usted sube esos escalones, pone los pies sobre el cementerio judío más grande del mundo.

Nos callamos de nuevo, intercambiando miradas incómodas. Llega siempre un momento en el que los horrores cometidos por los hombres nos dejan sin voz.

Miré involuntariamente el número tatuado en su antebrazo. Ella se dio cuenta y lo cubrió con su mano marchita.

Dos ventanas daban a uno de esos patios comunes tan frecuentes en la Varsovia de antes de la guerra. En un ángulo de la estancia, una representación de la virgen María de Leonardo da Vinci adornaba una minúscula capilla blanca de cartón piedra. Entre las dos ventanas, podía ver, tras un cristal moteado, una foto que representaba a dos hombres, uno joven, otro viejo, al lado uno del otro.

Ella siguió mi mirada.

—Mi marido y mi hijo —dijo ella, sonriendo.

Después, como yo estuviera fascinado por el rostro de su hijo, añadió:

—Incluso en esa pésima foto, se nota. En él solo había misericordia.

Me acerqué. Era cierto. Observé esa curiosa mirada que tienen los hombres que saben lo que les espera. Sus cabellos largos daban a su rostro un aire de fragilidad que desmentían sus manos fuertes cruzadas sobre el vientre.

A mi lado, la anciana María murmuró:

—Yo adoraba sus cabellos. Tan sedosos como unos cabellos de niña. Sin duda, se los cortaron. Es increíble, ¿no?, ¡la obsesión que tenían con los cabellos! Como los filisteos espantados por la cabellera de Sansón.

Ella sacudió la cabeza, levantó su andador para golpear el suelo con un pequeño movimiento de rabia.

—¡Aquella montaña de cabellos que había a la entrada de los campos!

De nuevo, solo me quedaba callarme.

Pensé en levantarme y salir. En despedirme con unas imágenes que conozco demasiado bien.

Sin duda, ella lo adivinó. Me lanzó una mirada maliciosa.

—Antes de que se vaya, quiero ofrecerle algo.

Apoyándose en su andador, se levantó. A pequeños pasos cautelosos, se acercó al único armario de la estancia. Dándome la espalda, hurgó en un cajón y sacó una especie de tubo envuelto en un antiguo periódico yidis.

420

Yo estaba de pie, detrás de ella; ella se volvió a medias, con una mano aferrada al soporte de aluminio de su andador y la otra tendiéndome el objeto.

—Tome.

—¿Qué es?

Bajo el papel de periódico roto en algunos sitios, se adivinaba un estuche rígido. Lo saqué. Era un cilindro de madera muy fina, recubierta de un cuero parecido a una piel transparente, que el tiempo había oscurecido y endurecido como cuerno. Solo había visto este género de objetos tras las vitrinas de los museos, pero podía reconocerlo. Se trataba de uno de esos tubos con los que, hace más de dos mil años y hasta la Edad Media, se protegían los escritos de cierta importancia: cartas, declaraciones oficiales y administrativas e incluso libros.

—¡Pero esto es precioso! —exclamé, asombrado—. Yo no puedo...

Ella rechazó mi protesta cerrando los ojos.

—Léalo.

—¡Yo no puedo llevarme algo tan precioso! Usted debe...

—Ahí está todo. Reconocerá la palabra de la que más escuchada fue en su tiempo.

—¿María? ¿María de Nazaret?

—Léalo —repitió ella, dirigiéndose hacia la puerta a pequeñas sacudidas de su andador, despidiéndome, esta vez sin réplica.

\* \* \*

El periódico que protegía el estuche se deshizo solo, quemado por el tiempo. Tuve que batallar un poco para retirar el capuchón. La madera y el cuero demasiado secos amenazaban con estallar bajo mis dedos temblorosos.

En el interior, encontré una faja de pergamino enrollada sobre sí misma, pero que había sido protegida con ayuda de una hoja de celofán.

El pergamino, ya pulverizado en los bordes, se pegaba a la pulpa de mis dedos en cuanto lo tocaba. Lo desenrollé sobre la cama del hotel, milímetro a milímetro, temiendo a cada momento que se desintegrase.

El pergamino había sido mal plegado. Unos fragmentos de texto se habían despegado en los pliegues. Unas manchas de humedad se habían mezclado con la tinta que, en su momento, era de color marrón. En algunos sitios, absorbían las líneas de una escritura pequeña y regular. A primera vista, creí reconocer el alfabeto cirílico. Solo era una ilusión de ignorante.

Para mi sorpresa, a medida que desenrollaba el pergamino, aparecieron unas hojitas de papel en forma de pequeños cuadrados. El tiempo, también los había amarilleado, pero solo tenían unos decenios. Esta vez, reconocí inmediatamente la lengua utilizada: el yidis.

Me senté al borde de la cama para leerlos. Desde los primeros párrafos, mis ojos se empañaron, se negaron a ir más lejos.

Me levanté para vaciar en un vaso los botellines de vodka del bar de la habitación. Un alcohol mediocre que me quemó la garganta y que dejé que actuara hasta que mi pulso dejó de palpitar a toda velocidad.

\*\*\*

27 de enero del año 5703 desde la creación del mundo por el Eterno, bendito sea Él.

«A Ti, a Ti, Santo, cuyo trono está rodeado por las alabanzas de Israel, a Ti se confiaron nuestros padres. Ellos creyeron en Ti y Tú los liberaste. ¿Por qué no a nosotros? ¿Por qué no a nosotros?»

Me llamo Abraham Prochownik. Vivo en una cueva de la calle Kanonia desde hace meses. Se puede decir que, probablemente, yo sea el único superviviente de la familia Prochownik. Gracias sean dadas a nuestra vecina María.

Espero que llegue un día en el que los cristianos la bendigan como una santa. Yo, judío, solo puedo esperar que ella quede en la memoria de los hombres como una Justa. Una Justa entre las naciones. Que el Eterno, Dios de amor y de misericordia, la proteja.

Si se encuentran estas hojitas, quiero que se sepa: María ha salvado a centenares de niños judíos. Ella fue deportada por los nazis —que su nombre sea maldito por la eternidad— como una judía, con su hijo Jesús, a quien ella llamaba Yesuá, y su esposo, el padre de su hijo. Padre e hijo perecieron en los campos. Ella se escapó con la ayuda de la red católica Zegota.

«Hay diez generaciones de Adán a Noé, dice el Tratado de los Padres, para dar a conocer la larga paciencia de Dios, mientras todas las generaciones se azuzaban sin discontinuidad para provocarle, antes de que Él los engullera bajo las olas del Diluvio».

¿Cuánto tiempo me queda aún de vida? Solo el Eterno, Señor del universo, lo sabe.

Solo el Eterno sabe también, como he escrito antes, si queda algún Prochownik, aparte de mí. Fuimos, en tiempos antiguos, una familia ilustre. Según la leyenda que me transmitieron mi padre y mi abuelo, nuestro antepasado Abraham (yo llevo su nombre) fue coronado rey, en 936 de nuestra era, por unas tribus eslavas paganas que acababan de aceptar a Cristo. La tribu más importante era la de los polanos y nuestra familia vivía entre ellos desde hacía varias generaciones.

El Señor Dios de la Sabiduría inspiró sin duda al espíritu de Abraham, que rechazó el honor de ser rey. Declaró a los polanos que no correspondía a un judío reinar sobre los cristianos. Debían encontrar a su jefe entre los miembros de sus propias familias. Les propuso designar a uno de los campesinos que producían más trigo. El hombre se llamaba Mieszko, de la familia de los Piast. Los polanos siguieron su consejo y el campesino se convirtió en «Mieszko primero».

La dinastía de los Piast fue larga y siempre se comportó bien con los judíos.

Al menos, si damos crédito a nuestra leyenda familiar.

Para mi abuelo Salomón, no cabía duda de ello. Era la auténtica verdad. La única vez que levantó la mano sobre mí fue el día en el que me mofé de él, diciendo que el antepasado Abraham solo había sido un pobre zapatero sin un céntimo.

Para el abuelo Salomón, la prueba irrefutable de la grandeza pasada de nuestra familia estaba contenida por completo en nuestro tesoro familiar: el cilindro que Abraham Prochownik había recibido de los Piast en testimonio de agradecimiento.

El día de su bar-mitsvá, cada niño, en nuestra familia, tenía el derecho de abrir el estuche, desplegar un poco el rollo y contemplar la escritura.

Según el abuelo Salomón, este cilindro lo recibieron los Piast de manos de san Cirilo, en persona, en el momento de su conversión. Lo que está escrito en él no es más que una copia. El rollo original estaba redactado en hebreo y en griego. Pero, copia u original, contienen lo mismo: el evangelio de Miriam de Nazaret, María, madre de Jesús.

El abuelo Salomón contaba que Elena, la madre de Constantino I, el emperador de Roma que se hizo cristiano, lo trajo de Jerusalén. La madre del emperador afirmaba que unas mujeres cristianas le dieron el rollo original, en papiro, como se hacía entonces, cuando ella fue a Jerusalén para edificar la iglesia del Santo Sepulcro, en el mismo lugar de la crucifixión de Jesús. Fue en 326 de nuestra era.

Unos siglos más tarde, bajo el emperador bizantino Miguel III, el gran evangelizador Cirilo habría llevado una copia del rollo en su viaje a Jazaria, en compañía de su hermano Metodio, en el año 861. Quería convertir a los judíos jázaros al cristianismo. Pensaba que el hecho de que el rollo fuese el testimonio de la palabra de una madre judía solo podía servirle de ayuda en su empresa con los jázaros.

Por fortuna, el Santo, Dios de Israel, protegió al rey de los jázaros contra la tentación.

Cirilo decidió, entonces, convertir a los pueblos paganos que se desplazaban por el Cáucaso y el mar Negro. Lo que contaba el rollo era una prueba de la existencia de Jesús, de la que todavía dudaban los pueblos paganos.

Cirilo tradujo el texto a varias lenguas: el adjaro, practicado en las montañas, el georgiano, con el alfabeto fenicio, y el eslavo.

Mi padre, Yakob, hijo de Salomón, se convirtió en un gran profesor de lenguas antiguas a causa de esta historia. El más conocido y el más respetado de las universidades de Viena, de Moscú, de Budapest y de Varsovia, en las que enseñó. Allí estaba todavía cuando los alemanes entraron en Polonia.

Fue él quien reconoció la lengua del rollo transmitido por nuestro antepasado Abraham. Es el adjaro. Que no se pierda el tiempo yendo a buscar otra lengua.

Mi padre hubiera podido hacerse increíblemente célebre dando a conocer este rollo. ¿Por qué no lo hizo?

La única vez en la que le hice la pregunta, me respondió que no tenía necesidad de ser célebre. Más tarde, añadió que lo que contenía el texto podía engendrar una disputa inútil. «Ya hay bastantes enfrentamientos en este mundo sin añadir otros. Sobre todo, para nosotros, en este momento». Fue hace siete años, cuando Hitler ya alborotaba las masas. Mi padre siempre fue un hombre de gran lucidez. Por eso no dejó una traducción del rollo, cuando era el único de nosotros que podía hacerlo.

En cuanto a lo que le ocurriera al rollo original, el traído por Elena de Jerusalén, nadie lo sabe. Mi padre suponía que habría sido destruido en el saqueo de Bizancio.

Varsovia, 2 de febrero del año 5703 desde la Creación del mundo por el Eterno, bendito sea Él.

La organización de los combatientes judíos nos empuja a la resistencia. María, que los ángeles del Cielo la protejan, me ha traído su octavilla en yidis: «¡Judíos!

El ocupante acelera nuestro exterminio. ¡No vayáis pasivamente a la muerte! ¡Defendeos! ¡Tomad el hacha, la barra de hierro, el cuchillo! ¡Levantad barricadas en vuestras casas para salvar a vuestros hijos, pero que los hombres adultos luchen por todos los medios!»

Tienen razón. Hay que luchar. Pero, ¿con qué? Nos falta de todo. ¡Incluso ya no tenemos ni las hachas ni las barras de hierro de las que habla la octavilla! De municiones y armas, ni hablamos...

¡Te lo ruego, oh Eterno!, haz que nuestros perseguidores sean castigados, ¡que quienes nos hacen perecer acaben en el infierno! Amén.

Varsovia 17 de febrero del año 5703 desde la Creación por el Eterno, bendito sea Él.

María ha venido de nuevo, aunque es peligroso y difícil desplazarse. Me ha traído azucarillos, cuatro nueces y siete patatas que ha conseguido no sé cómo. ¡Que Dios Todopoderoso le bendiga! Que Él la proteja.

Ayer, los alemanes han vaciado el hospital después de haber fusilado a los enfermos que no se tenían de pie y llevado a los demás a la nieve hasta la Umschlagplatz, desde donde los han enviado a Auschwitz.

Hemos combatido y resistido como nadie lo había hecho antes. Por el verbo que el Eterno nos ha dado para que penetre el corazón de nuestros verdugos; por el testimonio que, si tal es la voluntad del Señor, Sebaot, preserva nuestro aliento entre las naciones. Y ahora —¡Santo, Santo, Santo es tu nombre!— ¡solo nos queda la muerte para oponernos a quienes traen la muerte, con el fin de que tu nombre, Señor, y el nombre de tu pueblo sean glorificados para siempre! Amén.

Mañana, ya no estaré aquí. El rollo del Evangelio de María, que los Prochownik se han ido transmitiendo de generación en generación durante más de un milenio, está ahora en manos de María. Ella es libre para hacer lo que quiera. Nadie puede tener mejor juicio que ella.

Gracias a ella, justa entre los justos, permanecerá el nombre de los Prochownik. Amén.

# EVANGELIO DE MARÍA

Yo, Miriam de Nazaret, María según mi nombre en la lengua de Roma, hija de Joaquín y de Ana, me dirijo a Mariamne de Magdala, María según su nombre en la lengua romana, hija de Raquel.

Al principio la palabra,
Dios es palabra, Dios, palabra que engendra la palabra.
Al principio, sin ella nada ha sido de lo que fue.
Palabra, la luz de los hombres, sin ninguna oscuridad.
La palabra del principio, la noche nunca la comprendió.

Me dirijo a Mariamne de Magdala, mi hermana de corazón, de fe y del alma. Me dirijo a todas las que siguen su enseñanza a la orilla del lago de Genesaret.
En el año 3792 desde la creación del mundo por el Señor Todopoderoso, bendito sea su nombre, en el mes de nisán, en el trigésimo tercer año del reinado de Antipas, hijo de Herodes.

Para las que se preocupan y temen su desaparición, doy fe por mi hijo, Yesuá, con el fin de que no se dejen engañar por los rumores que extienden hasta Damasco los corruptos del templo de Jerusalén. He aquí mi testimonio.

Él está en medio de vosotros y vosotros no lo conocéis.

Esto es lo que ocurrió en el tiempo en el que Antipas cortó la cabeza de Juan el Bautista. Treinta años transcurrieron desde el nacimiento de mi hijo y, desde hacía treinta años, desde la muerte de su padre, Herodes, Antipas reinaba en Galilea. No tenía el poder sobre todo el reino de Israel a causa de la desconfianza de los romanos.

A Juan el Bautista, hijo de Zacarías y de Eliseba, lo conocí en el vientre de su madre. Y mi hermana de corazón, Mariamne, lo conoció igualmente, como recordará. Según la voluntad de Dios, nos vinieron los hijos, a Eliseba primero y a mí después. Tanto a una como a otra, esto ocurrió en Nazaret, en Galilea.

Hecho hombre, Juan fue por los caminos. Allá donde iba, tomaba la palabra y bautizaba con agua a quienes se acercaban a él. De ahí que se le llamara «el Bautista».

Su fama creció.

De Jerusalén, los sacerdotes del Sanedrín y los levitas acudieron a él y le preguntaron: Tú, ¿quién eres?

Él respondió con palabras de humildad. Dijo: Yo no soy el que esperáis. Yo llego delante de él. No soy el que abre el cielo. Yo soy la palabra que va delante de la palabra, que grita en el desierto.

Esto ocurría en Betania, al lado del Jordán.

Durante diez años, la fama de Juan Bautista aumenta.

Durante diez años, mi hijo Yesuá estudia y escucha. Oye la palabra de Juan y la aprueba. Él, cuando habla, solo dirige su palabra a un pequeño número.

Durante diez años, el cielo permanece cubierto y no se abre a quien espera Israel.

Un día, Juan el Bautista me dice: Que tu hijo venga para la inmersión. Yo le respondo: Tú sabes mejor que nadie quién es. ¿Por qué quieres bautizarlo? Cuando haces que alguien entre en el agua, es para purificar al hombre y a la mujer. ¿De qué querrás purificar a Yesuá, mi hijo?

Mi respuesta no le gusta. Juan el Bautista dice a quien quiera oírlo: A Yesuá, hijo de Miriam de Nazaret, querríamos oírlo, pero no lo oímos. Querríamos ver si es tan milagroso como su nacimiento y abre el cielo. Pero no lo vemos. Habla, pero no son más que palabras de hombre y no el soplo de Dios.

Así habla Juan el Bautista. Mi hermana de corazón estaba presente. Que ella dé fe. Esto ocurría en Magdala.

Desde ese día, mi hijo Yesuá está en Cafarnaúm, a orillas del lago de Genesaret. Ya no se encuentra con Juan el Bautista, cuya palabra causa un revuelo que no deja de aumentar. El mismo Antipas lo oye. Tiene miedo. Dice: El hombre al que llaman el Bautista se prodiga en palabras contra mí. Quiere el fin de mi casa. Lo escuchan por todas partes, en Galilea y más allá. Tiene más influencia que los zelotes, los esenios y los ladrones.

Antipas se decide. Hace detener a Juan el Bautista. Llevado por el vicio de su familia, que corre por sus venas desde su padre, Herodes. Antipas ofrece la cabeza del Bautista a su esposa, Herodías, que era también su sobrina y cuñada.

La víspera del día en el que hay que dar sepultura a Juan, hijo de Zacarías y de Eliseba, José de Arimatea, el más santo de los hombres y el más seguro de mis amigos, viene a verme. Me dice: Hay que ir ante la tumba de Juan el Bautista. Tu amiga Mariamne está al lado de tu hijo Yesuá, en Cafarnaúm. Están demasiado lejos para llegar a tiempo para la sepultura. Eres tú quien ha de estar delante de la fosa del que Antipas ha asesinado por el miedo que le tenía.

Esto pasaba en Magdala.

Yo respondo a José de Arimatea: He desaprobado las palabras de Juan el Bautista contra mi hijo Yesuá. Pero tienes razón, hay que mantener las manos unidas ante la fosa en la que Antipas quiere enterrar bajo su vicio la palabra del Todopoderoso.

De noche, en barca, vamos de Magdala a Tiberíades.

Por la mañana, ante la fosa abierta, estamos un número muy reducido de personas. Está Barrabás, el ladrón. Desde el primer día, me ama como yo lo amo. El Todopoderoso nunca ha querido que las pruebas nos separen. Que mi hermana Mariamne lo atestigüe, ella que nos ha visto amigos y enemigos.

Barrabás se lamenta de que seamos tan pocos. Dice: Ayer, corrían hacia Juan el Bautista para limpiarse de sus pecados en el agua de su baño. Hoy, que hay que estar delante de su fosa bajo la mirada de los mercenarios de Antipas, no se les ve.

Se equivoca. Cuando la tierra ha cubierto el cuerpo separado de Juan el Bautista, miles y miles llegan para llorarlo. Los caminos de Tiberíades están negros. No se puede avanzar. Todo el mundo quiere poner una piedra blanca sobre la tumba y cantar la grandeza del Todopoderoso. Esto dura hasta la noche. Al final del día, la tumba de Juan el Bautista es un montículo blanco que se ve de lejos.

José de Arimatea y Barrabás me alejan por miedo a que me ahogue entre la multitud. José de Arimatea dice: La palabra de Juan el Bautista ha pasado. Esta multitud que está hoy aquí está de nuevo tan perdida como niños en la oscuridad. Creían haber encontrado al que les abría el cielo. Todavía no saben que está aquí, en Cafarnaúm, aquel a quien deben seguir ahora. Lo ignoran y dudan de nuevo.

Barrabás asiente: Antipas mata, corta la cabeza del Bautista y la cólera de Dios no se ve por ninguna parte. Y para mí, Barrabás añade: José tiene razón. ¿Cómo creer que tu hijo es a quien anunciaba Juan si él no puede hacer la señal? No irán tras Yesuá solo escuchándolo.

Al oír estas palabras, me enfado. Digo: Soy como ellos. Hace treinta años que nació mi hijo y treinta años que espero. Yo era una chica en plena juventud; soy una mujer que espera el ocaso de su tiempo. La paciencia tiene un límite. Juan el Bautista se rio de Yesuá y de mí. Zacarías y Eliseba me dijeron antes de su muerte: Creíamos que tu hijo era como el nuestro, pero no. Los escucho y me siento humillada. Estoy avergonzada. Digo: ¿Qué ocurre? ¿Dios quiere una cosa y la contraria? ¿Dios me hizo madre de Yesuá en vano? ¿Cuándo hará, por la mano de mi hijo, el signo que abra el cielo? ¿Cuándo hará el signo que abata a Antipas y libere Israel? ¿No vivimos para esto? ¿Y no hemos vivido bastante en la pureza para merecerlo?

A José de Arimatea y a Barrabás no les oculto nada: Hoy, os lo digo, ya no tengo más paciencia. Ver a esos miles de personas en la tumba de Juan el Bautista no me reconforta. No es una tumba lo que tenemos que celebrar, sino la luz de la vida. Y Yesuá ha nacido para ello.

Mi cólera no desaparece antes de mi regreso a Magdala. José de Arimatea no trata de apaciguarla. Está como yo y aun más por la edad. Su tiempo está cumplido; su paciencia, más ajada que su túnica.

Pasan dos días. Mi hermana de corazón, Mariamne, regresa de Cafarnaúm. Ella lo recordará. Anuncia con gran alegría: Las noticias son hermosas. Yesuá ha predicado en Cafarnaúm. Los que lo escuchaban decían: Es Juan Bautista resucitado. El rumor de su palabra ha llegado a oídos de un centurión romano. Ha ido a escucharlo y se temía su presencia. Pero Yesuá le ha dicho: Sé que tu hija está entre la vida y la muerte. Mañana estará en pie. El centurión marchó corriendo a su casa. El día siguiente, vuelve y se inclina ante Yesuá: Mi nombre es Longinos y tengo que reconocer ante todos que has dicho la verdad. Mi hija está en pie.

Mariamne anuncia además: Dentro de ocho horas, habrá una boda importante en Caná de Galilea. El padre del novio es rico y respetado. Ha oído a Yesuá y le ha invitado.

Entonces, José de Arimatea me mira. Sé que piensa como yo. Dice: Vamos también nosotros a Caná. Es [...][1]

[...] romana que se llama Claudia, mujer de Pilato, gobernador de Judea. Ella me dice: He

---

[1] En esta parte del rollo, falta un fragmento del texto: la mancha de humedad ha provocado un desgarrón.

oído la palabra de tu hijo en Cafarnaúm y aquí estoy. Soy hija de Roma; por mi nacimiento, estoy por encima del pueblo, pero no creo que eso me haga ciega y sorda. Lo que hace Antipas en este país, lo sé. Lo que hacía su padre, también lo sé.

A mi hermana de corazón, Mariamne, Claudia, la romana, le dice: Admiro la enseñanza de sabiduría que tú impartes en Magdala. Se dice que tú eres la que hace brillar la enseñanza de Yesuá entre las mujeres. Mariamne le responde: Ven a Magdala a mi lado. Habrá sitio para ti, aunque seas hija de Roma.

Así se desarrolla el banquete de bodas en Caná. Yesuá dice a los esposos: Nadie enciende una lámpara para esconderla en un agujero. La felicidad de los esponsales hace del cuerpo la luz que ahuyenta todas las tinieblas. La carne de los esposos irradia y revela cuánto ama mi Padre la vida que está en vosotros.

Un discípulo de mi hijo se me acerca. Un hombre pequeño, de mejillas finas y mirada directa. Se llama Juan, según su nombre de Roma. Su saludo me sorprende, pues a los discípulos de Yesuá no les gusta aparecer a mi lado. Él, al contrario, es amable: Por fin, vienes a escuchar la palabra de tu hijo. Hace mucho tiempo que no te veo cerca de él. Le respondo: ¿Cómo puedo seguirlo cuando él me echa? Él, que va diciendo que no tiene familia, ni siquiera madre. Juan niega con la cabeza y me asegura: ¡No! No te ofendas. Eso no va contra ti, sino contra quienes dudan de Él. Esto pronto va a cambiar.

Hace calor en Caná. Todo el mundo bebe por placer y para calmar la sed. Se acerca el final del banquete de bodas. Hay mucha gente. Algunos han venido de Samaria, de Betsaida. José de Arimatea tiene a su lado a sus mejores discípulos de Bet Zabdai. Gueuel, el que no me quería cuando estaba en su casa con Rut, bendita sea ella, está presente entre los otros. Viene hacia mí con respeto: La época en la que iba contra ti ha pasado. Yo era joven e ignorante. Hoy, sé quién eres.

Cuando el sol se está poniendo, Barrabás me dice: Nos has hecho venir aquí, pero no hay nada diferente de lo habitual. Tu hijo habla y los otros tienen sed a fuerza de escucharlo.

En ese instante, José de Arimatea se me acerca: Va a faltar el vino. La boda se va a estropear.

Comprendo lo que quiere decir. Me levanto con el miedo en el cuerpo. Se me nota en la cara. Mi hermana Mariamne lo recordará. Me acerco a mi hijo: No tienen vino. Debes hacer lo que se espera de ti. Ha llegado el día.

Juan, el discípulo, está a mi lado. Yesuá me mira como a una extraña: Mujer, no te inmiscuyas en lo que yo deba o no hacer. Mi hora todavía no ha llegado.

Entonces, yo, su madre, digo: Te equivocas, Yesuá. El signo está en tus manos. No puedes retenerlo más tiempo. Estamos aquí los que lo esperamos.

Me mira de arriba abajo. No es el hijo que mira a su madre. Se vuelve hacia los de las bodas, hacia Juan, su discípulo, hacia José de Arimatea y Barrabás. También hacia Mariamne, a la que recuerda. Se calla. Entonces, yo pido a quienes sirven el banquete que se acerquen: Yesuá os va a hablar. Haced lo que él os ordene.

Me observan con sorpresa, sin comprender. Se hace el silencio en las bodas. Al fin, Yesuá ordena a los sirvientes: Id a las tinajas dispuestas para la purificación y llenadlas. Ellos le dicen: Para llenarlas, rabí, solo tenemos agua y es día de boda. Él responde: Haced lo que os digo. Llenad las tinajas de agua.

Una vez llenas las tinajas, Yesuá ordena: Sacad un vaso y llevádselo al padre del esposo. Ellos lo hacen. El padre del esposo exclama: ¡Es vino! Un vino que viene del agua. Y el mejor que yo haya bebido en mi vida.

Todos quieren ver y beber. Les dan vasos y exclaman: ¡Es el vino del Todopoderoso! ¡Él bendice nuestras bodas! ¡Hace de Yesuá su hijo y su palabra!

Mi hermana de corazón, Mariamne, llora. Va a besar las manos de Yesuá, que la abraza contra él. Ella viene a mis brazos para reír entre lágrimas. Ella se acordará. José de Arimatea también me abraza contra él: Es el primer signo, Dios Todopoderoso. ¿Al fin abres el cielo?

Juan, el discípulo, se me acerca: Tú eres su madre, nadie puede dudarlo.

Todos los asistentes a la boda están ante Yesuá, de rodillas y bebiendo el vino. Claudia, la romana, la mujer de Pilato, está en primera fila, tan humilde como una judía ante el Eterno.

Yo pienso y tiemblo. Rezo. Esto ha tenido lugar. Que el Todopoderoso me perdone, ya no tenía más paciencia y he dado un empujón al tiempo. He empujado la palabra en boca de mi hijo. Pero, Señor Eterno, ¿acaso no ha nacido para esto: para que se muestre y hable el amor a los hombres? Dios del Cielo, protégelo. Síguelo. Extiende sobre él tu aliento.

Barrabás me dice: Tenías razón. Puede ser nuestro rey. Esta vez, tengo que creer, ¡o no podré ya creer lo que ven mis ojos! En adelante, Yesuá tiene que ir por los caminos y realizar signos como este. Todo el pueblo de Israel vendrá a él.

Es lo que hace. Durante más de un año, no faltan los signos. Este en Galilea; después, en Judea. Entre el pueblo, se empieza a decir: Ahí está Yesuá, el Nazareno: realiza signos, está en la mano de Dios. Por eso, un día llega a Jerusalén.

Los discípulos, gracias a la intercesión de Juan, no me impiden seguirlo. Conmigo vienen José de Arimatea, Barrabás y Mariamne de Magdala. Ella se acordará. En Jerusalén, Yakov, Santiago de nombre romano, hijo de José, que fue mi esposo en el tiempo del nacimiento de Yesuá, se una a nosotros. Va a besar a Yesuá, que le dice: Quédate a mi lado; tú eres mi hermano al que amo. No importa que no tengamos ni el mismo padre ni la misma madre; somos hermanos e hijos del Mismo.

Llega la Pascua.

Todos conocéis los acontecimientos de la Pascua. Cómo Yesuá nos lleva delante del Templo y encuentra a la muchedumbre que va a purificarse. Cómo el patio del Templo está lleno de quienes transforman el santuario en comercio. Los cambistas tienen allí sus mesas. Los mercaderes de bueyes y de [...][1] noche, Barrabás le tiende el látigo de cuerda y nudos. Yesuá lo coge. Lo blande delante de él. Saca los bueyes del Templo. Saca los corderos. Las jaulas de las palomas se rompen en el suelo, las aves se van volando. Las monedas de los cambistas ruedan por las losas. Yesuá derriba las mesas, echa a todo el mundo del patio.

Esto ante la muchedumbre que había venido a purificarse, que lo miraba diciendo: Ese es Yesuá de Nazaret. Ha recorrido Galilea, Samaria y Judea, sembrando los signos mediante su palabra. Ha transformado el agua en vino nupcial. A quienes no podían andar, los ha hecho andar. Nadie hace signos parecidos si el Eterno no está con él.

---

[1] Aquí, un desgarrón suprime tres líneas de texto en oblicuo, salvándose, en el lado izquierdo del rollo, algunas palabras que no permiten, por sí solas, una reconstrucción fiable.

Ahora, se alza contra los corruptos del Sanedrín. ¡Bendito sea!

Esto mientras vacía el patio del Templo. A quienes le protestan, Yesuá les responde: ¡Quitadme eso de ahí! No volváis nunca a convertir la casa de mi Padre en una casa de comercio.

Llegan los sacerdotes del Sanedrín, los fariseos y los saduceos. Gritan: ¿Quién te crees que eres para permitirte actuar así? Yesuá les responde: ¿Lo ignoráis vosotros, que instruís a Israel?

El ruido de la muchedumbre atrae a Caifás, el sumo sacerdote, que recibe su poder por la voluntad de los romanos y de su suegro, Anás. Lo que ve le da miedo. Se alza ante Yesuá: Prueba con un signo que Yahveh está contigo. ¡Demuéstranos que Él te da el derecho de oponerte a nuestras decisiones!

Yesuá responde: Destruid este templo y yo lo edificaré en tres días.

Mi hermana de corazón, Mariamne, recordará que esas son sus palabras. Las que oye la muchedumbre. Las que oyen los sacerdotes corruptos. Porque, cuando Yesuá habla, todos se callan. Tiemblan al mirar los muros del Templo. Tienen los ojos dispuestos para ver derrumbarse el santuario por la voluntad del Todopoderoso.

No pasa nada. Caifás se mofa: Herodes tardó cuarenta y seis años en construir este templo, ¿y tú lo levantarías en tres días? Mientes. Yesuá dice: La mentira está en la raíz de vuestros pensamientos. ¿Cómo podría ser este templo el santuario de Dios, siendo Herodes quien lo ha querido y vuestras estropeadas manos las que lo mantienen?

La muchedumbre hacía mucho ruido. En el tumulto, está la amenaza de la rebelión. Se oyen gritos que anuncian: El Mesías está en el patio del Templo. Se enfrenta a Caifás y a sus sacerdotes vendidos a los romanos.

Barrabás viene a mi lado. Anuncia: La ciudad hierve de cólera. Las calles están llenas. El pueblo viene de todas partes para la Pascua. Es el momento que esperamos desde hace tanto tiempo, tú y yo. Un signo de tu hijo y haremos caer el Sanedrín. Corramos hacia la guarnición de los romanos y tomémosla. Date prisa.

Antes de hacer nada, pido consejo a José de Arimatea y a Mariamne. Ella se acordará. Tato él como ella me responden: Eso depende de Yesuá. Entonces les digo a todos: Barrabás tiene razón. Nunca ha habido un momento mejor para liberar al pueblo de Jerusalén del yugo romano.

A mi hijo, Yesuá, le digo: Haz un signo para arrastrar a la muchedumbre detrás de ti. No quiere esperar. Está preparada para seguirte contra el Sanedrín y contra Roma. No lo dudes.

Yesuá me mira como me miró en Caná. Su boca permanece muda. Sus ojos me dicen: ¿Quién es esta mujer que cree que me puede pedir que obedezca como un hijo debe obedecer a su madre?

Es el momento que escoge Caifás para alborotar su guardia de mercenarios. Grita que el Nazareno es un usurpador, un falso profeta, un falso mesías. Nos señala con el dedo, a los discípulos, a mí, a José de Arimatea y a Mariamne: Esos son los que quieren destruir el Templo. ¡Esos son los impíos! Los mercenarios bajan sus lanzas, sacan sus espadas. Barrabás hace que la turba nos envuelva para salvar nuestras vidas.

Mariamne lo recordará. En todo lo que siguió, estuvimos juntos para vivirlo.

A Yesuá y a sus discípulos los acogen en la casa de un tal Shimón, en la carretera de Betania, a menos de una hora de camino de Jerusalén. A mí, su madre, a Mariamne y a José de Arimatea nos llevan a la casa vecina. Barrabás me dice: Vuelvo a Jerusalén. El pueblo está demasiado inquieto para que yo me quede de brazos cruzados. No es posible contenerlo. Mi lugar está allí, delante de los que quieren luchar. Que tu hijo se decida. Ha lanzado una piedra, a él le toca saber a quién le dará.

Lo beso con todo el amor de mi corazón. Sé que puede morir en este combate, si Yesuá no se decide.

Mariamne está a mi lado. Tratamos de convencer a Yesuá: Has dicho ante el pueblo que pueden destruir el Templo y tú levantarlo en tres días. La gente va a destruirlo para ponerte a prueba. Quieren ver la fuerza de Dios actuando en tu palabra. Quieren un santuario puro. Te quieren a ti, delante de ellos. Quieren ver lo que eres. El pueblo de Israel no puede esperar más. Quiere que se abra el cielo.

Yesuá no nos mira. Se dirige a sus discípulos: ¿Quién los apremia? Moisés caminó mucho tiempo por el desierto y ni siquiera llegó a Canaán. Sin embargo, hizo prodigios, bajo la mano de Yahveh. ¿Y ahora este pueblo de cabeza dura exige?

Tras estas palabras, los discípulos nos echan de la casa.

Juan se me acerca, con el rostro triste: No te ofendas. Las palabras de Yesuá, tu hijo, las comprendemos y no las comprendemos todavía. Hay una razón, sin embargo: solo Yahveh decide sobre el tiempo de los hombres.

Antes de la noche, llega la noticia. Las calles de Jerusalén están rojas de la sangre de los combates. La caballería de Pilato, el gobernador, ha cargado, lanza en ristre. Por la noche, se sabe que Barrabás ha matado a un sacerdote del Templo. Me dicen: está preso. Lo han conducido a los calabozos de Pilato. Yo me vuelvo encolerizada contra Juan: ¿Y esto no abre la boca de mi hijo?

Sobre Betania, el cielo de la noche está rojo por los incendios de Jerusalén. Mi hermana de corazón, Mariamne, dice llorando: Es la sangre del pueblo que sube al cielo. Como el cielo sigue cerrado, cubre nuestro dolor.

Se nos une un anciano. Apenas anda, lo han transportado en un carro. Se dirige a mí: Soy Nicodemo, el fariseo del Sanedrín. El que fue a Nazaret. A casa de Yossef, el carpintero. Hace de eso más de treinta años. A petición de Joaquín, tu padre.

Lo reconozco en su ancianidad. Dice: Estoy aquí por ti, Miriam de Nazaret. Estoy aquí por tu hijo, Yesuá. Preséntame a él. Lo que tengo que enseñarle vale su vida.

Juan, el discípulo, lo conduce hasta Yesuá.

Nicodemo anuncia a Yesuá: Soy del Sanedrín, pero mi corazón me asegura que tú eres quien puede instruirnos sobre la voluntad del Todopoderoso. He orado para que Dios me ilumine y he visto tu rostro. Por eso estoy aquí y te digo: Esta noche, tienes que actuar para enseñarnos a todos quién eres. Y Yesuá le responde: ¿Qué esperas de mí? Nicodemo: Un signo. El que tú has anunciado. Di ante el pueblo que destruya el Templo y levántalo en tres días. Yesuá: ¿Cómo sabéis que ha llegado la hora, vosotros, que no sabéis nada, ni siquiera si estáis en manos de mi Padre? Nicodemo insiste: Es preciso que hagas el signo, o los romanos te detendrán al amanecer. Caifás y su suegro, Anás, han lanzado sobre ti la condena del Sanedrín. Te quieren muerto por lo que has hecho hoy. El pueblo se ha rebelado contra ellos. A esta hora de la noche, lo han reprimido y Barrabás está en prisión. Actúa por la mano de Yahveh o la sangre se habrá derramado para nada. Te lo digo: el pueblo de Jerusalén espera tu signo.

Mi hijo se calla. Esperamos su respuesta a Nicodemo. Al fin: Todos queréis acelerar el tiempo. Todavía parece una mera impaciencia que olvida su lugar. Pero, tú, el fariseo, ¿no sabes quién decide? Vuestra impaciencia os hace esclavos del mundo. Sin embargo, os lo digo: en el mundo, solo tendréis desamparo.

A Nicodemo le entristece lo que oye. Incluso los discípulos esperaban otras palabras. Yo le digo a Mariamne: Mi hijo me condena en público. ¿He cometido alguna falta? ¿He cometido una falta irreparable? Ella lo recordará, porque es la primera vez que lo pienso.

Nicodemo vuelve como ha venido. Durante toda la noche, Jerusalén contiene la respiración. Miles de personas esperan el signo de mi hijo.

No lo hay. El cielo permanece cubierto.

Al alba, una cohorte romana, su tribuno y la guardia del Templo llegan a Betania. Yesuá va en sus manos como cordero llevado al matadero. Lo conducen a Caifás, que lo remite a Pilato, el romano. En las calles de Jerusalén, la cólera ruge. Esta vez, contra Yesuá. Se oye: ¿Adónde nos ha llevado este? ¡Anuncia que va a edificar el Templo en tres días y ni siquiera es capaz de derribar a Caifás de su sede! Nuestra sangre está en las calles, ¿y para qué?

Claudia, la romana, la que sigue la enseñanza de Mariamne desde Caná, viene llorando. Dice:

Pilato es mi esposo. No es malo. Voy a pedirle clemencia para tu hijo Yesuá. No debe morir, no debe ir a la cruz. Yo le respondo: No olvides a Barrabás. Él está en [...][1]

[...] muchedumbre: ¡Él! ¡Él! Él ha luchado por nosotros. El otro nos ha [...] sentencia de Pilato se debe a la influencia viciosa de Anás sobre [...]

[...] rodillas ante mí: Qué vergüenza haber sido escogido por el pueblo en lugar de tu hijo. ¿Qué sentido tiene esta liberación? ¿Qué voy a hacer ahora con esta vida que se me da?

Es la primera vez que veo lágrimas en los ojos de Barrabás. Su cabeza blanca pesa entre mis manos, sus lágrimas mojan mis palmas. Lo levanto. Estoy destrozada por sus palabras. Lo abrazo contra mí. Le digo: Yo me alegro de que vivas, Barrabás. Me alegro de que el pueblo te haya designado para la clemencia de Pilato. No quiero perderte además de perder a mi hijo. Tú sabes como yo lo sé que nuestras vidas [...]

[...] evita consentir que le hagan ningún mal. Yo, Claudia, he tenido esta noche un sueño terrorífico. El fuego del cielo caía sobre nosotros después de su suplicio. Todos te lo han dicho: Yesuá de Nazaret es un hombre de bien. Si la muchedumbre ha escogido a Barrabás, eso no quiere de-

---

[1] Esta parte del rollo esta muy deteriorada, sin duda por haber sido manipulada más que las demás. La humedad y el desgaste hacen ilegibles una veintena de líneas. A continuación, en una longitud similar, solo algunos fragmentos son descifrables.

cir que la muerte de Yesuá no engendre una nueva rebelión. Entonces, mi esposo me responde: Hablas así de este Nazareno porque te has hecho discípula suya. Yo, Pilato, gobernador de Judea, escucho lo que me ha dicho el sumo sacerdote, Caifás. Él conoce el bien y el mal de los judíos.

A esas palabras, suspiran todos. Los discípulos protestan y gimen. Claudia, la romana, dice aún: La verdad, es que Pilato, mi esposo, teme al César. Si se muestra magnánimo, en Roma dirán que es un gobernador de mano débil y poco hábil.

Tras estas palabras, sabemos que no habrá gracia para él. Todos van entre lágrimas y tristes. Mariamne, mi hermana de corazón, me pregunta: ¿Por qué tus ojos permanecen secos? Todo el mundo llora, menos tú.

Ella recordará mi respuesta. Le digo: Las lágrimas se derraman cuando todo está acabado. Por lo que respecta a Yesuá, mi hijo, nada está acabado. Y yo, quizá sea la razón de sus tormentos de hoy. Mi corazón me dice: Lacera tu rostro y pide perdón al Señor. Tu hijo va a morir por tu causa. Yesuá te ha dicho: Mi tiempo todavía no ha llegado. Tú has ido más allá. En Caná, yo lo obligué a que nos hiciera un signo. Lo obligué a mostrar el rostro del Todopoderoso en él. El agua de Caná se convirtió en vino de Yahveh. Tengo el orgullo de la impaciencia. Esa es la espada que traspasa ahora mi alma y me hace ver mi falta.

A Mariamne, le digo: No hay noche ni hora del día en las que no pida al Señor Dios que me castigue por haber querido acelerar el tiempo. Yo he querido la liberación aquí y ahora. Soy como el pueblo, quiero la luz, el amor a los hombres y estoy cansada del cielo cerrado. Pero, ¿qué aportará la muerte de Yesuá? Su palabra todavía no ha cambiado la faz de la tierra. Roma sigue en Jerusalén. El vicio está en el Templo, reina en el trono de Israel. Nada se ha conseguido todavía. Sin embargo, ¿no parí a este Yesuá para que llegaran la luz a los días por venir y la liberación del pueblo de Israel?

Mariamne recordará mis palabras: Yo haré lo que debe hacer una madre para impedir que su hijo muera en el suplicio de la cruz. ¿No impedí que Herodes hiciera perecer a mi padre Joaquín? Lo haré de nuevo. Dios puede castigarme. Pilato puede castigarme. He cometido un pecado, estoy dispuesta para el castigo. Que me crucifiquen en lugar de mi hijo. Que me claven mis manos y mis pies.

Mariamne responde: Esto no será así nunca. Tú no podrás reemplazar a Yesuá en el suplicio. Aquí, las mujeres no tienen ningún derecho, ni siquiera el de morir en la cruz.

Yo sé que tiene razón. Me acerco a José de Arimatea: ¿Quién puede ayudarme? Esta vez, no quiero pedirle nada a Barrabás. Los discípulos de Yesuá lo señalan con el dedo. Él esconde su vergüenza de haber sido liberado en lugar de mi hijo. Sufre tanto que no tiene suficiente claridad de ideas para que me apoye en él. José me responde: Soy yo quien te ayudará. El que sabrá salvar a tu hijo soy yo. Dios hará el juicio. Si la voluntad de matar a tu hijo en la cruz es del Todopoderoso, Yesuá morirá. Si solo corresponde a Pilato, Yesuá vivirá.

Nos reunimos un grupo muy pequeño. José de Arimatea designa a quienes pueden ser útiles sin traicionar: Nicodemo, el fariseo del Sanedrín; Claudia, la romana; los discípulos esenios venidos de Bet Zabdai a petición suya [...][1]

[...] izado, tal como lo anunció Claudia, la romana. A la izquierda de su cruz, el hombre ajusticiado es Gestas de Jericó. Un cartel dice que ha matado. A la derecha, el hombre es el más viejo, con mucho. Su nombre es Dimas. Es de Galilea. Debajo, su familia lo llora gritando que no es un ladrón, sino un posadero que hace el bien a su alrededor.

Sobre la cruz de Yesuá, está escrito en una tabla: Yesuá, rey de los judíos. En hebreo, en arameo, en griego y en la lengua de Roma: todas las lenguas de Israel. Los romanos saben que el pueblo nombró así a Yesuá delante del Templo. Quieren humillar a los que han creído en él.

---

[1] Aquí, el rollo ha sido desgarrado, quizá a propósito. La parte que falta es importante y los dos bordes desgarrados se han mantenido juntos mediante un cosido con hilo de seda rojo.

Mariamne lo recordará. A nosotras, las mujeres, los mercenarios nos mantienen alejadas, con la lanza baja. Mariamne suplica y se encoleriza. En vano. Incluso Claudia, la mujer de Pilato; no la escuchan.

Cuando el sol está alto, llegan los curiosos en gran número. Algunos gritan: ¿Eres tú, el de la cruz, el que va a levantar el Templo? Otros se apiadan y se callan.

Llegan José de Arimatea y sus discípulos de Bet Zabdai. Llegan bajo la cruz y echan a los que gritan. Llega Nicodemo en la silla que llevan sus sirvientes. Con el cuerpo suspendido de las ligaduras, Yesuá habla. Nosotras, las mujeres, no podemos oír las palabras que pronuncia. Le digo a Mariamne: Mira, está vivo. Mientras sus labios se mueven, sé que está vivo. Y yo, al verlo así, estoy como muerta.

El sol está cada vez más alto. El calor aumenta, la sombra no es más que un hilo. Llega el centurión Longinos, a cuya hija curó Yesuá en Cafarnaúm. Longinos hace una señal a Claudia. Ignora a José de Arimatea y a Nicodemo. Nos ignora a nosotras, que nos mantienen apartadas. Discute con los soldados al pie de la cruz. Se ríen. Esa risa me traspasa. Longinos desempeña el papel que le ha asignado José de Arimatea, pero esa risa no la soporto.

Mariamne, mi hermana de corazón, grita: ¡Qué vergüenza! Ese romano cuya hija fue salvada por Yesuá. Miradlo cómo se ríe. ¡Que la infamia caiga sobre él! Los mercenarios la hacen callar. Ella se acordará. Que me perdone. Yo, que lo sé, no alivio su dolor. Me callo. Es el precio que tengo que pagar por la vida de mi hijo.

José de Arimatea señala a Yesuá: La sed le cuartea los labios. Nicodemo dice: Que le den de beber. Los discípulos de Bet Zabdai gritan: Hay que quitarle la sed. El centurión Longinos dice: Está bien. Da la orden a los mercenarios.

Un soldado se acerca a mojar un trapo en una vasija. Longinos lo ha previsto: las vasijas están llenas de vinagre. Así, Roma quita la sed a los condenados, añadiendo sufrimiento al sufrimiento. Longinos detiene la mano del mercenario. Le tiende otra vasija, que Nicodemo ha llevado en su carro, sin que nadie se diera cuenta. Longinos le dice al soldado: Utiliza mejor este vinagre. Es más fuerte. Le convendrá al rey de los judíos. Se ríe cuando el soldado moja el trapo.

Mariamne grita a mi lado. Los mercenarios nos obligan a retroceder con dureza. Me falta el aliento. Todo me da miedo. Con la punta de su lanza, el mercenario mete el trapo en la boca de Yesuá. Sé lo que tiene que pasar, sin embargo, mi corazón se para.

La cabeza de Yesuá bascula sobre su pecho. Tiene los ojos cerrados, Se le puede creer muerto.

Mariamne se cae al suelo. Que me perdone mi silencio. También yo ignoro si mi hijo está vivo o muerto. Ignoro la voluntad del Todopoderoso.

Nuestros gritos y nuestras lágrimas han atraído un gran número de personas. La muchedumbre se apretuja bajo la cruz de Yesuá. Se oye: Este es el Nazareno. Ha muerto como un hombre sin fuerzas, quien tenía que ser nuestro Mesías. Incluso los ladrones que lo flanquean todavía están vivos.

Se acerca el final del día. El día siguiente es sábado. La muchedumbre vuelve a la ciudad. El centurión Longinos anuncia: Este está muerto; es inútil permanecer aquí. Se aleja sin volverse. Los mercenarios lo siguen.

Los discípulos de Bet Zabdai rodean la cruz e impiden que se acerque nadie. Los demás se mantienen a distancia. Rezan llorando. Y a nosotras, las mujeres, también nos dejan. Corro para ver el rostro de mi hijo. Es un rostro sin vida, quemado por el sol.

José dice a Nicodemo: Es la hora. Vamos a casa de Pilato, rápido. Claudia, la romana, dice: Yo os llevo. Mariamne se asombra en medio de sus lágrimas: ¿Para qué ir a casa del romano? Yo le respondo: Para pedir el cuerpo de mi hijo a fin de que se le dé una sepultura digna. Al ver mi rostro, Mariamne adivina que estoy entre el terror y el gozo. Ella me pregunta: ¿Qué me estáis escondiendo?

Cuando las murallas de Jerusalén están rojas por la luz del crepúsculo, José y Nicodemo no han regresado. Llega una cohorte de mercenarios. El oficial ordena a los soldados: ¡Rematad a los condenados! Con una maza de largo mango, rompen las piernas y las costillas de los ladrones. Los discípulos de Bet Zabdai se mantienen al pie de la cruz de Yesuá, dispuestos a luchar. Nosotras estamos heladas de miedo.

El oficial nos mira. Mira a mi hijo. Se ríe: Este ya está muerto. Es inútil fatigarse con las mazas. A pesar de todo, por vicio o por odio, un soldado apunta su lanza. El arma entra en el cuerpo de mi hijo. Fluye la sangre. También agua. Es una buena señal. Lo sé. José de Arimatea me lo dijo. Yesuá, mi bien amado, no da señales de vida. El oficial dice al mercenario: Vete, pronto los pájaros se ocuparán de él.

Caigo al suelo como si mi conciencia me hubiese abandonado. Mariamne, mi hermana de corazón, me toma en sus brazos. Ella llora en mi cuello: ¡Está muerto! ¡Está muerto! ¿Cómo ha podido Dios dejar que hagan algo semejante? Ella se acordará. Que me perdone. No le digo lo que sé. No le digo: todavía vive. José de Arimatea lo ha dormido con una droga para hacerlo pasar por muerto. Me callo y temo.

José y Nicodemo vuelven. Muestran una carta de Pilato: El cuerpo de Yesuá es para nosotros. Ven la herida: Deprisa, deprisa.

Los discípulos de Bet Zabdai deshacen las ligaduras y bajan a Yesuá de la cruz. Pienso en Abdías, mi bien amado, que bajó igual a mi padre del campo de dolor, en Tiberíades. Siento su protección, está conmigo, mi pequeño esposo. Me tranquiliza.

Beso la frente de mi hijo. José pide ayuda. Colocan un emplasto sobre la herida. Rodean su cuerpo con vendas de biso untadas con ungüentos. En el carro de Nicodemo lo transportan a la gruta comprada desde hacía cinco días.

Nosotras, las mujeres, nos quedamos fuera.

José de Arimatea y los discípulos de Bet Zabdai cierran la entrada de la gruta por medio de una piedra grande y rodante. Antes de entrar, José me ha dejado ver el frasco. El que había en Bet Zabdai para sacar a la anciana de la muerte. El que hizo gritar a la muchedumbre y creer en el milagro.

Los del Sanedrín vienen y preguntan antes de que comience el sábado. Los discípulos, con túnicas blancas como llevan en las casas de los esenios, los echan: Aquí el Sanedrín no tiene potestad. Aquí se viene a bendecir, no a maldecir. A nosotras, las mujeres, nos piden que recemos y que nuestras voces se oigan desde lejos.

Al llegar la noche, José está a nuestro lado: Ahora, hay que alejarse. Los discípulos vigilan la gruta. Vamos a la casa de Nicodemo, cerca de la piscina de Siloé.

Estoy sola con José; le pregunto: ¿Vive? Quiero verlo. Él me responde: Vive. No lo verás antes de que los espías de Pilato estén seguros de que la gruta es su tumba.

Lo veo por la noche siguiente al sábado. Entramos en la gruta por una abertura disimulada detrás de un arbusto de terebinto. Mi hijo está en ropa interior, sobre una cama de musgo, cubierta con una sábana. En el aceite de las lámparas hay mirto, para que no huela mal. José me dice: Si Dios quiere, no será más difícil que con la anciana que salvaste en Bet Zabdai. Y Dios lo quiere, porque, en caso contrario, no lo hubiese dejado sobrevivir hasta aquí.

Lo velamos tres días. Pasados tres días, abre los ojos. La luz de las lámparas no es suficiente para que me reconozca.

Cuando puede hablar, le pregunta a José: ¿Cuánto tiempo ha pasado desde que me bajaste de la cruz? Tres días. Él sonríe, feliz: ¿No dije que me bastarían tres días para elevar el Templo en ruinas?

Pasada una noche más, anuncia que quiere marcharse. Yo protesto: ¡No tienes suficiente fuerza! Me ofrece, por primera vez desde hace mucho tiempo, una mirada de ternura: ¿Qué sabe una madre de la fuerza de su hijo? Nicodemo le dice: En este país, no estás seguro. Te buscarán. No te muestres más al pueblo. Tu palabra te sobrevivirá. Tus discípulos la sembrarán. José de Arimatea le dice: Espera unos días; mis hermanos de Bet Zabdai te conducirán a nuestra casa, cerca de Damasco. Allí estarás seguro.

Él no escucha. Se va anunciando: Vuelvo allí de donde vengo. Ese camino lo haré solo. José de

Arimatea y yo entendemos que quiere hacer el camino hasta Galilea. Todavía protestamos. No hay nada que hacer. Yesuá se va.

Cuando ya no lo vemos, porque nos ha rechazado con una señal de la mano, regresamos a la casa de Nicodemo.

Mariamne, mi hermana de corazón, ve mi angustia. Pregunta. Me da vergüenza el secreto que me ha cerrado la boca. Le confieso: Yesuá está vivo. José de Arimatea lo ha salvado de la cruz. He hecho lo que he dicho. La gruta no era su tumba. Mariamne grita: Ahora, ¿dónde está? De camino a Galilea. De camino a Damasco. Ella corre para alcanzarlo. Yo sé que a ella no la va a rechazar.

Barrabás se reúne con nosotros en la casa de Nicodemo. Nos cuenta los rumores que corren por la ciudad. Una mujer ha descubierto la gruta abierta, la piedra de entrada corrida. La muchedumbre viene a verlo. Se grita el milagro. Claman: Yesuá era quien decía. Los sacerdotes del Sanedrín van a la plaza del Templo. Dicen: Los demonios han hecho rodar la piedra que cerraba la tumba del Nazareno. ¡Se han llevado su cuerpo para alimentar los infiernos!

Hay peleas. Barrabás predice: No lucharán durante mucho tiempo. Pilato ha hecho saber que los discípulos de Yesuá irán a la cruz. Mañana, estarán mansos como corderos.

Claudia, la romana, asiente: Nunca he visto pasar tanto miedo a mi esposo. Si me acerco a él hoy, no me reconocerá y me encerrará en sus calabozos.

Barrabás tenía razón. Han pasado tres meses y los discípulos que rodeaban a mi hijo ya se han desbandado. Solo Juan se ha quedado a mi lado. Los otros pescan en el lago de Genesaret. Para aliviar su conciencia, algunos dicen que estoy loca.

En Jerusalén, el Sanedrín enseña que Yesuá no nació como nació. Dicen: Su madre, Miriam de Nazaret, es una loca que se acostó con los demonios. Ella no quiso que se supiera. Inventó y enmascaró el nacimiento de su hijo.

Vosotras, mis hermanas que seguís en la actualidad la enseñanza de Mariamne, decís: Si Miriam no hubiese hecho lo que hizo, Yesuá sería grande hoy día. No lo olvidarían. Decís: Miriam, su madre, negó la muerte de su hijo, pero el Todopoderoso quería su muerte para provocar la cólera de la rebelión. En adelante, no ocurrirá nada.

Yo os respondo: Os equivocáis. El Todopoderoso no se preocupa de nuestra rebelión, sino de nuestra fe. La rebelión está en nuestras manos tanto tiempo como sostengamos la vida contra la muerte y la luz contra las tinieblas. Yo quise que mi hijo Yesuá siguiera vivo mientras no se haya cumplido lo que lo hizo nacer. Roma sigue en Jerusalén, la injusticia reina en Israel, los poderosos matan a los débiles, los hombres desprecian a las mujeres...

Vosotras decís: Yesuá está vivo hoy día. Pero nadie se preocupa de oírlo, sino los tres discípulos que le quedan. Vosotras decís: En la cruz, hacía que nos avergonzásemos y la venganza podía nacer de su sufrimiento.

Yo respondo: la venganza no vale más que la muerte. Dejádsela al Eterno Todopoderoso, Dueño del universo. Es palabra de Yesuá. Sometedme a juicio, porque cometí el pecado de la impaciencia en Caná. Dios está irritado. No dejé morir a mi hijo. Dios está irritado. Pero, ¿cómo puede estar irritado el Todopoderoso, Dios de misericordia, por ver vivo a Yesuá? ¿Cómo iba a escoger él el sufrimiento y la maldición, en lugar de la alegría y la bendición? ¿Cómo puede querer que mañana solo haya oscuridad en la que reinen la humillación y el odio de unos hacia otros? Que el Señor Eterno perdone el orgullo de una madre. La que dio a luz a Yesuá, la que lo reveló al mundo y la que lo mantuvo vivo. Por siempre jamás. Amén.

Esta es la palabra de Miriam de Nazaret, hija de Joaquín y de Hannah, María según su nombre de Roma.


*Unos meses después, volví a Varsovia. Me encontraba de nuevo ante la puerta del destartalado apartamento. Reconociéndome, María comprendió inmediatamente por qué estaba allí.*

No tuvo necesidad de hacerme preguntas. Su sonrisa y su mirada eran elocuentes. Me pareció más fatigada. Pero la luz en la claridad de sus ojos era tan fresca, tan eterna como en los de una niña.

—Hice traducir el texto y lo leí —dije yo.

Ella asintió con la cabeza, acentuando su sonrisa.

—Y usted, ¿lo ha leído? ¿Tiene una traducción?

—Abraham Prochownik me lo contó.

—Si no murió en la cruz —pregunté yo—, ¿cómo murió?

Ella se encogió de hombros, molesta por tener que decir algo tan evidente.

—¿A quién se refiere usted, a mi Jesús, a mi Yesuá? Ya se lo dije... en Auschwitz.